KIEDY BÓG ODWRÓCIŁ WZROK

W serii historycznej Rebisu ukazały się m.in.

Mark Sołonin

22 CZERWCA 1941,
CZYLI JAK ZACZĘŁA SIĘ WIELKA WOJNA OJCZYŹNIANA

23 CZERWCA. DZIEŃ „M"

NA UŚPIONYCH LOTNISKACH...

Wiktor Suworow

CIEŃ ZWYCIĘSTWA

COFAM WYPOWIEDZIANE SŁOWA

AKWARIUM

LODOŁAMACZ

DZIEŃ „M"

OSTATNIA REPUBLIKA

OSTATNIA DEFILADA

WYZWOLICIELE

Matthew Parker

MONTE CASSINO

Marek Grajek

ENIGMA

Tadeusz A. Kisielewski

ZAMACH

ZABÓJCY

KATYŃ

GIBRALTAR I KATYŃ

Andrew Nagorski

NAJWIĘKSZA BITWA

Kenneth Slepyan

PARTYZANCI STALINA

Bryan Perrett

RYCERZE CZARNEGO KRZYŻA

Richard Hargreaves

NIEMCY W NORMANDII

Łukasz Piechocki

NIEMIECKA BROŃ V-1 I V-2

WIESŁAW ADAMCZYK

KIEDY BÓG ODWRÓCIŁ WZROK

Przełożyła
Ewa Ledóchowicz

DOM WYDAWNICZY REBIS
Poznań 2010

Tytuł oryginału
When God Looked the Other Way

Licensed by The University of Chicago Press,
Chicago, Illinois, U.S.A.

Redaktor
Małgorzata Chwałek

Projekt i opracowanie graficzne okładki
Zbigniew Mielnik

Opracowanie graficzne wkładek ilustracyjnych
Studio KALADAN

Fotografia na okładce
Wiesław Adamczyk z rodzeństwem, 14 stycznia 1935 roku, Sarny
Wszystkie fotografie zamieszczone w książce i na okładce
pochodzą z archiwum Autora, chyba że zaznaczono inaczej

II wkładka: rysunki z pamiętników dzieci-tułaczy oraz reminiscencje uczestników
III Marszu Pamięci w Katyniu, zorganizowanego w 2009 r. przez poznańskie
Stowarzyszenie Współpracy ze Wschodem „Memoramus"

Wydanie I (dodruk)

ISBN 978-83-7510-402-8

Dom Wydawniczy REBIS Sp. z o.o.
ul. Żmigrodzka 41/49, 60-171 Poznań
tel. 61-867-47-08, 61-867-81-40; fax 61-867-37-74
e-mail: rebis@rebis.com.pl
www.rebis.com.pl

Matce i Ojcu,
którzy umarli, by ich dzieci mogły żyć.
Oraz wszystkim dumnym Polakom,
którzy przetrwali na Nieludzkiej Ziemi
z nadzieją, że ich dzieci
będą kiedyś wolne

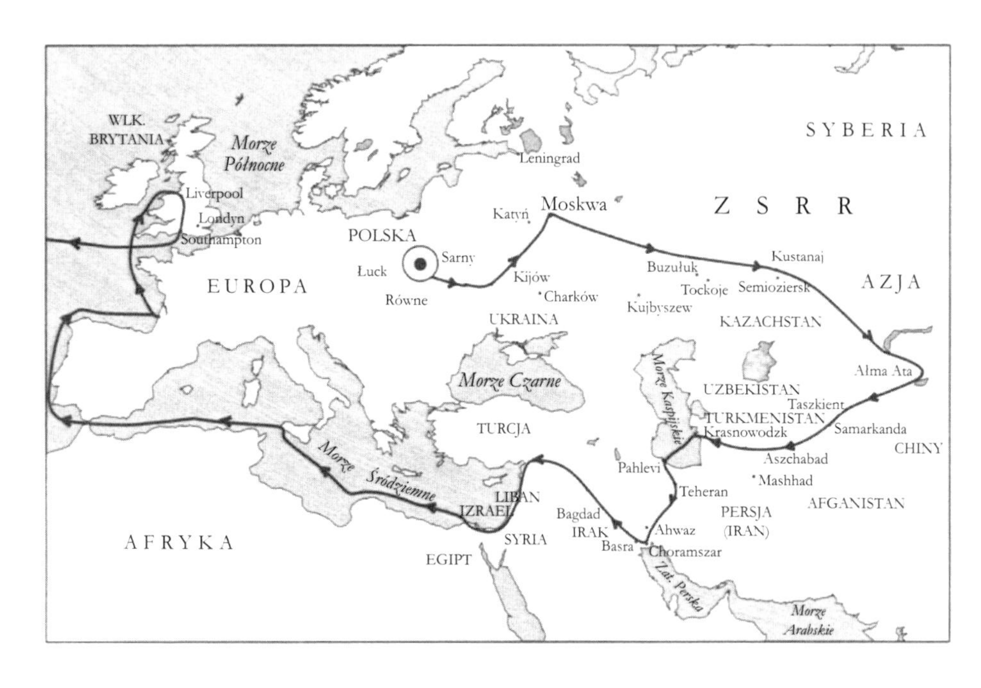

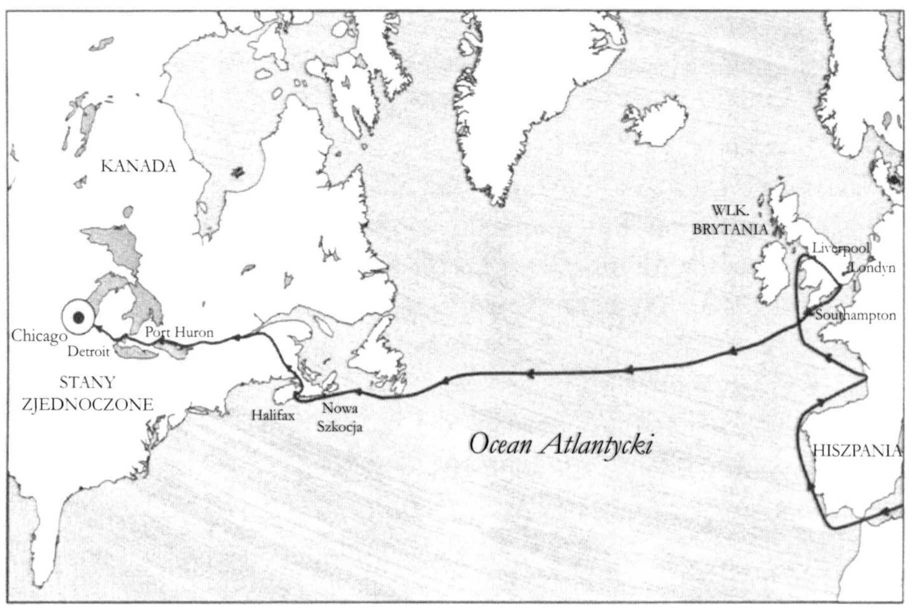

Trasa tułaczki Autora w latach 1939–1948

Przedmowa

Ogólnie rzecz biorąc, można zaryzykować stwierdzenie, że większość Brytyjczyków i Amerykanów w niewielkim stopniu uświadamia sobie, iż to druga wojna światowa ukształtowała świat, w którym żyjemy. Stany Zjednoczone są nadal najsilniejszym państwem, kwitnie pokój i demokracja, a totalitarnym potworom, które straszyły pięćdziesiąt i sześćdziesiąt lat temu, urwano łeb. Zimna wojna, którą można uznać za pochodną nierozstrzygniętych spraw z 1945 roku, skutecznie zdominowała drugą połowę dwudziestego wieku. Dopiero niedawno, po 11 września 2001, zostaliśmy zmuszeni uznać, że na arenie międzynarodowej pojawił się nowy terror oraz związane z nim wyzwania.

Pomimo upływu czasu powszechne wspomnienie drugiej wojny światowej pozostaje jednak nadal zaskakująco zniekształcone i niepełne. Pamiętamy bitwy, w których uczestniczyły wojska naszych państw; oglądamy filmy, poczynając od *The Dam Busters* i *Mostu na rzece Kwai*, a kończąc na *Bitwie o Ardeny* i *Szeregowcu Ryanie*; nie mamy cienia wątpliwości co do niekłamanego zła tkwiącego we wrogach, z którymi walczyliśmy. A nade wszystko ustawicznie – słusznie – przypomina się nam o żydowskim holokauście – najskrajniejszym przykładzie zbrodni hitleryzmu.

Niestety, ten konwencjonalny schemat nie przedstawia kompletnego obrazu wojny. Zawiera niejedno puste miejsce i nie uwzględnia zasadniczego moralnego dylematu, który powstał z chwilą, gdy w celu pokonania nazistowskich Niemiec zachodnie mocarstwa połączyły swe siły ze Związkiem Radzieckim. Wielu ludzi było podówczas skłonnych uwierzyć, iż Józef Stalin jest, jak zwały go nasze media, *Uncle Joe*. Zmyleni pomocą oraz bohaterstwem Armii Czerwonej ludzie ci zakładali odruchowo, że Sowietom przyświecają te same co nam cele, że sowiecki komunizm propaguje „inny model demokracji" oraz że Armia Czerwona wyswobadza narody, które najeżdża. Wiemy, że owe zrodzone w wojennym czasie poglądy były z gruntu fałszywe. W rzeczywistości reżim stalinowski ponosił odpowiedzialność za masowe egzekucje na niedającą się z niczym porównać skalę. Komunizm w sowieckim stylu okazał się tragicznym doświadczeniem dla tych, którzy go przyjęli. I w roku 1945 tyle samo europejskich narodów popadło w zniewolenie, ile zostało wyswobodzonych. Innymi słowy, Sojusznicze Zwycięstwo Wolności i Sprawiedliwości okazało się pyrrusowe.

Wiesław (Wesley) Adamczyk nader przekonująco obnaża tę nierównowagę między prawdziwym a fałszywym obrazem. Z nadzwyczajną dokładnością oraz wielką wrażliwością opowiada historię własnego wojennego dzieciństwa, przedstawiając tragiczne doświadczenie rodziny jasno i wnikliwie niczym wytrawny pisarz. Początek owego doświadczenia przypada na ten sam czas we wschodniej Polsce, w którym w zachodniej części kraju naziści budują Auschwitz i zakładają warszawskie getto. Rozpoczyna się ono bolesnym pożegnaniem autora z ojcem, którego już niedługo zamorduje stalinowska policja, oraz budzącym grozę wyrzuceniem rodziny z domu. Następnie rozwija się w trzytygodniową podróż zatłoczonymi bydlęcymi wagonami, poprzez głód i śnieżne pustki dalekiej Syberii, poprzez nieustanne przesłuchania i upokorzenia, aż do najczarniejszej ze wszystkich godziny, w której jego umęczona matka umiera u progu wolności. Autor wita koniec wojny jako jedna z pięćdziesięciu tysięcy polskich sierot, które przeżyły syberyjskie zesłanie, choć czekały je jeszcze lata zagubienia i niepowodzeń, poprzedzających osiągnięcie bezpiecznej przystani i obiecującej przyszłości w Ameryce.

To nadzwyczajne, że barwne wspomnienia Adamczyka przechowały się głęboko ukryte ponad pół wieku. Tamy tłumionej pamięci puściły dopiero w latach dziewięćdziesiątych, kiedy oświadczenie prezydenta Michaiła Gorbaczowa, potwierdzające sowiecką odpowiedzialność za masakrę katyńską, wyjaśniło autorowi tajemnicę losu jego zaginionego ojca i kiedy ci, którzy tak jak on pozostali przy życiu, mogli osobiście pojechać do Nieludzkiej Ziemi, by oddać ostatni hołd dawno utraconym bliskim oraz rodakom. W tym czasie autor prowadził rzecz jasna wiele historycznych badań, by zagwarantować rzetelność opowieści, oraz posiadł sztukę porządkowania myśli i nader wprawnego władania piórem. Czym wyświadczył cenną przysługę tym, którzy zechcą przeczytać o tryumfie ludzkiego ducha lub zyskać głębsze zrozumienie drugiej wojny światowej.

Znam wiele opisów syberyjskiej odysei oraz innych zapomnianych wojennych dziejów. Ale żaden nie jest bardziej pouczający, bardziej wzruszający i piękniej napisany aniżeli *Kiedy Bóg odwrócił wzrok*.

Norman Davies

Podziękowania

Jestem wdzięczny wielu ludziom różnych narodowości (zbyt wielu, by ich tu wymienić) – tym, którzy pomogli mi przetrwać odyseję mego dzieciństwa, tym, którzy zachęcili mnie do napisania tej książki, tym, którzy pomogli przywołać przeszłość, i wszystkim, którzy choćby w niewielkim stopniu sprawili, że moja książka jest tym, czym jest: przedsięwzięciem ludzkiego ducha. W szczególności dziękuję Czesławie Adamczyk (mojej bratowej), Sohailowi Bahu, Massoudowi Bananowi, Barbarze Basińskiej, Mary Jean Coulson, Kennethowi i Ellie Dubrau, Maryli Dudziak, Alicji Edwards, Lee i Kay Esworthym, Richardowi Grebowi, Iwonie Gronkowskiej-Rzeczkowskiej, Diane Inglot, Teresie Kaczorowskiej, Yvonne Kaminski (mojej siostrzenicy), Janowi Kaweckiemu, Borysowi Liechtenowi, Stevenowi Luckew, Stanisławowi Machnikowi, Zofii Machnik-Hamarneh, Robercie Marsh, Kazimierzowi Monecie, Anecie Naszyńskiej, Venecie Popovej, Barbarze Procop (mojej siostrzenicy), Janice Ryder, Josephowi Sturgisowi, Adamowi Szymelowi, ojcu Zygmuntowi Wazowi, Leopoldowi Witkowskiemu, Jagnie Wright, Adolfowi Wróblowi, Krystynie Ziemło oraz Milesowi Zimmermanowi.

Dziękuję również następującym instytucjom i osobom za udostępnienie ich archiwów oraz dostarczenie informacji: Irenie Czernichowskiej z Archiwum Hoover Institution w Stanford (Kalifornia); Zdzisławowi Kowalskiemu z Centralnego Archiwum Wojskowego w Warszawie; pracownikom Liverpool University; Władysławowi Dusiewiczowi z Fundacji Rodzin Katyńskich w Warszawie; Janowi

Lorysowi z Polish Museum of America w Chicago; Franciszkowi Kostrzewie i Romanowi Sikorze z Polskiego Muzeum Kolejnictwa w Krakowie; George'owi Kaminskiemu z Turn Key Communications Services w Chicago; Stefanowi Wiśniewskiemu, założycielowi i prowadzącemu Grupę Kresy-Syberia w Sydney, oraz profesorom Wojciechowi Materskiemu i Andrzejowi Korzonowi z Polskiej Akademii Nauk w Warszawie.

Chciałbym również wyrazić głęboką wdzięczność wielu osobom za to, że podjęły wysiłek czytania rękopisu niniejszej książki na różnych etapach, i za ich cenne uwagi oraz rady: Olence Frenkiel za nauczenie mnie, czego nie należy robić, pisząc książkę; Anne Brashler za recenzję pierwszego szkicu rękopisu; Leslie Keros, memu doradcy nadzwyczajnemu i recenzentce, za profesjonalizm, wyjątkową przenikliwość i wyczucie kontekstu; Davidowi Bemelmansowi, redaktorowi wczesnego szkicu rękopisu, za słowa zachęty, cierpliwość i wrażliwość; Jane Zanichkowsky, za wielką sumienność oraz oddanie przy korekcie ostatecznej wersji; profesorom M.K. Dziewanowskiemu i Christopherowi Flizakowi, a także Edwardowi Kaminskiemu oraz dwóm anonimowym recenzentom z University of Chicago Press za kompetentne i inspirujące sugestie. Jestem też głęboko wdzięczny dr Ewie Gruner-Żarnoch i Wacławowi Godziembie-Maliszewskiemu za osobiste relacje z niektórych wydarzeń historycznych opisanych w mojej książce.

Chciałbym też wyrazić szczególnie serdeczne podziękowania: Johnowi Tryneskiemu, redaktorowi naczelnemu działu nauk społecznych w University of Chicago Press za przyjęcie rękopisu do publikacji i tym samym nadanie mojej opowieści jej własnego życia; Erin Hogan, dyrektor działu promocji w University of Chicago Press, za zapał w promowaniu mojej książki; oraz Mike'owi Brehmowi i Vinowi Dangowi, odpowiedzialnym z ramienia Wydawnictwa za jej graficzny układ i za ich kreatywność. Dziękuję też Robertowi Gutierrezowi za narysowanie mapy Polski i Jennifer Kohnke za narysowanie mapy mojej odysei.

Na koniec składam ogromne podziękowania członkom mojej rodziny. Memu bratu Jurkowi i siostrze Zosi winien jestem dozgonną wdzięczność za zachowanie dumy i honoru naszej rodziny na Syberii i we wszystkich pozostałych obcych krajach, po których wędrowaliśmy jak nomadowie, oraz za przechowanie w żywej pamięci wszystkich bezcennych wspomnień o naszym domu. Zosi, która stała się moją przybraną matką, kiedy sama była zaledwie nastolatką, nadal zawdzięczam wiele z tego, kim dziś jestem. Dziękuję memu synowi George'owi, który podarował mi najwspanialszy prezent z okazji Dnia Ojca, towarzysząc mi do grobu mego ojca. Wdzięczny jestem ciotce Marii Adamczyk-Siepak, głowie naszego rodu, której życie przypadło na trzy wieki i która sprowadziła mnie do Ameryki, zapewniając mi życiowy start, oraz Geraldine Siepak-Luckew, jej córce, która łaskawie wskrzesiła dla mnie niektóre z najcenniejszych wspomnień mego dzieciństwa w Polsce. Dziękuję Marii i Geraldine za utrzymywanie niemal cały wiek rodzinnego archiwum na amerykańskiej ziemi.

Miłości mego życia, żonie Barbarze, która przez lata pisania niniejszej książki łagodnie tuliła mą duszę, ocierała moje łzy i koiła ból w moim sercu – ofiarowuję wszystko.

Wstęp

Dzień 13 kwietnia 1990 roku, w którym prezydent Związku Radzieckiego Michaił Gorbaczow spotkał się na Kremlu z prezydentem Polski Wojciechem Jaruzelskim, był historycznym dniem. Miliony ludzi w Polsce i na świecie czekały na to wydarzenie od lat. Podczas spotkania Gorbaczow przyznał, że to sowieckie NKWD ponosi odpowiedzialność za zamordowanie piętnastu tysięcy polskich jeńców wojennych, z których ponad połowę stanowili oficerowie wojska polskiego, wzięci do niewoli przez Sowietów niedługo po wybuchu drugiej wojny światowej. Wśród nich był również mój ojciec. Gdyby Stalin uczynił takie wyznanie niecałe pięćdziesiąt lat wcześniej, kiedy Niemcy po raz pierwszy dokonały odkrycia zbiorowych mogił w Lesie Katyńskim, bieg historii Europy oraz świata prawdopodobnie uległby radykalnej zmianie.

Spóźnione wyznanie winy odkryło tajemnicę grobów, lecz nie od razu w całości. Gorbaczow, wciąż zdecydowanie broniący szybko blaknącego obrazu partii komunistycznej i sowieckiego rządu, uchylił się od odpowiedzialności za zbrodnię dokonaną na wielu tysiącach obywateli polskich, pochowanych w innych zbiorowych grobach w Związku Radzieckim. Mimo to jego wyznanie i tak wstrząsnęło społeczeństwem sowieckim. Podało też w wątpliwość reputację wielu powszechnie znanych zachodnich przywódców rządowych i wojskowych, w większości już nieżyjących.

Pięćdziesięcioletni łańcuch kłamstw, oszustw i ich tuszowania został przerwany. Przez wszystkie te lata Sowieci uparcie przybierali maskę niewinności w sprawie katyńskiej, oskarżając Niemców o zbrodnię, której tamci nie popełnili. Równocześnie rządy amerykański i brytyjski oficjalnie milczały w sprawie prawdy o Katyniu i pomimo świadomości, że to Sowieci winni są zbrodni, tuszowały fakty, przystając na ich wersję wydarzeń. Polacy musieli dalej żyć nie tylko przytłoczeni przerażającą tragedią utraty ponad połowy narodowych intelektualnych i wojskowych elit, ale także ogarnięci gniewem oraz frustracją z powodu nieprzerwanego kłamstwa, którym ją pokrywano.

Katyńska zbrodnia jest zaledwie jednym rozdziałem zapomnianego holokaustu, którego ludność polska doznała z rąk sowieckich komunistów. Innym rozdziałem są przymusowe deportacje setek tysięcy Polaków do Związku Radzieckiego w celu stopniowej ich eliminacji, dokonywanej za pomocą morderstw, niewolniczej pracy, chorób i głodu. Ów ciężki los był udziałem także moim i mojej rodziny. (Liczba deportowanych jest przedmiotem kontrowersji, omawianych na stronach 338–341 w przypisie do rozdziału 4.).

Potwierdzenie przez Gorbaczowa sowieckiej winy za zbrodnię katyńską wstrząsnęło światem, a dla mnie było to jak zerwanie tamy. Zalały mnie bolesne wspomnienia wydarzeń, które jako małe dziecko przeżywałem pół wieku temu – wspomnienia, które upływ czasu zamroził i głęboko ukrył, ale nigdy mnie ich nie pozbawił. Przed mymi oczami rozgrywały się koszmarne wizje egzekucji ojca i nie mogłem się uwolnić od ustawicznego przeżywania dręczących szczegółów z deportacji i uwięzienia, które stały się udziałem mojej rodziny. Na powrót pogrążałem się w bólu po przedwczesnej śmierci matki, która poświęciła życie dla ratowania swych dzieci z sowieckiej niewoli, i nie umiałem wyrzucić z pamięci wspomnień dziesięciu samotnych, pełnych poczucia zagubienia lat, kiedy jako sierota tęskniący za domem wędrowałem po świecie.

Czytelnika może dziwić, czemu tak długo powstrzymywałem się od spisania odysei mojego dzieciństwa. Otóż przez większość tego czasu prawda o tragicznej śmierci ojca pochowana była razem z nim. Całe życie szukałem jego grobu i zawsze pragnąłem móc odwiedzić miejsce pochówku ojca i oddać mu cześć, zanim umrę. Gdybym opisał moją odyseję wcześniej, byłaby to opowieść bez zakończenia. Nie chciałem napisać takiej opowieści.

Po oświadczeniu Gorbaczowa poczułem, że powinienem opowiedzieć światu o tragedii, jaka za sprawą Związku Radzieckiego dotknęła moją rodzinę i naród polski. Należało znaleźć sposób – oraz odwagę – by przywołać dawne wydarzenia możliwie najdokładniej. Rozpocząłem od spędzenia setek godzin na rozmowach ze starszym bratem i siostrą, z ciotkami i wujami w Polsce i w Stanach Zjednoczonych, z dziesiątkami polskich wygnańców, którzy podążyli tym samym szlakiem co my, oraz z mieszkańcami krajów, które przemierzyliśmy. Następnie skontaktowałem się z polskimi muzeami w Chicago, Londynie i Warszawie, z Archiwum Wojskowym w Warszawie, z Muzeum Kolejnictwa w Krakowie i z Instytutem Hoovera w Stanfordzie w Kalifornii. Przejrzałem setki fotografii, dokumentów i listów z rodzinnych archiwów w Ameryce i w Polsce, a także wiersze i pamiętniki pisane przez siostrę podczas naszej wędrówki. Kiedy poskładałem już wszystkie te elementy, leżała przede mną mozaika mego wczesnego życia. Niektóre jej fragmenty były w żywych barwach, niektóre w odcieniach szarości i czerni, a długo ukrywane najbardziej osobiste uczucia zaczęły wydobywać się na powierzchnię. Nic nie było bardziej wyraziste od wspomnień dzieciństwa na Nieludzkiej Ziemi. Takie nazwanie Związku Radzieckiego przez Polaków nie odnosi się ani do surowych syberyjskich zim, ani do upałów panujących latem na rosyjskich stepach, lecz do skrajnego okrucieństwa i brutalności sowieckiego reżimu komunistycznego.

W czerwcu 1998 roku wsiadłem do samolotu na międzynarodowym lotnisku O'Hare'a w Chicago i rozpocząłem pielgrzymkę do Charkowa na Ukrainie, gdzie na zaproszenie rządu polskiego miałem uczestniczyć w nabożeństwie żałobnym za pomordowanych oficerów polskich. Zanim jeszcze samolot oderwał się od płyty lotniska, serce mocno biło mi w oczekiwaniu na wydarzenia, w myślach i uczuciach panował zamęt. Ostatni raz widziałem ojca pięćdziesiąt dziewięć lat wcześniej w Polsce, kiedy byłem małym chłopcem. Przytulił mnie mocno i ucałował, zanim poszedł na wojnę. A teraz miałem niedługo stanąć nad zbiorową mogiłą, w której pochowany został wraz z tysiącami innych oficerów.

Po przyjeździe do Krakowa razem z innymi udającymi się na to nabożeństwo żałobne wsiadłem do pociągu do Charkowa, by ruszyć w podróż, której koszty pokrywał polski rząd. Kiedy przekraczaliśmy granicę polsko-ukraińską, która jeszcze do niedawna była granicą polsko-radziecką, uzmysłowiłem sobie, że dokładnie pięćdziesiąt osiem lat wcześniej sowieccy żołnierze siłą wepchnęli nas wraz z tysiącami innych polskich zesłańców do bydlęcych wagonów, mających po tych samych torach wywieźć nas na Syberię, skąd wielu miało już nigdy nie powrócić. Gdy tak czas mijał, a pociąg wiózł nas coraz dalej w głąb byłego ZSRR, drzwi, które szczelnie zamknąłem na pół wieku, otworzyły się nagle i wysypały się zza nich wspomnienia o małym chłopcu, który ku memu zdumieniu nigdy nie zapomniał tego, co przeżył.

Dwa miesiące po moim powrocie do Stanów Zjednoczonych radio BBC oraz telewizja nadały reportaż o naszej pielgrzymce oraz o nabożeństwie żałobnym w Charkowie. Jednym z głosów, których słuchały miliony ludzi na całym świecie, był głos krzepkiego siwobrodego mężczyzny z Chicago, który przełykając łzy, z uczuciem przemawiał w imieniu swego milczącego ojca. Ale ktoś inny jeszcze dał o sobie znać: mały chłopiec z Polski, dla którego czas się zatrzymał i który ponad pół wieku milczał o tym wszystkim, czego był świadkiem. Ta książka to jego opowieść.

Część I

POLSKA

Członkowie mojej rodziny i sąsiedzi na ganku naszego domu, Sarny, 1935 rok. Ja siedzę na kolanach niani (*górny rząd, drugi od lewej*); mama siedzi po mojej lewej stronie. Brat Jurek siedzi poniżej mamy, a siostra Zosia w dolnym rzędzie (*czwarta od lewej*).

Rozdział 1

Sarny

Jak większość dni o tej porze roku w Warszawie, 14 stycznia 1933 był zimny i ponury. Kiedy przyszedłem na świat owego właśnie dnia, mama i niania orzekły, że oto narodził się wielki polski poeta. O czym ja dowiedziałem się znacznie później, gdy już zacząłem dobrze mówić, a dlaczego to nie mojego starszego brata albo siostrę wytypowano do owej wzniosłej profesji, pozostaje tajemnicą do dziś. Ilekroć pytałem o to mamę, tylko się uśmiechała.

Mieszkaliśmy na peryferiach w Sarnach, we wschodniej Polsce, w otoczonym przez brzozy, sosny i dęby wielkim drewnianym domu. Posiadłość okalał drewniany płot, głównie by chronić przed płową zwierzyną ogród i sad, które znajdowały się na tyłach domu. Stara brama od frontu chętnie otwierała się dla gości. Lubiłem huśtać się na niej i słuchać, jak skrzypi.

Za domem znajdował się duży dziedziniec ze stajnią, ogrodem i niewielkim stawem. Był to nasz plac zabaw, miejsce letnich przyjęć ogrodowych, punkt zbiórki przed polowaniami oraz wyprawami na jagody i grzyby, a także miejsce, gdzie przyjmowano Cyganów dla rozrywki i aby wysłuchać wróżby. Mama zawsze chciała, żeby Cyganie jej wróżyli. A potem żebym nie wiem jak ją męczył, nigdy nie chciała zdradzić, co powiedzieli.

Zofia, moja siostra, bawiła się ze mną w chowanego w stajni, w której trzymano konie oraz wozy, sanie, powóz, a także kury, kaczki i gęsi. W niektóre poranki mama posyłała nas tam, żebyśmy zebrali świeże jajka na śniadanie – jeden z niewielu obowiązków, których spełnienia nigdy nie odmawiałem – i jeśli mieliśmy szczęście, mogliśmy zobaczyć, jak kury znoszą jaja. Kiedy nadchodził dzień wylęgu, godzinami czekaliśmy, aż kurczęta przebiją się przez skorupki.

W ogrodzie obok stajni rosły rozliczne zioła i warzywa, wśród nich moja ulubiona kukurydza i ogórki. Z drugiej strony stajni był staw, w którym pluskały się kaczki i gęsi. Uwielbiałem karmić je chlebem i obserwować, jak młode dorastają, drepcząc za mamami, beztroskie i szczęśliwe. Często zastanawiałem się, dzięki czemu uczą się dorosłego życia o tyle szybciej niż ludzkie dzieci.

Na tyłach domu wzdłuż płotu rosły słoneczniki, wystawiające swe roześmiane twarze do słońca. Całe lato czekaliśmy, aż dojrzeją, by móc łuskać ich pestki. Do płotu często podchodziły sarny i jelenie, wtykały głowy między słoneczniki i błagały pięknymi oczami o kapustę i sałatę. Choć płochliwe, mnie się nigdy nie bały, czmychały jednak szybko na widok dorosłych.

Za płotem ciągnął się las, do którego rodzina chadzała z przyjaciółmi na grzyby. Słońce tylko gdzieniegdzie przedzierało się przez ciężki, gęsto utkany baldachim z liści, ziemię pokrywał dywan z mchu. Nawet w najgorętsze dni powietrze było tam świeże i chłodne, głęboko przepojone wonią dzikich jagód, kwiatów, porostów i spróchniałych drzew. Grzyby skrywały się w poszyciu wśród wilgotnych zeszłorocznych liści i znalezienie ich wymagało nie lada bystrego oka. Ale za to jak cudownie było ostrożnie odgarniać palcami liście i odsłaniać wynurzające się krągłości kapeluszy! Ich złotawe, brązowe, zielonkawe i czerwone odcienie sprytnie maskowały się w poszyciu. Najbardziej kolorowe i najpiękniejsze grzyby często były trujące. Mój brat Jurek, wytrawny grzybiarz, sprawdzał wszystko, co znajdowałem, by się upewnić, czy jest jadalne.

Ciężkie drewniane drzwi wejściowe prowadziły do niewielkiego przedsionka, przy którym znajdowała się szatnia. Wzdłuż całego domu ciągnął się stamtąd długi korytarz łączący wszystkie pokoje. Większość czasu spędzałem we własnej sypialni. To był mój pokój zabaw, pełen książek i zabawek, a także miejsce, w którym mama, niania i siostra opowiadały mi bajki oraz uczyły czytać i pisać. Najbardziej lubiłem historię o krainie krasnoludków i jej mieszkańcach tak małych, że zmieściliby się we wnętrzu dłoni. Ich królestwo ukryte było głęboko w lesie i jak głosiła opowieść, można było czasami, choć niezwykle rzadko, znaleźć krasnala śpiącego pod grzybem. Jakże pragnąłem, żeby mnie się to przytrafiło, choćby jeden raz! Ale one pracowały nocą, a w ciągu dnia spały w ukryciu.

Najciekawszym pokojem był w domu gabinet ojca. Jego ściany pokryte od podłogi do sufitu dębową boazerią stwarzały mroczną i tajemniczą atmosferę. W powietrzu unosił się zapach cygar. Stary parkiet i dywanik były wyraźnie przetarte pod wielkim dębowym biurkiem o blacie wyłożonym zieloną skórą, ozdobioną wytłoczonym złotym szlaczkiem. Z jednej strony biurka piętrzyła się sterta map i wykresów, a z drugiej – stosy papierów, które zdawały się nigdy nie maleć. Brązowa podkładka o skórzanych rogach, poplamiona atramentem, zakrywała tę część blatu, przy której ojciec pracował.

Nad biurkiem znajdował się duży portret pierwszego marszałka Polski, Józefa Piłsudskiego, pod którego dowództwem ojciec służył podczas obrony Polski w wojnie 1920 roku. Z obu jego stron wisiały portrety dwu słynnych polskich generałów, którzy wsławili się w walce o niepodległość Ameryki, Kazimierza Pułaskiego i Tadeusza Kościuszki, a obok obrazy przedstawiające ich bitwy oraz – nieco dalej – portrety największych polskich królów. Naprzeciw biurka znajdował się okazały kamienny kominek ze stosami drewna ułożonego po obu stronach. Nad nim dumnie prezentowały się ojca strzelby, pistolety oraz lśniąca oficerska szabla, a jeszcze wyżej, w szklanej gablotce, jego czapka, dystynkcje i odznaczenia. Pozostałe wolne miejsca wypełniały barwne przedstawienia historycznych bitew.

Gabinet ojca był świętością. Przed wejściem trzeba było zawsze najpierw zapukać i zapytać: „Czy mogę wejść?" Ale jeśli akurat nie pochłaniała ojca jakaś pilna praca, nikomu nie odmawiał wstępu. Znalazłszy się wewnątrz, natychmiast wskakiwałem mu na kolana, a on raczył mnie jakąś historyjką albo odpowiadał na pytania związane z wcześniej opowiadanymi przygodami. Nawet gdy nie miał dużo czasu, tych kilka minut w gabinecie pozwalało mi poczuć przynależność do świata przodków, świata innego, a zarazem tak bardzo mojego własnego.

Na wieszaku przy drzwiach wisiały mundury ojca, polowy i galowy. Oba starannie wyprasowane w ostry kant, zawsze w pogotowiu. Pod wieszakiem stały wysokie skórzane oficerki, tak wyglansowane, że odbijały migotanie ognia na kominku niczym lustro. Z drugiej strony drzwi, w przeszklonej gablocie, stały jedno- i dwururki, strzelby na grubą zwierzynę oraz wszelkiego rodzaju inne myśliwskie przybory.

Ojciec opowiadał mi niekiedy o dzikich hordach Mongołów, które dawno temu nieustraszenie prowadzone przez Dżyngis-chana sunęły od wschodu i podbijając rozległe terytoria, tworzyły imperium większe niż imperia Rzymian, Greków czy nawet Persów. Słuchałem też o tym, jak wiele lat później wywodzący się od Mongołów Tatarzy atakowali Europę od wschodu, zapuszczając się tak daleko na zachód, że kiedyś nawet dotarli do Krakowa. Napadali na wsie, w których mężczyzn mordowali bezlitośnie, a kobiety i dzieci brali w jasyr i ze zrabowanym łupem powracali do Azji. Słuchając tych opowieści, nie mogłem opędzić się od myśli, czy najeźdźcy ze wschodu aby znowu na nas nie najadą. Ale ojciec zawsze zapewniał mnie, że nie ma się czego bać.

Ze wszystkich opowiadanych w gabinecie historii najbardziej lubiłem tę o bitwie pod Grunwaldem. Ojciec powiedział mi, że była to największa i najbardziej krwawa jednodniowa bitwa w średniowiecznych dziejach Europy.

Pamiętam, jak pewnego zimnego wieczoru, kiedy za oknem huczał silny wiatr, ojciec pozwolił mi wejść do gabinetu. Choć historię Grunwaldu słyszałem już wiele razy, udało mi się namówić go, aby opowiedział ją po raz kolejny. Ojciec jak zawsze posadził mnie sobie na kolanach, okrył wełnianym kocem, a ja wlepiłem oczy w obraz bitwy wiszący na przeciwległej ścianie i czekałem, aż zacznie się akcja.

Gdy tylko rozpoczynała się opowieść, pole bitwy natychmiast ożywało. Tysiące za tysiącami ludzi po obu stronach w milczeniu stanęły naprzeciw wrogów. Wszyscy trwali nieruchomo, jak gdyby nic nie miało się wydarzyć – rycerze zakuci w ciężką zbroję, dzierżący kopie i miecze w dłoniach oraz piechota uzbrojona we włócznie, łańcuchy, noże, żelazne siatki i liny. Tylko sztandary niesione przez chorążych łopotały na wietrze. Rycerze pochylili głowy. Piechurzy opadli na kolana, pogrążając się w pokornej modlitwie.

– Tato, czemu żołnierze modlą się przed bitwą? – zapytałem.

– Proszą Boga o wybaczenie grzechów, ponieważ wiedzą, że może to być ich ostatni dzień – odpowiedział z powagą.

Ciszę po polsko-litewskiej stronie przerwały sygnały trąbki. Szeregi ruszyły, na początku powoli, a potem szybciej i szybciej. Słyszałem tętent kopyt końskich w pełnym galopie i tupot tysięcy stóp ludzi biegnących z bitewnym okrzykiem na ustach. Widziałem rycerzy zakutych od stóp do głów w lśniącą zbroję, jak z opuszczonymi przyłbicami mierzą każdy ciężką kopią we wroga. Potem nagle tętent przeszedł w przerażający szczęk i zgrzyt stali o stal. Tumult zamieniał się w rozszalały wir ludzi i zwierząt. Rycerze padali na ziemię, a ponieważ niezdolni byli się poruszyć, żołnierze piechoty natychmiast podrzynali im gardła. Głowy piechurów spadały na ziemię od jednego cięcia miecza silnego wojownika. Ranni byli tratowani. Konie stawały dęba z przerażeniem w oczach, buchając parą z nozdrzy, poskramiane przez jeźdźców jedną ręką dzierżących wodze, a drugą walczących z wrogiem. Kłębowisko ludzi i koni nurzało się oto przede mną w kałużach krwi, tu i ówdzie wystawały odrąbane członki. Potworne!

Przez wiele godzin walka była prawie wyrównana. Aż z bitewnego zgiełku wyłonił się rycerz, który nie miał ani zbroi, ani hełmu, jedynie białą jedwabną tunikę z czarnym krzyżem, symbolem krzyżackim, naszytym z przodu i z tyłu. Był to wielki mistrz Ulrich von Jungingen, dosiadający wspaniałego siwego wierzchowca. Jego miecz, uniesiony wysoko, gotowy był do ciosu. Zanim jednak zdołał utoczyć choćby kroplę krwi wroga, zaatakowało go włócznią i toporem dwóch długowłosych i brodatych polskich piechurów. Koń stanął dęba. W jednej chwili włócznia pierwszego napastnika przebiła serce Krzyżaka, a topór drugiego rozpłatał mu czaszkę. Był to punkt zwrotny bitwy; kilka godzin później zgiełk ucichł. Z pola walki dochodziły jedynie wołania i jęki rannych i umierających. Na ciała zabitych sfruwały kruki i wrony, które od wielu godzin wisiały cierpliwie w powietrzu. Z okolicznych wsi przychodziły kobiety z wiadrami wody, by gasić pragnienie rannych. Inne nadchodziły, by modlić się za dusze zmarłych. I tak godzina po godzinie, dopóki nie zapadł zmrok.

Siedzieliśmy z ojcem w skórzanym fotelu, obserwując gasnący ogień w kominku i długo nic nie mówiąc. Drobne płomyki przeskakiwały z trzaskiem z polana na polano, potem zdawały się niknąć, by nieoczekiwanie się znowu pojawiać, kpiąc sobie ze mnie i napawając mnie strachem, jakby były zjawami z pola bitwy. Czułem, że duchy są w pokoju, chociaż nie mogłem ich zobaczyć. Zacisnąłem powieki i przytuliłem się mocniej do piersi ojca. Delikatne, ledwo słyszalne pukanie przerwało ciszę. Otworzyłem oczy i ujrzałem, jak drzwi bardzo wolno się otwierają. Zadrżałem. Może to duch jednego z poległych?

Zanim ojciec zdążył się odezwać, z korytarza dobiegł łagodny głos.

– Wiesiulku – powiedziała mama – już od dawna powinieneś być w łóżku.

Ojciec, słysząc werdykt mamy, wziął mnie na ręce i zaniósł do kuchni, w której czekało ciepłe mleko i ciasteczka.

W przeciwieństwie do historii o krwawych bitwach, które lubił ojciec, mama opowiadała mi zazwyczaj przypowieści o Bogu i aniołach stróżach. Uczyła mnie o Wszechmogącym, który zasiada wysoko w niebiosach i który wie wszystko, widzi wszystko i wszystko słyszy. Dlatego, mawiała, zawsze powinienem być grzecznym chłopcem i słuchać rodziców. Mama wytłumaczyła mi też, że każdy człowiek ma własnego anioła stróża, by go strzegł, oraz że inne anioły zawsze służą pomocą.

Co wieczór razem z mamą modliłem się do Boga i do mojego anioła stróża. Zamykając oczy i składając dłonie, prosiłem, by czuwali w nocy nad tatą, nad mamą, nad bratem i siostrą, nad nianią i służbą. A potem prosiłem, by czuwali także nade mną. Gdy następnego ranka widziałem wszystkich zdrowych i uśmiechniętych, wiedziałem, że moje modlitwy zostały wysłuchane. I tak zacząłem stopniowo zdobywać wiarę w istnienie Boga oraz w siłę modlitwy. Rzecz jasna nic złego nie mogło spotkać ani mnie, ani mojej rodziny. Znaczenie religii w historii i tradycji zacząłem doceniać później. Religia nie stanowiła oddzielnej sfery życia; była częścią naszego dziedzictwa. Święta kościelne wyznaczały porządek roku. Szczególnie Wielkanoc i Boże Narodzenie, o głęboko zakorzenionych tradycjach, były piękne i zapadały w pamięć, a ja ich przyjścia zawsze wyczekiwałem z największą niecierpliwością.

Życie w naszym domu było starannie zorganizowane, na wszystko przypadał właściwy czas. Była pora posiłku, zabawy, nauki, odpoczynku, pora odmawiania modlitwy oraz pora snu.

Wzrastając w takiej atmosferze, wiedziałem, czego się ode mnie oczekuje oraz jakie mogą być konsekwencje moich uchybień.

Kiedy ojciec przebywał w domu, życie toczyło się spokojnie i bezkonfliktowo, ponieważ nie miało sensu przeciwstawianie się panującym zasadom. W rzadkich chwilach, gdy mama narzekała, że źle się zachowuję, ojciec wzywał mnie do swojego gabinetu.

– Mama mówi, że jej nie słuchasz. Chcę wiedzieć dlaczego – powiedział kiedyś przy takiej okazji.

– Słucham, tato – odpowiedziałem cicho, mając na myśli, że słyszeć słyszę, co mama mówi, co nie oznacza jeszcze, że zawsze wykonuję, co poleca.

– Wiesiu – powiedział – posłuchaj mnie uważnie. W naszym domu nie uznajemy kar cielesnych, chyba że ktoś uporczywie popełnia poważne wykroczenie. A najgorsza rzecz, jaką można zrobić, to nie słuchać własnej matki. Zrozumiałeś?

– Tak, tato.

– Dobrze. I proszę, żeby się to więcej nie powtórzyło, bo mama wymierzy ci karę, a jeśli ja się o tym dowiem, zostaniesz ukarany po raz drugi przeze mnie. – Tata wziął mnie za rękę i poprowadził do swojej sypialni, gdzie wskazując na umocowany w ścianie hak, zapytał: – Widzisz, co tutaj wisi?

Czy widziałem? A czy mogłem nie widzieć? Z pewnością jednak mogłem nie mieć ochoty patrzeć na ów duży, gruby i szeroki pas...

– Teraz – powiedział ojciec – daruję ci, ale następnym razem nie. Zapamiętaj to sobie. A teraz idź przeprosić mamę.

Jak umiałem najszybciej, pobiegłem ją przepraszać. Pasa co prawda nigdy nie poczułem na własnej skórze, ale nietrudno było mi wyobrazić sobie, jakie byłoby to uczucie. Pozostał symbolem przypominającym, że istnieje granica, której nie powinno się przekraczać. Czasami jednak, kiedy tata wyjeżdżał, rozbrykiwałem się ze zwykłej ciekawości, jak daleko mogę się posunąć. Ku memu zaskoczeniu spostrzegałem wówczas, że mama, choć bardzo kochająca, bywała równie nieugięta.

Pewnego dnia, aby wypróbować jej stanowczość podczas nieobecności ojca, nie usiadłem z całą rodziną do stołu w czasie obiadu. Oświadczyłem, że nie jestem głodny. Mama wytłumaczyła mi, że nie muszę nic jeść, ale że będzie bardzo niegrzecznie, jeśli nie usiądę z innymi przy stole. Odmówiłem i oznajmiłem, że odchodzę z domu. Na co ona lekkim tonem odrzekła: „Jeśli tak chcesz, to proszę bardzo". Wręczyła mi nawet walizkę. Jej słowa i zachowanie wprawiły mnie w osłupienie. Nie mogłem pojąć, dlaczego moja kochająca mama jest nagle dla mnie taka nieczuła i niedobra.

Wtem zaświtało mi w głowie, że gdybym opuścił dom, musiałbym sam zadbać o siebie. Nie miałbym jedzenia, nie miałbym miejsca do spania i nie miałbym rodziny do towarzystwa. Przeraziłem się. Rozpaczliwie zapragnąłem pobiec do niej z powrotem i przeprosić, ale nie byłem w stanie. Miałem swoją dumę. Kiedy ojciec coś powiedział, zawsze dotrzymywał słowa, a ja przecież chciałem być taki jak on. Nie było odwrotu. Miałem nadzieję, że mama przełamie się w ostatniej chwili i zawoła, żebym został. Ale nie zrobiła tego.

Spakowałem do walizki trochę ubrań i powiedziałem: „Do widzenia".

Odpowiedziała spokojnie: „Do widzenia". Nawet nie pocałowała mnie ani nie zapytała, dokąd się wybieram i czy będę miał zamiar wrócić. Mocno zabolał mnie ten brak troski, całkowicie do niej niepodobny. Wyszedłem z domu i wolno powędrowałem w kierunku starej drewnianej bramy. Każdemu krokowi towarzyszyła nadzieja, że usłyszę jej wołanie, żebym wrócił. Skręcając na drogę, zerknąłem w okna, ale nikogo w nich nie było. Po raz pierwszy w życiu nagle odczułem lęk. Poczułem, jak strasznie byłoby utracić rodzinę i dom. Rozpłakałem się, zawróciłem i pobiegłem z powrotem, prosto w rozpostarte matczyne ramiona. Bez jednego słowa mama udzieliła mi najcenniejszej lekcji w życiu: zrozumiałem, ile znaczy posiadanie domu i rodziny.

Moja mama urodziła się w Warszawie w 1897 roku jako Anna Schinagel. Rodzice jej, w przeciwieństwie do rodziców mego ojca, byli dobrze wykształceni. Jej matka była nauczycielką, a ojciec wziętym adwokatem. Wedle wszelkich przekazów mama była piękną kobietą. Podziwiano jej spływające na ramiona kruczoczarne włosy, ostro kontrastujące z jasną karnacją, oraz gładką, delikatną cerę. Do wyjścia za mąż mama mieszkała pod Krakowem.

Mój ojciec, Jan Franciszek Adamczyk, był niskiego pochodzenia. Urodzony w 1893 roku w małej miejscowości Ciężkowice, był drugim z kolei z ośmiorga dzieci i jedynym, który zdobył wyższe wykształcenie. W czasie pobierania nauki utrzymywał się głównie z udzielania innym studentom korepetycji. W ten sposób poznał mamę, którą uczył francuskiego oraz niemieckiego. Nie upłynęło wiele czasu, jak zakochali się w sobie. Ich uczucie kwitło pomimo częstych nieobecności ojca podczas sześcioletniej służby wojskowej i w roku 1921 się pobrali. W 1922 roku urodził się mój brat Jerzy, a siostra Zofia cztery lata później.

Gdy w 1914 roku wybuchła pierwsza wojna światowa, ojciec otrzymał powołanie do armii. Polska znajdująca się pod rozbiorami nie istniała w owym czasie na mapie. Ponieważ ojciec mieszkał w zaborze austriackim, musiał wcielić się do armii austriackiej. Szybko w niej awansował i zaproponowano mu uczęszczanie do szkoły oficerskiej. W 1918 roku, gdy wojna miała się ku końcowi, ojciec doszedł do stopnia porucznika. Polska odzyskała w tym czasie niepodległość i ojciec wstąpił do na nowo formującej się armii polskiej. Zorganizował własną kompanię piechoty w okręgu krakowskim i awansował do stopnia kapitana.

W latach 1919–1920 kraj ogarnęła kolejna wojna. Bolszewicy zdecydowani narzucić komunizm całemu światu zaatakowali Polskę. Chcieli ją podbić i uzyskać w ten sposób zaplecze dla ofensywy na resztę Europy. Nowo utworzony polski rząd znajdował się wciąż jeszcze w stanie pewnej dezorganizacji, ale oficerowie, a wśród nich mój ojciec, zdecydowanie go poparli. Podczas rozegranej pod Warszawą ostatniej i decydującej bitwy, zwanej „cudem nad Wisłą", pokonano i odparto bolszewików. Nie tylko Polska została ocalona, ale i cała Europa.

Dzięki zwycięstwu Polska odzyskała niektóre przedrozbiorowe ziemie na wschodzie, zamieszkane także przez Ukraińców i Białorusinów. Rząd polski zaoferował żołnierzom i rolnikom ziemię oraz wsparcie finansowe, pokrywające koszty przesiedlenia się; tych, którzy skorzystali, zaczęto nazywać osadnikami. Mój ojciec, nadal oficer czynnej służby, powołany został do nadzorowania parcelacji i rozdzielania ziem polskich w regionie miejscowości Sarny. On sam otrzymał niewielki majątek na peryferiach Saren oraz przydzielono mu do pomocy przy pracy dwóch adiutantów, którzy zamieszkali w osobnych kwaterach na terenie majątku. Sarny pozostały naszym domem do 1938 roku.

Do obowiązków ojca należało częste objeżdżanie ziem odzyskanych, uważanych za najżyźniejsze w Europie. Podczas podróży zajmował się nadzorem oraz podziałem gruntów we współpracy z inżynierami i architektami. Pomagał też chłopom, którzy często byli analfabetami, wypełniać dokumenty przekazujące im ziemię. Po wymaganym regulaminem okresie czynnej służby oficerskiej ojciec przeszedł do rezerwy, ale pozostał zatrudniony przy rozdziale gruntów.

Z biegiem czasu zakres podstawowych obowiązków ojca zmienił się z pomiaru i rozdziału gruntów na sferę finansów i bankowości. Jesienią 1938 roku rodzina przeprowadziła się z Saren do Łucka, większego i bardziej rozwiniętego miasteczka, gdzie ojciec wynajął mieszkanie nieopodal państwowego banku rolnego, w którym pracował.

Nasze mieszkanie znajdowało się na parterze piętrowej ceglanej kamienicy, stojącej przy jednej z główniejszych ulic. Składało się z czterech sypialni oraz z dużej jadalni, salonu, kuchni i mieszczącej się w suterenie służbówki kucharki Marysi. Była ona tak przywiązana do naszej rodziny, że wymogła zabranie jej z Saren do Łucka, a nawet zapowiadała, że zabierze się z nami do samej Ameryki – gdzie mieszkało kilkoro braci i sióstr ojca – gdybyśmy kiedykolwiek postanowili tam wyjechać.

Choć wiele rzeczy nadal spoczywało w pudłach na początku owej zimy, okres świąt Bożego Narodzenia rozpoczęliśmy tak jak zawsze. Od pierwszych dni grudnia w powietrzu czuło się radość, podsycaną oczekiwaniem na mające nadejść jedyne w swoim rodzaju rozkosze. Tata wynajął ogromne sanie zaprzężone w dwa konie, do których zapakowaliśmy się wszyscy, by zgodnie z tradycją wyjechać za miasto po bożonarodzeniową choinkę.

Po dwóch godzinach byliśmy z powrotem, podekscytowani i gotowi do przystrajania wysokiego świerku. Jego żywiczny świeży zapach wypełniał cały salon i oficjalnie potwierdzał, że wytęskniony świąteczny czas rzeczywiście nadszedł. Ubieranie choinki było zadaniem dla całej rodziny. Wyczekiwaliśmy go z niecierpliwością – nawet mama, o tej porze roku przecież wyjątkowo zapracowana. Do tego zajęcia nie trzeba było jej namawiać. A kiedy mama skończyła ustawianie wszystkich figur żłóbka w rogu pokoju, tata uroczyście – teraz, tak samo jak zawsze – zadał pytanie, na które skwapliwie czekaliśmy:

– Dzieci, czy wszyscy są gotowi na aniołka?

Pochwyciłem aniołka, nim zdążył zrobić to ktokolwiek inny, i szybko podbiegłem z nim do ojca. A on podniósł mnie wysoko w górę, bym umieścił aniołka na czubku choinki. Rozpromieniony ześlizgnąłem się po ojcowym ramieniu, drapiąc sobie buzię o jego wąsy. Po kolacji był ciąg dalszy – najpierw ojciec pozapalał świeczki, do których nie mogliśmy dosięgnąć, a potem Jurek, Zosia i ja zapaliliśmy resztę.

Tak jak pragnęliśmy, następnego dnia spadł gęsty śnieg. Wstaliśmy wcześnie rano, żeby ulepić bałwana. Lepiliśmy i lepiliśmy, coraz wyżej i wyżej, aż przestałem dosięgać do jego czubka. Kiedy bałwan mierzył już ponad półtora metra, mama przyniosła dwa węgielki na oczy. A potem wetknęła poniżej oczu marchewkę jako nos. Zosia zdjęła swój szalik i założyła mu na grubą szyję.

Moje podniecenie rosło wraz z tym, ile rzeczy robiło się wspólnie. W dzień Wigilii wszyscy uwijali się jak frygi przy szykowaniu wieczerzy. Późnym popołudniem Jurek, Zosia i ja pomagaliśmy nakryć do stołu. Najpierw zgodnie ze zwyczajem, który przypominał o skromnym miejscu narodzin Chrystusa, rozłożyliśmy sianko pod śnieżnobiałym wykrochmalonym lnianym obrusem. Następnie ustawiliśmy zastawę, srebra, postawiliśmy wysokie świece, a obok każdego nakrycia umieściliśmy haftowaną serwetkę oraz dekorację z zielonej gałązki jedliny.

Gdy choinka, stół i wigilijna wieczerza były gotowe, moje rozgorączkowanie sięgnęło zenitu. Co kilka minut wybiegaliśmy z siostrą i bratem przed drzwi, wypatrując pierwszej gwiazdki. Wkrótce zniecierpliwiony czekaniem wycelowałem palec w niebo i krzyknąłem:

– Jest! Widziałem ją!

– Nie widzę ani jednej gwiazdy – odpowiedzieli Jurek i Zosia niemal jednocześnie.

– Bo wy oboje za słabo patrzycie – natychmiast odparowałem pewnym głosem.

– No to mi pokaż – zażądała Zosia.

Wyciągnąłem energicznie rękę jak mogłem najdalej, z palcem wskazującym wycelowanym mniej więcej tam, gdzie spodziewaliśmy się ujrzeć pierwszą gwiazdę. Zosia i Jurek wpatrywali się usilnie, nic jednak nie dostrzegli.

– Znowu się wygłupiasz, braciszku – stwierdził Jurek. – W zeszłym roku było tak samo.

– Świetnie, w takim razie idę po tatę. Wtedy zobaczycie, kto ma rację!

Wbiegłem do środka, obwieszczając, że wypatrzyłem pierwszą gwiazdkę. Ojciec wyszedł przed próg i długo spoglądał w niebo. Wreszcie powiedział z rozczarowaniem:

– Wiesiu, musisz mieć oczy lepsze od moich, bo nie mogę jej znaleźć.

– Tatusiu – odezwała się Zosia – on tylko fantazjuje. Tak jak w zeszłym roku.

– A może jednak nie? – odpowiedział ojciec. – Spójrzmy wszyscy uważniej jeszcze raz.

I kilka minut później wszyscy dostrzegli gwiazdę migoczącą jak maleńki diament na aksamitnie czarnym niebie. Co znaczyło, że można już wejść z powrotem do domu i zapalić kilkadziesiąt świeczek na choince. Zasiedliśmy do stołu. Ojciec podziękował modlitwą za dary, a następnie podzieliliśmy się opłatkiem. Każdy odłamywał kawałeczek, a potem obejmowaliśmy się i całowali, składając sobie nawzajem życzenia zdrowia, szczęścia i wszelkiej pomyślności. Byłem dobrze przygotowany, kiedy nadeszła moja kolej składania życzeń ojcu. Na nadchodzący rok życzyłem mu więcej czasu na polowania. A kiedy zapytał, czego ja sobie sam chciałbym życzyć, odparłem, że chciałbym, abyśmy wszyscy pojechali do Ameryki odwiedzić rodzinę i przy okazji zobaczyli kowbojów i Indian. Ojciec uśmiechnął się i odparł, że też by tego chciał. A potem dodał, że może moglibyśmy nawet pojechać na Wystawę Światową do Nowego Jorku.

Po kolacji usiedliśmy dookoła choinki, by śpiewać kolędy i opowiadać różne historyjki. Każdy członek rodziny miał opowiedzieć co najmniej jedną. Opowieść mamy była najlepsza. Opowiedziała o Narodzeniu Pańskim i wyjaśniła znaczenie Świąt. Kiedy skończyliśmy opowieści, wszyscy wyszliśmy na zewnątrz śpiewać przed domami sąsiadów. Po powrocie do domu mama utuliła mnie do snu, po czym rodzice, Jurek i Zosia poszli na pasterkę.

Rankiem w Boże Narodzenie, po późnym śniadaniu, ojciec sprawił rodzinie wspaniały prezent. Powiedział, żebyśmy otworzyli frontowe drzwi. A tam czekała piękna gniada klacz i wielkie sanie! Woźnica poproszony został do środka na poczęstunek, który miała podać mu Marysia, gdy będziemy zażywać sanny. Tata chwycił lejce, my poprzykrywaliśmy się kożuchami i już po krótkiej chwili byliśmy poza miastem.

Powietrze było rześkie, słońce świeciło jasno, drzewa uginały się od śniegu. Klacz ruszyła powoli, ale zaraz potem sama przyśpieszyła, jak gdyby też miała ochotę na przejażdżkę. Ziemia szybko umykała spod płóz. Wiatr gwizdał do wtóru naszym radosnym kolędom. Klacz rżała cicho od czasu do czasu, a dzwoneczki zawieszone na jej grzywie śpiewały razem z nami. Im szybciej jechaliśmy, tym głośniej śpiewaliśmy, aż do utraty tchu. Po chwili ojciec zatrzymał sanie na poboczu i ogłosił, że będziemy powozić na zmianę. Mama, jak poprzedniego roku, odmówiła, ale namówiliśmy ją, żeby spróbowała.

Kiedy nadeszła moja kolej, tata podał mi lejce. Z ojcem u boku, kolędującą rodziną, lejcami mocno trzymanymi w dłoniach, otwartą drogą przed nami i potężną gniadą klaczą brzęczącą dzwoneczkami i pędzącą równym krokiem, czułem się, jakbym był w niebie. Takie właśnie było Boże Narodzenie!

Rozdział 2

Polowanie

W okresie świątecznym ojciec i brat często polowali. A ja, odkąd tylko pojąłem, jak to wygląda, chciałem zawsze iść z nimi. Ale ku memu wielkiemu rozczarowaniu nigdy się na to nie godzili, nawet kiedy szli tylko na drobną zwierzynę. Mama energicznie przekonywała ich, że jestem za mały, żeby kręcić się koło tak niebezpiecznego sportu, i wszelkie błagania puszczała mimo uszu. Raz na jakiś czas podrażniona moim uporem pytała, czy rozumiem znaczenie słowa „nie". Rozumiałem, ale wiedziałem też, że raz na jakiś czas mama na pewno ustępuje.

Rzecz jasna nie zamierzałem się poddać i kolejny raz przypuściłem szturm, żeby pozwoliła mi iść z ojcem na myśliwską wyprawę, „tylko popatrzeć, to wszystko". Tłumaczyłem, że kiedy ojciec wyjeżdża w interesach, a Jurek mieszka w bursie, ja jestem jedyną osobą płci męskiej pozostającą w domu i muszę zobaczyć, co robią mężczyźni, kiedy polują. Przypomniałem mamie, że nie dalej jak za dwa tygodnie skończę sześć lat. Spojrzała na mnie z uśmiechem.

– Wiesiulku, syneczku, nie myślisz, że dobrze wiem, ile masz lat? Jestem przecież twoją mamą – powiedziała, a ja z tonu jej głosu od razu wyczułem, że się waha, więc zanim zdążyła cokolwiek dodać, szybko zapytałem:

– Czy to znaczy, mamo, że mogę spytać tatę, czy weźmie mnie na polowanie?

– To nic takiego nie znaczy, ale... – przerwała, odetchnęła głęboko, po czym dodała z pewnym ociąganiem: – No dobrze, możesz go zapytać.

Natychmiast zrozumiałem, że mam duże szanse. Kiedy tata wrócił do domu, pierwszy byłem przy drzwiach, by się z nim przywitać. Nim zdążył zdjąć płaszcz, poprosiłem: „Tato, proszę, czy możemy pójść jutro razem na polowanie?" Ojciec podniósł mnie jak zwykle podczas przywitania. Słysząc napięcie i powagę w moim głosie, zdumiony uniósł brew i odparł z uśmiechem:

– Jutro? Nic z tego! Ale skoro tak bardzo chcesz, moglibyśmy pójść w najbliższą sobotę, jeśli dostaniesz pozwolenie od mamy.

Mama ustąpiła, ale musiałem solennie obiecać, że będę posłusznie przestrzegał wszystkiego, co ojciec każe albo zabroni mi robić, i że nigdy się od niego nie oddalę nawet na sekundę. Obiecałem. Ojciec zapewnił ją, że będziemy polować tylko na zające i wrócimy w ciągu czterech godzin. Dodał łagodnie:

– Niczego się nie obawiaj, Wiesiu będzie ze mną. Przecież każdy chłopak musi się nauczyć, jak się stać mężczyzną. Lepiej zacząć za wcześnie niż za późno!

– Ale on jest jeszcze taki mały – zaprotestowała.

– Tak, moja droga, dobrze o tym wiem.

Ojciec objął mamę w pasie i pocałował. Mama nic nie odrzekła, ale było widać, że jest szczęśliwa.

W piątek ojciec wrócił wcześniej do domu, by wszystko przygotować. Tego wieczora spać poszedłem pełen radosnego oczekiwania.

Było jeszcze ciemno, kiedy wstaliśmy. Zjedliśmy sute śniadanie i ubraliśmy się ciepło. Kończyliśmy zapinać ostatnie guziki, kiedy zrobiło się zamieszanie na ulicy. Słychać było rozmowy mężczyzn i szczekanie psa. Serce mocno biło mi z podniecenia. Jadę na polowanie!

Mama życzyła nam szczęścia i przypomniała, żebym był ostrożny i posłuszny ojcu. Widząc, jak bardzo jest zatroskana, przyrzekłem, że na pewno będę. Mocno ją uściskałem, pocałowałem i wybiegłem przed drzwi.

Na ulicy czekał już jeden z kolegów ojca z wojska, Mietek, oraz jego syn Kazik, tak jak Jurek liczący szesnaście lat, a razem z nimi wielkie wynajęte dwukonne sanie o trzech ławach, załadowane kożuchami. Na przedzie siedział krzepki stary chłop o długich, sumiastych, mocno podkręconych wąsach. Był właścicielem sań oraz zaprzężonych do nich rozbrykanych młodych koni. Dookoła podskakiwał pies myśliwski Mietka, najwyraźniej równie podekscytowany jak ja. Najpierw mężczyźni zapakowali ekwipunek: strzelby, kurtki myśliwskie, apteczkę, amunicję, torby na zające, kanapki i termosy z gorącą herbatą z miodem, a potem wszyscy usadowiliśmy się jak najwygodniej.

– Wojtek! – zawołał Mietek na psa, który jednym susem wskoczył do sań.

Woźnica strzelił z bata w przenikliwie mroźnym porannym powietrzu i coś tam zamamrotał pod nosem, co zrozumiały tylko konie. Ruszyliśmy! Siedząc między ojcem i bratem, jechałem na moje pierwsze w życiu polowanie. Mróz szczypał mnie w twarz, ale nie mógłbym być bardziej szczęśliwy.

Podczas jazdy ojciec objaśnił mi kilka zasad bezpieczeństwa, które obowiązują wszystkich myśliwych. Nigdy nie odbezpieczaj strzelby, dopóki nie jesteś gotowy do strzału. Nigdy nie celuj do nikogo. Nigdy, przenigdy nie strzelaj, dopóki nie masz absolutnej pewności, do czego strzelasz. A gdy wyjaśnił owe podstawowe zasady, dodał:

– Dzisiaj, synu, będziesz się uczył, obserwując nas.

Po półgodzinie zatrzymaliśmy się na skraju polany przylegającej do lasu, pokrytej śniegiem, otoczonej z obu stron sięgającymi pasa gęstymi zaroślami. Woźnica ustawił sanie przy kępie drzew i zaczęliśmy wysiadać. Wojtek wyskoczył pierwszy i gorliwie obwąchiwał ziemię wokół sań. Ojciec, Jurek, Mietek i Kazik zarzucili na ramię sprzęt myśliwski i załadowali strzelby. Stary właściciel sań przywiązał lejce do niewielkiego drzewa i powiesił każdemu koniowi na szyi worek z obrokiem, po czym wdrapał się z powrotem na sanie, umościł się na ławie, nakrył kożuchami i pociągnął łyk z wyciągniętej zza pazuchy buteleczki.

– Pomyślnych łowów, panowie – życzył nam na koniec.

– Dziękujemy, Stanisławie – odpowiedział ojciec. – Wrócimy mniej więcej za dwie i pół godziny.

Rozdzieliliśmy się, idąc po obu stronach zarośli w kierunku lasu. Mietek, Kazik i pies poszli jedną stroną, a my drugą, maszerując gęsiego. Spod świeżego śniegu wystawała tu i ówdzie czarna ziemia oraz butwiejące liście. Upłynęło trochę czasu, zanim znaleźliśmy zajęcze ślady, biegnące w obu kierunkach przez zarośla. Ojciec uczulił mnie, żebym od teraz bacznie uważał oraz oddał Jurkowi prawo do pierwszego strzału. Szliśmy dalej. Przez dobrą chwilę nic się nie działo i nic nie było słychać, ale poprzez bezlistne krzaki dostrzegłem, że Wojtek coraz żwawiej krąży i węszy w podszyciu.

Naraz nastąpiłem na coś nierównego. Niechcący wszedłem na kilka suchych gałązek. Trzasnęły głośno i w tym samym momencie usłyszałem niedaleko z przodu szelest. Chwilę później z zarośli coś rzuciło się wprost ku otwartej przestrzeni. Szary zając, uciekając przed nami zygzakiem, wyskakiwał wysoko w powietrze, to w prawo, to w lewo. Ojciec i Jurek niemal jednocześnie złożyli się do strzału, ale przez chwilę, która zdawała sie nieskończenie długa, żaden z nich nie pociągnął za spust. Wreszcie Jurek wypalił. Zając spróbował jakby poderwać się do jeszcze jednego skoku w powietrze, po czym upadł na bielutki śnieg i znieruchomiał. Po sekundzie czy dwóch usłyszeliśmy dwa kolejne strzały po tamtej stronie zarośli.

– Jednego pewnie ustrzelili, ale drugi mógł uciec – powiedział ojciec.

Serce waliło mi z podniecenia, a ciekawość aż we mnie kipiała. Dlaczego tata i Jurek nie strzelali od razu, tylko prawie dali zającowi umknąć? Zwróciłem się do brata, a on zapytał, czy pamiętam zasady polowania, których uczył mnie ojciec.

– Wydaje mi się, że tak – odparłem zbity z tropu.

– A gdyby to pies myśliwski wyskoczył z krzaków i jego bym trafił?

Jurek przypomniał mi, że ostrożny myśliwy nigdy nie strzela za wcześnie. Pełen podziwu dla brata postanowiłem sobie, że kiedy dorosnę, będę równie dobry jak on.

Poszliśmy po zająca, którego Jurek włożył do torby przewieszonej przez ramię, po czym ruszyliśmy dalej. W ciągu następnej półtorej godziny ustrzeliliśmy kolejne cztery zające. Wtedy ojciec ogłosił koniec polowania. Był to dobry moment, żeby poprosić go, czy i ja nie mógłbym spróbować strzału ze strzelby. Zgodził się, ale tylko na jeden raz. Chciał wrócić wcześniej do domu, by zrobić mamie niespodziankę.

Ojciec wybrał przesiekę w lesie, na której stał w pewnym oddaleniu ośnieżony pieniek, po czym pokazał i wyjaśnił, co trzeba zrobić, żeby przygotować się do strzału. Do mojego pierwszego strzału! Najpierw ukląkł na prawe kolano, a na zgiętej lewej nodze oparł łokieć lewej ręki, w której trzymał strzelbę. Potem pokazał, jak ustawić wzrok na linii od muszki do namierzanego celu.

– Palec wskazujący na spuście, odbezpieczasz, celujesz, bierzesz wolno głęboki wdech i naciskasz powoli spust. To będzie twój pierwszy strzał... wyobraź sobie, że ten pień jest dzikiem szarżującym prosto na nas. Chybisz i będziemy mieć kłopoty. Zalicz porządnie ten strzał, nie strać go przedwczesnym pociągnięciem za spust. – Ojciec przerwał, żeby się upewnić, czy słucham uważnie. – Pamiętaj, jak zobaczysz białka jego ślepi, delikatnie naciskasz cyngiel.

Podszedłem blisko do ojca z lewej strony, ściągnąłem rękawiczki, przyłożyłem policzek do strzelby ujmując ją w prawą dłoń i kładąc palec wskazujący na spuście. Była zimna jak lód.

– Gotów, Wiesiu?

– Tak, tato – odpowiedziałem zdenerwowany.

Głos ojca rozległ się donośnie w mroźnym zimowym powietrzu:

– Dzik szarżuje prosto na ciebie. Cel... głęboki wdech... i... *pif-paf*!

Strzelba wypaliła. Odruchowo zamknąłem oczy. Zrobiło się całkowicie ciemno. W uszach mi dzwoniło, w nos wgryzał się swąd prochu. Kiedy powoli podniosłem powieki, zdumiałem się, że wszystko dookoła jest śnieżnobiałe oprócz drewnianego pieńka. Szarżujący dzik zniknął. Ale ucieszyłem się, że ojciec nadal klęczy tuż obok.

– Brawo! – krzyknęli stojący z tyłu mężczyźni.

– Synu, świetnie jak na pierwszy raz – powiedział ojciec i mocno klepnął mnie w ramię.

Byłem z siebie bardzo dumny i nie mogłem doczekać się powrotu do domu, żeby opowiedzieć mamie o naszej myśliwskiej wyprawie oraz o tym, jak nauczyłem się polować na dzika.

Powrót do sań okazał się bardziej wyczerpujący niż cokolwiek dotychczas w moim życiu. Ubranie ważyło chyba z tonę. Buty, oblepione śniegiem, zrobiły się dwa razy cięższe niż zazwyczaj i z trudem dawały się wlec po ziemi. Gdyby ojciec albo Jurek ponieśli mnie chociaż przez chwilę, od razu poczułbym się lepiej, myślałem, ale nie zaproponowali mi tego, a ja wiedziałem, że jeśli mama się dowie, że narzekam, to będę mógł na długo pożegnać się z polowaniem.

Z każdym krokiem coraz bardziej zostawałem w tyle. Ojciec oglądał się od czasu do czasu, ale do zaoferowania miał jedynie słowa otuchy.

– Już blisko, synu. Dobrze sobie radzisz – mówił, ale nie brał mnie na ręce.

Jakże żałowałem, że tego nie robił! Wydawało mi się, że minęło wiele godzin, zanim dotarliśmy w końcu do sań. Stary woźnica szykował konie do powrotu. Nareszcie, odetchnąłem z ulgą i jakoś udało mi się nie rozpłakać.

– Uszanowanie panom – skłonił się z szacunkiem Stanisław.

– Uszanowanie! – odpowiedzieliśmy również z ukłonem.

Na sanie załadowano zające, strzelby i całą resztę myśliwskiego ekwipunku. Na koniec sami, milczący ze zmęczenia, rozlokowaliśmy się na ławkach, a woźnica pomógł nam się okryć kożuchami. Nawet pies był wyciszony po przeżyciach, zamerdał tylko ogonem, wskoczył na sanie i ułożył się wygodnie u stóp swego pana.

Gorączkowe podniecenie i forsowny marsz wyczerpały mnie. Oparłem głowę na piersi ojca, powieki opadły mi same. Ostatnim dźwiękiem, jaki zapamiętałem, był przeszywający świst bata, znowu tnącego przenikliwie zimne powietrze.

Tym razem wydawało mi się, że minęło zaledwie kilka sekund, kiedy usłyszałem, jak ojciec szepcze mi do ucha: „Obudź się, Wiesiu, jesteśmy w domu". Otworzyłem oczy, ale nie mogłem nic dojrzeć przez otulające mnie futro.

– W domu? – zapytałem.

– Tak, synu. Biegnij pierwszy przywitać się z mamą. Na pewno się ucieszy. – Potem odwrócił się do reszty towarzystwa, mówiąc: – Panowie, zapraszam wszystkich serdecznie na obiad.

Nie musiałem pukać do drzwi. Mama już stała w progu, bez żadnego okrycia, jedynie w fartuszku osłaniającym lekką sukienkę. Z promiennym uśmiechem otworzyła szeroko ramiona.

– Mamo! – podbiegłem, krzycząc i w podnieceniu zapominając się przywitać. – Czy nie mówiłem mamie, że nic mi się nie stanie?! Miałem rację!

– Miałeś całkowitą rację i nawet nie wiesz, jak bardzo się cieszę z tego powodu, mój mały – odpowiedziała z radosną miną.

Dlaczego mama nazywa mnie małym, kiedy mam prawie sześć lat i chodzę na polowania z dorosłymi mężczyznami? Będę musiał kiedyś zapytać ją o to, pomyślałem.

Gdy już weszliśmy do środka, mama pomogła mi zzuć ciężkie buty i ściągnąć zimowe ubrania. Następnie bez ceregieli przyłożyła swą troskliwą dłoń do mojego czoła, posadziła mnie przy kuchennym stole i postawiła przede mną wysoką szklankę gorącego mleka z miodem i świeżo upieczone ciasteczka. Dziwne. Mleko z miodem i ciasteczka przed obiadem…?

Wyczerpanie pozbawiło mnie apetytu i ledwo tknąłem postawionych przede mną specjałów, bardziej bawiąc się nimi, niż jedząc. Mama odeszła pomóc Marysi dokończyć przygotowania do obiadu. Ciepło bijące od rozgrzanego kuchennego pieca i gorące mleko wprawiły mnie w taką senność, że nie dałem rady powstrzymać klejących się powiek. Przyłożyłem głowę do twardego drewnianego blatu stołu. Miało być tylko na krótką chwilę, tymczasem natychmiast zasnąłem na dobre.

Po jakimś czasie obudziłem się we własnym łóżku, wygodnie ułożony na puchowej poduszce. Obok stała mama. Otworzyłem oczy i natychmiast chciałem opowiedzieć jej, jaki miałem mrożący krew w żyłach sen.

– O dziku? – zapytała.

– Tak, skąd mama wie? – zawołałem z niedowierzaniem. – I ustrzeliłem go prosto między oczy!

Mama uśmiechnęła się.

– Chodź, Wiesiu, później wszystko mi opowiesz. Przespałeś całe popołudnie. Obiad ci uciekł, nie chcę, żebyś tak samo przegapił kolację.

Część II

DOSTAJEMY SIĘ DO NIEWOLI

23 sierpnia 1939 roku Niemcy i Sowieci podpisali pakt o nieagresji, znany jako pakt Ribbentrop-Mołotow. W tajnym porozumieniu uzgodnili rozbiór terytoriów Polski zaznaczony na mapie białą linią. 1 września 1939 roku Niemcy zaatakowali Polskę od zachodu, a 17 września – Sowieci od wschodu.

Rozdział 3

Pukanie do drzwi

Chociaż przyćmił się już blask ozdób na choince i ulotnił jej zapach, radosny i świąteczny nastrój wywołany polowaniem oraz Bożym Narodzeniem utrzymywał się jeszcze przez kilka tygodni nowego roku. Moją wyobraźnię pobudzały teraz opowieści o pielgrzymach, kowbojach i Indianach oraz o dziwach dalekiej krainy zwanej Ameryką, a ciekawość podsycała perspektywa egzotycznej wyprawy, którą obiecał nam ojciec.

Z upływem miesięcy niełatwe przystosowywanie się do życia w nowym mieście odsunęło jednak na drugi plan i osłabiło podniecenie planowaną podróżą. Brakowało mi naszego domu w Sarnach, tęskniłem za zabawami ze starymi przyjaciółmi, za karmieniem saren i jeleni, zbieraniem grzybów i jagód w lesie oraz za Cyganami, którzy tańczą i przepowiadają przyszłość.

Do tego wszystkiego wyraźnie zmieniała się atmosfera w domu i wszędzie dookoła, stawała się coraz bardziej ponura i napięta. Do ojca przychodzili jacyś oficerowie, żeby rozmawiać na osobności, młodzież zbierała po domach zbędne puste puszki i inne metalowe przedmioty. Rodzice i niania zaczynali mówić szeptem, kiedy pojawiałem się w pobliżu, i nie chcieli wyjaśnić dlaczego. Nawet Zosia zachowywała się podobnie do mamy, mówiąc, żebym się nie martwił, i szybko zmieniając temat.

Czasami przypadkowo dochodziły do mnie strzępy rozmów rodziców o nieuniknionej wojnie z Niemcami. Przerażało mnie, że przyszłość naszego życia zaczyna być niepewna. Czy wojna będzie trwać tylko jeden dzień, tak jak dawne bitwy z opowieści ojca? Niczego od nikogo nie mogłem się dowiedzieć.

Pierwszego dnia września 1939 roku Niemcy zaatakowały Polskę. Zapytałem mamę, co to znaczy: być w stanie wojny. W odpowiedzi tylko przytuliła mnie mocno i dodała, że kiedy indziej mi to wyjaśni. Jeszcze tego samego dnia dosłyszałem przypadkiem, jak ojciec rzekł do niej:

– Dzieciom jeszcze nic nie mów. Lepiej, żeby nie wiedziały, co się może stać.

Wieczorem usłyszałem, że ojciec obawia się, by atak niemiecki nie przeobraził się w wojnę. Sowieci mogliby wykorzystać sytuację, wyjaśniał, i także zaatakować Polskę, żeby odebrać ziemie, które odzyskaliśmy po zwycięstwie w 1920 roku. Gdyby tak się stało, Polacy znaleźliby się w poważnym niebezpieczeństwie ze strony miejscowych Białorusinów i Ukraińców, z którymi stosunki były co najmniej napięte. Pierwszy raz w życiu bałem się, że dobra, traktowane przeze mnie dotychczas jako coś oczywistego, takie jak moja własna rodzina i dom, mogą być zagrożone.

Niestety, lęk nie znikał, tylko się wzmagał. Na przykład kiedy kilka dni po niemieckiej inwazji ojciec poradził naszej niani, żeby lepiej wyjechała z Łucka do swoich krewnych, do Warszawy. A potem mama oznajmiła, że ojciec musi dołączyć do armii, ponieważ jest oficerem. Tego wieczoru, niedługo po tym jak rodzice wysłali mnie już do łóżka, tata przyszedł do mojego pokoju.

– Kochany Wiesiu, musimy się pożegnać. – Wziął mnie na ręce i ucałował. – Opiekuj się mamą – powiedział.

Przepełniony trwogą czułem, że nic już nigdy nie będzie takie samo. Głęboko w sercu wiedziałem, że nie zapomnę tej chwili, i bardzo pragnąłem, żeby to nie był ostatni pocałunek taty w moim życiu. Nawet kiedy teraz wspominam tamten moment, ogarnia mnie dziecięce bezradne pragnienie, by móc cofnąć czas i dać ojcu jeszcze jedną szansę.

Kiedy ojciec wyjechał, nasze życie zaczęło się rozpadać. Niemcy robili naloty. Syreny wyły, spadały bomby, a my chowaliśmy się w wykopanych wcześniej nad rzeką Styr okopach. Podczas bombardowania mama kurczowo osłaniała moją głowę, ale ja i tak czułem smak spadającej na wszystkich ziemi. Po raz pierwszy bałem się o nasze życie. Chociaż armia niemiecka nie dotarła do Łucka, naloty bombowe wciąż trwały i mama zadecydowała, że trzeba wracać na wieś, do Saren, które wydawały się za małe, żeby mogły stać się celem niemieckich ataków.

Jednakże 17 września rozpoczęła się druga tragedia. Mimo paktu o nieagresji i bez oficjalnego wypowiedzenia wojny od wschodu zbrojnie wkroczyli Sowieci. Odbyło się to pod pretekstem pomocy Polsce w walce z Niemcami. Podstęp się powiódł, ponieważ w kraju zaczynał panować chaos z powodu postępującej od zachodu inwazji niemieckiej. Armia Czerwona, będąca w znacznej liczebnej przewadze, otoczyła rozproszone wzdłuż wschodniej granicy niewielkie polskie oddziały, złożone w większości z rezerwistów, i dała im alternatywę: albo złożyć broń, albo zginąć. W zamieszaniu wywiązało się kilka zaciętych walk, ale nie zdołało to już zmienić sytuacji. Sowieci w błyskawicznym tempie pojmali około dwustu tysięcy polskich żołnierzy do niewoli.

Oficerów, a między nimi mego ojca, odseparowano od innych żołnierzy. Przez wiele miesięcy nie wiedzieliśmy, co się z nim stało. Po jakimś czasie zaczęły dochodzić listy i dowiedzieliśmy się, że został uwięziony. Przewieziono go wraz z innymi oficerami do Starobielska w Związku Radzieckim.

Jak gestapo szło za postępującą armią niemiecką, tak śladem Armii Czerwonej podążała sowiecka tajna policja, czyli NKWD, plądrując wsie oraz aresztując, mordując i torturując mieszkańców. Po wkroczeniu do Polski Sowieci zmienili hasło z „Bronimy was przed Niemcami" na „Przyszliśmy wyzwolić robotników od ucisku polskiej burżuazji" oraz ogłosili, że dla „dobra ludu" wyzwolone ziemie zostaną przyłączone do Związku Radzieckiego. Nagle okazało się, że walka toczy się nie w obronie polskich terytoriów, ale jest to walka klasowa. Jasne stały się nareszcie sowieckie zamiary: opanować Polskę i ruszyć z komunistyczną rewolucją na zachód, cel, którego nie udało się osiągnąć dwadzieścia lat wcześniej.

NKWD na początku wyłapywało fachowców i specjalistów w swoich dziedzinach oraz oficerów wojskowych, a w dalszej kolejności zajmowało się ich rodzinami. Ponieważ ojciec był i urzędnikiem bankowym, i oficerem, w oczywisty sposób mogliśmy stać się celem prześladowań. Z przerażeniem wyczuwałem, jak mamę przenikał coraz większy strach o nasze bezpieczeństwo. Dręczyło mnie okropne uczucie, że polują na nas. Nie mogłem tylko zrozumieć, dlaczego miałbym stanowić dla kogoś łowną zwierzynę ani czemu ludzie chcą zabijać ludzi.

Niedługo po moich siódmych urodzinach, w lutym 1940 roku, zaczęła krążyć pogłoska, że Sowieci siłą wywożą Polaków w głąb Związku Radzieckiego, szczególnie tych, którzy według nich stanowią zagrożenie dla zwycięstwa komunistycznej władzy. Nadszedł czas, kiedy w niepewnej sytuacji znaleźli się ludzie mający jakąkolwiek własność, nawet chłopi posiadający niewielkie spłachetki gruntu. Uznano, iż należą do burżuazji i jako „wrogowie ludu" powinni być deportowani.

Nasze konto bankowe zajęte zostało na rzecz sowieckiego skarbu. Znaleziona broń była konfiskowana. W środku pewnej nocy Jurek zebrał wszystkie ojca strzelby, naoliwił je, owinął w gumowe płachty i razem z częścią biżuterii zamknął w stalowej skrzynce, którą zakopał między jabłoniami w sadzie. Wtedy rzeczywiście zrozumiałem, że przyjdzie nam niedługo opuścić dom i że trzeba się na to przygotować. Od kiedy tylko wróciliśmy do Saren, mama obmyślała sposoby ukrycia przed najeźdźcą kosztowności, na przykład piekła chleby na suchary. „Na czarną godzinę", mówiła. Ale widziałem, jak zapieka w cieście sztuka po sztuce biżuterię, między innymi złote kolczyki prababci, złoty krzyżyk i złote bransoletki. Po upieczeniu pomagaliśmy z Zosią kroić bochenki na grube kromki, które suszyło się potem w piekarniku i pakowało do wielkich worków po ziemniakach. Nie wiem, jak mama odróżniała kawałki z biżuterią w środku. Mniejsze kosztowności i złote monety Zosia pomagała mamie zaszywać w lamówkach sukienek.

Dochodziły nas informacje, że w Związku Radzieckim cieszą się wielką popularnością wszelkie zegarki, małe i duże, sami zresztą widzieliśmy na ulicach sowieckich żołnierzy z wieloma zegarkami na rękach albo obnoszących się dumnie z budzikami przytroczonymi do paska. Zebraliśmy więc wszystkie nasze zegarki, nawet te, które nie chodziły. Mama i siostra godzinami pieczołowicie chowały je w podszewki zimowych płaszczy.

14 maja 1940 roku poszliśmy spać, myśląc o Zosi imieninach, które przypadały następnego dnia. Ze snu wyrwało nas jednak w środku nocy łomotanie do frontowych oraz tylnych drzwi. Jurek, Zosia i ja wyskoczyliśmy z łóżek zaintrygowani, co się dzieje. Była druga w nocy. Zobaczyliśmy mamę pośrodku gościnnego pokoju. Cała się trzęsła, twarz jej poszarzała, na białą nocną koszulę opadały w nieładzie czarne włosy. Stała boso z rękoma złożonymi jak do modlitwy. Była jak skamieniała, kiedy do niej podbiegaliśmy. Nigdy wcześniej nie widziałem takiej mamy. Uśmiech zniknął z jej twarzy, wzrok stał się nieobecny i przepełniony strachem, usta zamarły półotwarte jakby w pół słowa.

– Kto to, mamo? – szepnął Jurek.

– Dobry Boże! Rosjanie po nas przyszli!

W pośpiechu przyciągnęła nas do siebie i mocno objęła.

– Dzieci, słuchajcie uważnie, co wam powiem. Bez względu na to, co się stanie, Bóg zawsze będzie z wami. Cokolwiek by robili, nie odpowiadajcie im niegrzecznie. Nigdy nie dajcie wytrącić się z równowagi, bo mogą pomordować nas wszystkich. Pamiętajcie, o cokolwiek by pytali, wy nic nie wiecie.

Walenie do drzwi stało się donośniejsze i dosłyszeliśmy męskie głosy krzyczące coś w języku, którego nie rozumiałem. Zanim doszliśmy do drzwi, zasuwka zamka pękła pod naporem i żołnierze wpadli do środka z karabinami i bagnetami wymierzonymi w naszą stronę. Następnie pamiętam Jurka z zakrwawioną twarzą leżącego na podłodze i pochyloną nad nim mamę. Żołnierz, który wszedł do środka pierwszy, pchnął ją kolbą pod ścianę, wrzeszcząc, żeby go nie dotykała. Zosia płakała. Ja struchlałem z przerażenia i myślałem, że zaraz nas pozabijają. Nikt jeszcze nigdy nie potraktował mamy i brata tak brutalnie. Kiedy przychodzili do nas w gości mężczyźni, zawsze całowali ją w rękę i okazywali szacunek. A teraz ten brutal pchnął ją karabinem na ścianę. Żołnierze zaatakowali nasz dom, zachowując się jak dzikie świnie, które ojciec zwykł załatwiać w lesie jednym strzałem. Pomyślałem, że gdyby Jurek nie zakopał w sadzie broni, to mógłbym powystrzelać ich wszystkich w taki sam sposób.

Pół tuzina żołnierzy biegało po pokojach, przewracając lampy, kryształowe wazony i karafki, zrzucając obrazy i demolując meble, dwóch zaś stało obok, pilnując nas z bagnetami w pogotowiu. Wszyscy wyglądali tak samo – niscy i krępi, o szerokich twarzach, ubrani w burozielone mundury i czapki ozdobione czerwoną gwiazdą. Przyglądałem się ich pustym oczom i twarzom pozbawionym wyrazu. Nigdy przedtem nie widziałem takich ludzi. Przetrząśnięcie naszego domu zajęło im piętnaście minut. Wyszli frontowymi drzwiami, zostawiając nas ciasno przytulonych do siebie pośrodku pokoju. Po minucie dwóch wróciło z oficerem, kapitanem sowieckiej tajnej policji, który miał na sobie niebieskoszary mundur z czerwonymi lampasami i okrągłą czapkę. Na jej niebieskim otoku widniała pośrodku czerwona gwiazda. Popatrzył prosto na mamę i powiedział coś po rosyjsku, a gdy mama odpowiedziała, że nie rozumie, przeszedł na łamaną polszczyznę.

– Wasze nazwisko Anna Adamczykowa? – zapytał.

– Tak – odpowiedziała.

– Wasz mąż Jan Adamczyk, kapitan Wojska Polskiego?

– Tak.

– U was troje dzieci: Jerzy, lat siedemnaście; Zofia, lat trzynaście; Wiesław, lat siedem?

– Tak.

– Wy wszyscy aresztowani.

– To musi być jakaś pomyłka – zaprotestowała mama. – Nic nie zrobiliśmy.

– Wy polska elita – rzucił z pogardą. – Polskie burżuje i pany. Wrogi ludu.

– My nie mamy wrogów – odpowiedziała mama.

Przecież miała rację. Czemu mielibyśmy być – ona, brat, siostra i ja – wrogami ludu? Chwytała mnie złość. Chciałem powiedzieć temu człowiekowi, że wszyscy dookoła dobrze wiedzą, że mamy samych przyjaciół, ale przypomniałem sobie, jak mama mówiła, żeby się nie odzywać.

Kapitan NKWD przestał zwracać na nią uwagę i zajął się wydawaniem rozkazów. Staliśmy w tym czasie w milczeniu. Wreszcie dał nam godzinę na spakowanie rzeczy. Mogliśmy zabrać wszystko, co chcieliśmy, oprócz broni, biżuterii, pieniędzy i książek.

Mama spytała, dokąd nas zabiorą.

– Do naszego wielkiego kraju – odpowiedział.

Nasłuchaliśmy się już historii o tym, jak Sowieci wywożą niewinnych ludzi z Polski, jak zabijają po drodze, jak kradną pieniądze, biżuterię i rzeczy, które ludzie brali ze sobą. Ten Rosjanin jednak się zdziwi – nie znajdzie u nas ani broni, ani kosztowności.

Mieliśmy zaledwie godzinę na to, żeby się spakować, czyli wybrać to, co uważamy za najcenniejsze i najbardziej potrzebne, a całą resztę bezpowrotnie zostawić. Nie marnując czasu, mama kazała nam zebrać szybko każde swoje rzeczy. Rozbiegliśmy się do pokoi i zaczęliśmy znosić bieliznę, letnie i zimowe ubrania, lekkie i zimowe buty, grube szaliki, czapki, rękawiczki, a mama pakowała to wszystko do walizek oraz w prześcieradła, które wiązała w tobołki.

Za trzecią czy czwartą wyprawą do swojego pokoju wziąłem zabawki i ulubione książki z bajkami. Zanim doniosłem je do mamy, kapitan NKWD z czerwoną gwiazdą na czapce zastąpił mi drogę i warknął:

– A ty gdzie się z tym wybierasz, polski paniczyk?

– To moje zabawki i książki – odpowiedziałem. – Biorę je ze sobą.

– Nie! – Odwrócił się i rozkazał mamie, żeby nie pakowała takich rzeczy, bo tam, gdzie jedziemy, nie będą potrzebne. – Rosja wielki kraj – dorzucił. – W Rosji wszystko jest. Może czytać ruskie książki! Przerwał na chwilę, w jego oczach błysnęła złość. Wrzasnął: – Wszystko! Wszystko! Nawet zapałki u nas w naszym wielkim kraju są!

Odpowiedziałem, że zapałki mnie nie interesują, ale chcę moje zabawki i książki.

– Nie! – krzyknął ostro.

Wtedy podbiegł wyraźnie zdenerwowany Jurek, złapał mnie za ramię i pociągnął z powrotem do pokoju. Zamknął drzwi i pchnął mnie na łóżko.

– Siadaj i słuchaj, bracie. Nie pamiętasz, co mówiła mama? Masz być cicho, bo inaczej wpakujesz nas wszystkich w poważne tarapaty.

Siedziałem zły i rozdrażniony. Chciałem przecież tylko zabrać ze sobą własne zabawki i książki, a ten człowiek z czerwoną gwiazdą cały czas krzyczał „Nie! Nie! i Nie!" Czemu on był taki zły? Czemu dorosły człowiek mówi, że ma zapałki w swoim „wielkim kraju?" U nas jest mnóstwo zapałek w domu, i co z tego? Nic nie rozumiałem. Im dłużej się zastanawiałem, tym bardziej nie mogłem się uspokoić. Jeżeli nie wolno mi zabrać zabawek i książek, to może należy uciec. Oknem na tyłach domu moglibyśmy jedno po drugim wymknąć się do sadu, a potem prosto do lasu. Ponieważ nikt akurat nie zwracał na mnie uwagi, więc natychmiast ruszyłem z misją zwiadowczą w stronę tylnych okien. Ze zdumieniem i niedowierzaniem spostrzegłem, że zza każdego z nich patrzy prosto na mnie jeden lub dwóch żołnierzy z bagnetami na karabinach. U każdego na środku czapki tkwiła czerwona gwiazda, taka sama jak u żołnierzy, którzy wtargnęli do naszego domu. Patrzyłem na nich, ale oni odpowiadali zupełnie nieruchomym spojrzeniem i stali nadal bez ruchu. Tkwili tam niczym pnie drzew w sadzie i wszyscy mieli takie same okrągłe twarze bez uśmiechu i bez wyrazu.

Kiedy przechodziłem tak od okna do okna, puste twarze żołnierzy zdawały się rozpływać. Nie rozróżniałem już ludzi, a jedynie czerwone gwiazdy i bagnety, które odbijały słabą księżycową poświatę. Nic z uciekania. Nie opuszczała mnie myśl, że gdyby ojciec tu był, wziąłby karabin i rozprawił się z nimi wszystkimi, jak wtedy, kiedy poprzednim razem napadli na Polskę. Szkoda, że Jurek zakopał broń.

Ktoś objął mnie ramieniem. Odwróciłem się strwożony.

– Chodź, Wiesiu – szepnęła mi do ucha Zosia – nie możesz dłużej wyglądać przez te okna. Za kilka minut będziemy musieli wyjść.

– Ale ja nie chcę nigdzie wychodzić. Jak tata nas teraz odnajdzie? Kto zaopiekuje się domem i nakarmi moje sarny, kurczaki, kaczki i gęsi?

– Później się nad tym zastanowimy – odpowiedziała.

Ale nigdy tego nie zrobiliśmy.

Kiedy się pakowaliśmy, żołnierze robili spis naszych mebli, narzędzi i wszelkich domowych sprzętów i przedmiotów, których nie zabieraliśmy ze sobą. Tuż przed tym, jak mieliśmy opuścić dom, kapitan NKWD podsunął go mamie i zażądał, żeby podpisała. Mama zapytała, w jakim celu, a on odpowiedział, że to konieczne jako poświadczenie, iż ani on, ani jego żołnierze niczego tutaj nie ukradli. Mama się zmieszała.

– Nie rozumiem – powiedziała. – Zabraliście nam pieniądze, które mieliśmy w banku. Teraz zabieracie nasz dom i nasze meble i chcecie, żebym podpisała papiery, że nic nie zostało ukradzione? Nie rozumiem, o co chodzi. To wy powinniście podpisać dla mnie spis inwentarza.

Nigdy się nie dowiem, czy mama rzeczywiście tak uważała, czy po prostu nie umiała już dłużej powstrzymać oburzenia z powodu tego, co się działo. Bądź co bądź wypowiedziała bardzo ryzykowne słowa. Twarz kapitana nabiegła krwią, wydawało się, że oczy wyskoczą mu z orbit, a piana wystąpi na usta. Wyglądał jak szaleniec, który właśnie uciekł z zakładu dla obłąkanych.

– Obywatelka Adamczykowa! – darł się. – Ja mógłby posłać was na ciężkie roboty na Syberiu za nieposłuszeństwo dla przedstawiciela ludu Związku Socjalistycznych Republik Radzieckich!

Mama pobladła i zaczęła szlochać. Dwaj sowieccy żołnierze uzbrojeni w karabiny, którzy stali obok niej, tkwili na miejscach nieporuszeni, obojętni, o twarzach bez wyrazu.

– Nigdy by już dzieci nie zobaczyła! – ciągnął z okrucieństwem, wyciągając palec w kierunku brata, siostry oraz mnie.

Przez całe siedem lat życia ani razu do tej pory nie słyszałem, żeby ktoś tak krzyczał, ani nie widziałem, żeby zachowywał się tak brutalnie, do tego wobec kobiety i dzieci. A więc tak wygląda Sowiet, pomyślałem sobie; czyli tacy oni są. Przerażeni otoczyliśmy mamę całą trójką i bojąc się o nią, błagaliśmy, żeby podpisała. Smutno popatrzyła na każde z nas i cicho szepnęła:

– Gdyby nie wy, dzieci, nigdy bym nie podpisała tego papieru. – Po czym wzięła pióro i drżącą ręką złożyła podpis.

Rozjuszony kapitan chwycił stojące w ramce w gabinecie ojca jego zdjęcie w pełnym umundurowaniu z szablą u boku i podniósł je wysoko nad głowę, a potem jednym ruchem roztrzaskał o podłogę tuż przed nami i podeptał, złorzecząc po rosyjsku. Potem odwrócił się do nas i syknął:

– Tak zrobią z wami sowieccy wyzwoliciele, wy polskie burżuje i panowie. – I zaczął wykrzykiwać jakieś komendy do żołnierzy.

Ci, jakby dźgnięci rozżarzonym żelazem, rzucili się do wynoszenia książek z gabinetu ojca, z mojego pokoju i z pozostałych pomieszczeń, przeszukując każdy kąt. Chwytali też każdą rodzinną fotografię, każdy portret polskiego generała oraz obraz bitwy i znosili to wszystko na dziedziniec. Zobaczyłem, jak chwilę później tylne okna naszego domu zajaśniały od blasku płomieni.

Mimo iż Zosia wcześniej delikatnie odciągnęła mnie od nich, podszedłem znowu bliżej okien, żeby zobaczyć, co się dzieje. Ułożone w wysoki stos książki i zdjęcia pochłaniał ogień. Wszystkie cudowne bajki, które mi czytano, wszystkie ojca tomy, wszystko, wszystko obracało się w popiół. Dlaczego Sowieci nam to robili? Dlaczego nas aż tak nienawidzili? Dławiła mnie złość i uczucie bezsilności. Żeby się rozładować, szepnąłem do Jurka zdanie, które kiedyś zasłyszałem: „Ci sowieccy żołnierze to nieokrzesane prostaki". Brat znowu chwycił mnie mocno za ramię i pociągnął z powrotem do pokoju. A tam powiedział:

– Wiesiu, po raz ostatni mówię ci, żebyś był cicho. Jeśli kochasz swoją matkę, nie odezwiesz się dzisiaj ani słowem więcej.

– Wasza godzina się skończyła – oznajmił kapitan. – Zabierać rzeczy i ładować na ciężarówkę.

Walizki, tobołki i trzy worki sucharów stały pośrodku frontowego pokoju. Włożyliśmy na siebie dodatkowe swetry, płaszcze i zimowe buty, żeby nie trzeba było ich dźwigać. Potem wzięliśmy ile kto mógł unieść i po raz ostatni przekroczyliśmy próg własnego domu. Zrozpaczony Jurek starał się zachowywać spokój, wychodząc na podwórze, ale mama, Zosia i ja szlochaliśmy, a kiedy zobaczyliśmy wszędzie sowieckich żołnierzy, łzy w dwójnasób napłynęły nam do oczu. Sowieci zapakowali nas na wojskową ciężarówkę razem z czterema żołnierzami przydzielonymi do pilnowania.

Dziwiłem się, czemu ich aż tylu ma nas pilnować. Nie mogłem jednak zadać mamie pytania, ponieważ przykazano mi się nie odzywać.

Kiedy ciężarówka ruszyła, spojrzałem po raz ostatni na mój dom. Jego zarys rozpływał się w ciemnościach nocy, ale wciąż wyraźnie widziałem czerwone gwiazdy i bagnety, odbijające światło księżyca.

Rozdział 4

Pociąg Donikąd

Po mniej więcej trzech godzinach jazdy kapitan NKWD i jego żołnierze dowieźli nas do starego, osiemnastowiecznego więzienia w Równem. Dołączyliśmy tam do setek innych, znajdujących się w podobnym położeniu – najpierw wywiezionych, a teraz stłoczonych i zmuszonych do spania na podłodze. Wszyscy czekali na deportację do którejś z sowieckich republik. Trzymano nas w owym więzieniu kilka tygodni. Przez cały ten czas mama z wielką desperacją usiłowała przekonać władze, żeby nie wysyłały nas do Związku Radzieckiego. Bezskutecznie. Daremne wysiłki podejmowała jednak do końca. W dniu wyjazdu powiedziała dyżurnemu oficerowi, że jest chora na jakąś ciężką chorobę i nie może podróżować. Wezwano lekarza Armii Czerwonej, który zbadał ją i orzekł, że jest zdrowa. Nawet ja widziałem, że mama udaje chorobę, żeby w ostatnim geście ratunku jakoś uchronić nas od zesłania. Kilka godzin później rozpoczęła się nasza podróż. Należeliśmy do trzeciej fali Polaków deportowanych przez NKWD.

Na stację kolejową pojechaliśmy wojskowymi ciężarówkami. Żołnierze, uzbrojeni w znane nam już karabiny z bagnetami, kopniakami i szturchańcami zapędzili nas do wagonów bydlęcych. W każdym stłoczono od czterdziestu do pięćdziesięciu osób. Sowieci zamocowali na obu końcach w środku każdego wagonu po dwie drewniane półki, które miały służyć za prycze. Pod nimi pozostało nieco miejsca na ułożenie rzeczy. Na półkach i podłodze rozrzucono trochę słomy. Ludzi było dużo, prycz mało. Zajęli je ci, którzy wsiedli pierwsi. Później mężczyźni oddali swoje miejsca kobietom z małymi dziećmi. Ci, dla których zabrakło miejsca na pryczach, musieli kłaść się na podłodze.

Mama, Jurek, Zosia i ja zdobyliśmy miejsce na dolnej pryczy z przodu wagonu, najdalej jak się dało od otworu pośrodku podłogi, służącego za latrynę. Bagaże i suchary, zabrane przez mamę z domu, trzymaliśmy tuż przy sobie.

Kiedy pociąg załadowano, żołnierze zamknęli z hukiem wielkie zasuwane żelazne drzwi wagonów. Usłyszeliśmy, jak od zewnątrz opada ciężka sztaba w zamku, by zaplombować nas niczym zwierzęta. W wagonie było ciemno. Nawet w ciągu dnia przedostawało się do środka zaledwie trochę światła przez dwa zakratowane małe okienka znajdujące się po obu stronach pod sufitem. We dnie było także nie do zniesienia gorąco. Z powodu braku podstawowych urządzeń sanitarnych w krótkim czasie odór niemytych ludzkich ciał wypełnił powietrze i przyprawiał o mdłości nasze prawie puste żołądki.

Zimą 1940 roku wiele polskich dzieci umarło w drodze do Związku Radzieckiego, w tak okropnych warunkach nas transportowano. Najmłodsze, szczególnie niemowlęta, zapakowane zimą do takich wagonów nie miały szans na przetrwanie. Nawet w czerwcu, kiedy nas deportowano, choć dni były niemiłosiernie gorące, nocny przejmujący do szpiku kości chłód tak nas wyziębiał, że aż utrudniał oddychanie.

Stare rozklekotane wagony ruszyły, trzęsąc się. Po chwili słyszałem już tylko stukot i szczęk kół. Pociąg jechał Donikąd. Dla wypełniających go Polaków oznaczało to położone gdzieś w Związku Radzieckim nieznane, budzące lęk miejsce.

Nie minęło wiele czasu, odkąd pociąg ruszył, a ludzie zaczęli szeptać między sobą, że zbliżamy się do sowieckiej granicy. Wkrótce opuścimy Polskę. Matki mocniej przytuliły dzieci, ludzie zaczęli się obejmować. Wszyscy płakaliśmy za krajem, za domem, za ziemią, którą kochaliśmy. Potem ktoś w wagonie powiedział, że właśnie przekraczamy granicę, i głębokim, wzruszonym głosem zaintonował hymn: „Jeszcze Polska nie zginęła, póki my żyjemy..." Pozostali natychmiast podchwycili słowa i po chwili śpiewali już wszyscy w wagonie. Z innych wagonów też dochodził śpiew. Polski hymn rozbrzmiewał na sowieckiej ziemi. Powiew nadziei, choćby nie wiem jak złudnej, uniósł się w powietrzu.

Naraz pociąg gwałtownie zahamował. Usłyszeliśmy strzały, walenie w drzwi oraz ściany wagonów i krzyki żołnierzy, zakazujące śpiewania.

Zapadła śmiertelna cisza.

Rozległy się kolejne strzały, dalsze łomotanie oraz krzyki.

– Kto się nie podporządkuje, zabijemy jak psa!

Pociąg stał nadal, ciszę przerywali jedynie biegający wzdłuż torów żołnierze, wykrzykujący po rosyjsku komendy. A jak wreszcie wszystko ucichło i ruszyliśmy, po kilku minutach z wagonów wypełnionych ludźmi – bezdomnymi, przerażonymi i bez ojczyzny – znów popłynęły głosy jednoczące się w melodii polskiego hymnu. Tym razem koła jednak nie przestały się toczyć.

Niektórzy ludzie próbowali uciekać, kiedy byliśmy jeszcze blisko polskiej granicy. Ryzykowali w momentach, kiedy z tego czy innego powodu wypuszczano nas z pociągu na zewnątrz. Większość z nich natychmiast ginęła od kuli strażnika albo enkawudzisty. Im bardziej oddalaliśmy się od Polski, tym prób takich było mniej. Pożegnaliśmy się z ojczyzną. Coraz bardziej oddalała się od nas z każdą łąką i każdym samotnym drzewem mijanym po drodze. Nad nami latały ptaki, którym wolno było przekraczać granice wedle swej woli, ale my tkwiliśmy uwięzieni w pociągu towarowym. Przeklinaliśmy Sowietów. I modliliśmy się, aby Bóg nie opuścił nas w nieszczęściu.

Do dzisiejszego dnia pamiętam, jak to było w tym pociągu Donikąd, chociaż milion razy pragnąłem móc o tym zapomnieć. Kiedy zatrzaśnięto i zaryglowano drzwi po raz pierwszy, było to jak cios w serce. Nadal słyszę huk ciężkich drzwi i turkot kół wiozących nas coraz dalej i dalej.

Pamiętam, że wagony przepełnione były głodnymi i spragnionymi ludźmi. Pamiętam, jak małe dzieci płakały, jak ludzie próbowali ucieczki i jak do nich strzelano. Pamiętam, że ciała ludzi, którzy zmarli od chorób, głodu lub z wyczerpania, wyrzucano w nocy z wagonów jak śmieci. Wyobrażam sobie, co moja matka i oni wszyscy, zmuszeni do upokorzenia i nędzy, musieli czuć. A pociąg cały czas jechał i jechał. Dokądś. Donikąd.

Tory prowadziły w głąb Związku Radzieckiego. Na nic zdawały się próby wypytania strażników o cel podróży. Nie mogliśmy zrozumieć, dlaczego uparcie odmawiają nam tej informacji, skoro pasażerami byli głównie ludzie starzy i kobiety z małymi dziećmi, więc mało prawdopodobne, by ktoś próbował ucieczki. Najwidoczniej chcieli pogłębić naszą dezorientację. Przez pierwsze dwa dni, jeśli pociąg się zatrzymywał, było to zwykle w znacznej odległości od stacji kolejowych. A nawet jeśli stawał na stacji, spostrzegliśmy, że nazwy były zawsze zakryte lub zdjęte, żebyśmy nie mieli pojęcia, gdzie się znajdujemy. Niektórzy z naszego wagonu rozpoznawali jednak okolicę. W pewnym momencie dojrzeliśmy wielkie miasto w oddali i dorośli uznali, że musi to być Moskwa. Doszliśmy do wniosku, że w Związku Radzieckim pociągi z deportowanymi, więźniami lub skazańcami najwidoczniej omijają duże miasta. Po jakimś czasie przekroczyliśmy Wołgę, dumę Rosjan. Kiedy znajdowaliśmy się już głębiej w Związku Radzieckim, pociąg częściej zatrzymywał się na stacjach. Otwierano wtedy zamknięte od dwu czy trzech dni wagony, ale strażnicy pozwalali wyjść tylko kilku osobom naraz. Ludzie z poszczególnych wagonów wykorzystywali takie okazje do handlu swoim dobytkiem lub do tego, by żebrać o jedzenie u miejscowych, kręcących się na stacji.

Podczas dłuższych postojów, jeśli udało nam się wyjść, biegliśmy z mamą po wrzątek, który Rosjanie nazywali *kipiatok*. Gotowana woda była w Związku Radzieckim dostępna za darmo dla wszystkich podróżnych i używano jej przeważnie do picia. Często jednak zdarzało się, że z powodu zepsutych pieców albo z braku opału nie było wody; w takich przypadkach czerpaliśmy z mamą wrzątek z kotła lokomotywy. Nawet jeśli miał wstrętny zapach i smak, był przynajmniej gorący i sterylny.

W niektóre dni strażnicy karmili nas cienką zupą z kapusty albo ryb, niewiele różniącą się od zwykłej gorącej wody, okraszoną kawałkami czerstwego chleba. Ale bywało, że całymi dniami nie dostawaliśmy nic. Zapobiegliwi jedli to, co udało im się zabrać ze sobą. Inni, którzy nie mieli zapasów, skazani byli na życzliwość współtowarzyszy z wagonu. Mogli jeszcze żebrać na stacjach; bywało jednak, że ku ich zdumieniu to miejscowi prosili o żywność i odzież.

Szybko odkryłem, że w świecie komunistycznym czynne toalety uważano za burżuazyjny zbytek. My musieliśmy korzystać z małego otworu w podłodze wagonu. Należało zdjąć spodnie i załatwić się na oczach wszystkich, co było wielkim upokorzeniem dla ludzi przyzwyczajonych do korzystania z prywatnych wygodnych ubikacji. Co gorsza, trzeba było kucać w pociągu, który jechał i trudno było utrzymać równowagę, niczego się nie trzymając i do tego dokładnie celując w niewielki otwór.

Gdy pierwszy raz spróbowałem oddać naturze, co jej, mama musiała pomagać mi w utrzymaniu równowagi. Ze skrępowania nie byłem w stanie załatwić się na oczach tylu ludzi, szczególnie młodych dziewcząt i kobiet. Było to okropne. W domu mama czasem strofowała mnie za niedokładne zamykanie za sobą drzwi do łazienki. Tutaj nie było żadnych drzwi i trzeba było wybierać między dobrym wychowaniem a naturalną potrzebą. Wielu ludzi klęło na Sowietów za postawienie nas w tak krępującym położeniu. Też miałem na to ochotę, chociaż nie wolno mi było przeklinać i nawet nie wiedziałem, jak to się robi. Nieznośna sytuacja potęgowała jedynie moje napięcie i frustrację i było coraz gorzej, im więcej o tym myślałem. Mój żołądek ścisnął się i napiął jak bęben i przez trzy dni mama musiała masować mi brzuch, zanim mogłem się wypróżnić.

Do końca podróży nie zdołałem przyzwyczaić się do korzystania z dziury w podłodze.

Kiedyś siedzący obok nas człowiek rzucił sarkastyczną uwagę, iż większość sowieckich wynalazków kopiowana była z Zachodu, ten był jednak „prawdziwie sowiecki" i autorzy powinni otrzymać wyrazy uznania za pomysłowość. Na to ktoś, kto potraktował jego słowa poważnie, zapytał, dlaczego dziurę w podłodze uważa za tak pomysłową. Mężczyzna wyjaśnił, że trzeba być bardzo sprytnym, żeby wymyślić dziurę „na tyle małą, by nie mogło uciec przez nią nawet dziecko, i jednocześnie na tyle dużą, żeby każdy mógł przynajmniej od czasu do czasu wcelować w trakcie jazdy".

To był pierwszy śmiech, którego byłem świadkiem od chwili, kiedy załadowano nas do wagonu. Mężczyzna kontynuował:

– Czy ktoś wie, dlaczego sowieccy inżynierowie nie umieścili dziury pośrodku, tylko blisko ściany?

Nikt nie zgłosił się do odpowiedzi, więc wyjaśniał dalej:

– Otóż wyliczyli sobie, że gdyby umieścić dziurę na środku, podłoga wagonu mogłaby się załamać i więźniowie uciekliby. Myślą techniczną rządziło nie co innego jak strach przed zesłaniem na Syberię albo nawet rozstrzelaniem za sabotowanie komunistycznego ustroju.

Ciekaw byłem, czy mężczyzna mówi poważnie, czy żartuje, a ktoś zapytał, czy to rzeczywiście mogłaby być prawda. Mężczyzna odpowiedział:

– To smutne, ale prawdziwe. Sowieci i posyłają ludzi na Syberię, i zabijają za znacznie bardziej błahe rzeczy.

Pociąg wlókł się ku nieznanemu przeznaczeniu i z upływem czasu postoje były coraz częstsze, ale zazwyczaj nie wolno nam było wychodzić z wagonów. Kiedy pozwalano nam na spacer wzdłuż pociągu i rozprostowanie kości, widzieliśmy stertę fekaliów, która zdawała się nie mieć końca między torami. Był to znak, że tym samym szlakiem podążały już tysiące Polaków przed nami. Pozbawianie ludzi prawa do osobistej higieny oraz prywatności miało być skutecznym środkiem demoralizacji. Wszystko razem dostarczało edukacji z zakresu stosunków międzyludzkich i polityki szybszej, niźli umysł małego chłopca zdolny był przyswoić, ale jednocześnie uczyło, że nie trzeba rozumieć jakiegoś zjawiska, by wiedzieć, że ono istnieje. Niemcy, współczesny zakon krzyżacki, wywołali wojnę. Sowieci, współczesne hordy ze wschodu, pozbawili nas wolności, domów i ojczyzny. Poznawałem to wszystko, choć niczego nie rozumiałem.

Nasza mama przez cały ten czas modliła się i zachęcała nas do tego samego. Ale ja nie chciałem się modlić. Jedyne, czego pragnąłem, to wrócić do domu w Sarnach. Brakowało mi ojca, niani, zabawek, książek i słuchania bajek. Tęskniłem za karmieniem saren, za wyprawami na grzyby i w poszukiwaniu krasnali. Zrobiłbym wszystko, by być z powrotem w domu. Ale nasz towarowy pociąg toczył się dalej.

Część III

NIELUDZKA ZIEMIA

Od lewej: Jurek jako rekrut Armii Polskiej powstającej na ziemi radzieckiej, Tockoje, ZSRR, listopad 1941. *Z prawej:* Zosia jako rekonwalescentka po ciężkiej chorobie tuż po naszej ucieczce ze Związku Radzieckiego, Teheran, 1942–1943.

Rozdział 5

Rosyjskie stepy

Po trzech tygodniach podróży zbliżyliśmy się do celu. Wywieziono nas około trzech tysięcy kilometrów w głąb północno-wschodniego Kazachstanu, na wschód od Uralu, na teren graniczący z Syberią. Kazachstan, w przeciwieństwie do Syberii, to w przeważającej części tak zwane rosyjskie stepy, czyli rozległe połacie równinnych obszarów trawiastych, pozbawione drzew. Latem, wypalone słońcem, zaczynają przypominać pustynię. Temperatury wahają się od plus 35 stopni Celsjusza latem do minus 40 stopni albo więcej zimą. Tylko twarde jednostki przeżywają na tak surowym odludziu. Tacy jak Kazachowie.

Pociąg zatrzymał się na prawdziwym pustkowiu. Jak okiem sięgnąć, nigdzie nie było widać żadnego ludzkiego siedliska. Wyprowadzono nas z wagonu i razem z innymi zesłańcami załadowano na dalszą drogę na wojskowe ciężarówki. Transport zatrzymał się w przeraźliwie biednym kazachskim kołchozie, który nazywał się Szarmamulzak. Wysadzono tutaj tylko naszą rodzinę. Kołchoz składał się z niespełna tuzina ustawionych w okręgu prymitywnych chat o płaskich dachach i jednym niewielkim okienku. Rozstawienie chat zapobiegało odcięciu mieszkańców od siebie nawzajem, gdy nadchodziła burza śnieżna. Chaty zrobione były z glinianych cegieł, uszczelnionych błotem i słomą. Maleńka przestrzeń w jednej z nich miała stać się naszym nowym domem.

Chata, do której nas zaprowadzono, mierzyła mniej więcej dwanaście metrów długości i sześć metrów szerokości. Mieszkały już w niej dwie kazachskie rodziny. Oficer NKWD bezceremonialnie wepchnął nas przez ciasne, jedyne wejście do środka, po czym wskazał miejsce na klepisku o powierzchni cztery na cztery metry i powiedział ledwie zrozumiałą polszczyzną coś, co miało znaczyć: „Od teraz tu będziecie mieszkać". Następnie wyprostował się, wciągnął brzuch, wypiął pierś i obciągnął bluzę, jakby miał zamiar wygłosić oświadczenie wielkiej wagi. Łamaną polszczyzną powiedział:

– Jako przedstawiciel ZSRR oznajmiam wam, ludzie, że macie wielkie szczęście, że z łaskawości naszego wielkiego wodza, Józefa Stalina, i naszego wielkiego sowieckiego rządu za darmo przywieziono was do naszego wielkiego kraju. I macie wiedzieć, że w naszym wielkim socjalistycznym kraju każdy jest równy. Nie ma panów i nie ma niewolników jak w krajach kapitalistycznych. Nie ma „proszę pana", „proszę pani" ani „jaśnie wielmożny" jak w Polsce. Każdy w naszym kraju nazywa się *grażdanin*, czyli obywatel – przerwał i wziął głęboki oddech. – Jutro – mówił dalej – wszyscy dostaniecie dzień wolny, a potem będziecie chodzić do pracy. Macie też wiedzieć, że w naszym wielkim kraju ludu pracującego jest zasada: „Kto nie pracuje, ten nie je". – Dla podkreślenia powtórzył po rosyjsku – *Kto nie rabotajet, tot nie kuszajet.*

Zdumieni, niewiele z tego wszystkiego pojmowaliśmy. Pomyślałem, że ten człowiek mówi od rzeczy i musi być niespełna rozumu. Zresztą i tak nie rozumiałem większości jego wypowiedzi poza tym, że było coś o pracy i braku jedzenia. Powiedział bodajże, że każdy ma pracować? Wyczerpani trzytygodniową podróżą, cuchnący, głodni, śmiertelnie wystraszeni, chcieliśmy tylko położyć się i zasnąć.

Chata nie była podzielona żadnymi wewnętrznymi ścianami i nie było w niej ani mebli, ani dywanów, ani toalety, ani kuchni, ani bieżącej wody. Podłogę stanowiło płaskie klepisko. Usiedliśmy. W ciągu zaledwie kilku sekund oblazły nas pchły. Niewiele później wszy. Przyjrzałem się chacie i Kazachom, którzy popatrywali na nas z zaciekawieniem. Nigdy nie słyszałem o Kazachach, ale jedno spojrzenie zdawało się mówić więcej, niż chciałbym wiedzieć. Przypomniały mi się słyszane od ojca opowieści o Mongołach i Tatarach, napadających niegdyś na Europę. Nasi nowi towarzysze byli niskiego wzrostu, żylaści, o oczach wąskich i lekko skośnych, ciemnych włosach i śniadej cerze. Mężczyźni mieli postrzępione, rzadkie bródki, lekko pałąkowate nogi i ogólnie wyglądali na nieugiętych. Mówiąc, syczeli przez ubytki w przebarwionych zębach. Wyglądali dziko i byli głośni i nieokrzesani w zachowaniu, do tego cały czas spluwali. Wydawali mi się przerażający. Pamiętałem opisy brutalności Mongołów i Tatarów z opowieści ojca i bałem się, że Kazachowie mogą być tacy sami. Dlaczego tak dziwnie na nas patrzyli? Truchlałem ze strachu, że zaraz wszystkich nas pozabijają – że porozpruwają nam brzuchy i odrąbią głowy. Cichutko błagałem Boga, by wysłuchał modlitwy i ocalił naszą rodzinę. Później się przekonaliśmy, że są to prości ludzie, uprzejmi, przyjaźnie nastawieni i gościnni i zupełnie tak samo jak my nienawidzący Sowietów, którzy zajęli ich ziemię.

W chacie panował trudny do zniesienia odór. Po pewnym czasie zorientowaliśmy się, że Kazachowie pracują i śpią w tych samych ubraniach i bardzo rzadko mają okazję się myć. Utrzymujący się w dusznej chacie zapach niepranych ubrań, stale przesiąkniętych potem, był szczególnie nieznośny i dławiący podczas upału i dawał się nam wyjątkowo we znaki, na początku utrudniając wręcz oddychanie. Do tego razem z Kazachami mieszkały ich kozy, owce i psy, co jeszcze potęgowało smród, a na dokładkę wzmacniało plagę pcheł i wszy. Wewnątrz chaty oraz obok wejścia na zewnątrz leżały sterty wyschniętego krowiego i końskiego łajna, pociętego na kostki, którego używano zimą na opał, ponieważ drewno było tutaj niedostępne.

Gdy przyjechaliśmy do Szarmamulzaku i weszliśmy do lepianki, która odtąd stanowić miała nasz dom, byłem przerażony Kazachami, warunkami życia, zaduchem w chacie, ale najbardziej zdruzgotany byłem myślą, że tak ma wyglądać cel naszej podróży. Serce mi pękało i po twarzy ciekły łzy. Przytuliliśmy się mocno do siebie z mamą, bratem i siostrą, i wyczerpani zasnęliśmy na gołym klepisku.

Pierwszy dzień w Szarmamulzaku przyniósł równie dotkliwe wspomnienie. Rano kierownik oprowadził nas po kołchozie, pokazując stanowiska pracy. Warunki i stosowane metody były tak prymitywne, że mama i Zosia się przeraziły, Jurek sposępniał i przestał się odzywać, a ja byłem wstrząśnięty. Wszystko wyglądało jak wyjątkowo zły sen. Zrozpaczona mama stwierdziła, że trzeba będzie mieć wielkie szczęście, żeby w takich warunkach przetrwać zimę. W północno-wschodnim Kazachstanie bywa ona prawie tak ciężka jak na Syberii albo nawet i gorsza z powodu otwartego stepu, który nie zapewnia żadnej ochrony. Lepiej byłoby przed jej nadejściem przenieść się do jakiejś małej miejscowości lub miasteczka i mama postanowiła, że będzie próbowała do tego doprowadzić. Kiedy owego pierwszego dnia wróciliśmy do chaty, mama wzięła się do składania naszych ubrań, pośpiesznie wciśniętych do walizek i tobołków w noc deportacji. W chacie nie było żadnych półek ani szaf, więc nie było gdzie ich ułożyć. Wszystkie swoje rzeczy musieliśmy trzymać na podłodze obok naszego legowiska.

Zostawiwszy mamę przy jej zajęciu, poszliśmy z Jurkiem i Zosią po raz pierwszy dokładnie przyjrzeć się stepowi. Równina dookoła zrobiła na nas wstrząsające wrażenie, wydawało nam się, że jej rozległość sięga w nieskończoność, daleko poza horyzont, i nieodparcie ulegaliśmy złudzeniu, że oto przed nami nicość spotyka się z nicością. Wokół nas była pustka. Wysuszona, popękana, spieczona ziemia wyglądała jak naznaczona bliznami i całkowicie wymarła. Być może to jest obraz czekającego nas losu, pomyślałem. Skąd weźmiemy wodę, żywność i rzeczy niezbędne do życia? Brat i siostra też nie znali odpowiedzi na takie pytanie. Zosia szepnęła z wielkim smutkiem do siebie: „Czyżby Bóg nas opuścił...?" Miałem nadzieję, że może Jurek po latach spędzonych w jezuickiej szkole znajdzie jakąś odpowiedź. Ale on spoglądał w dal i nic nie mówił.

Ciekawi byliśmy, czy z drugiej strony przysiółka widok jest taki sam. Przeszliśmy kawałek, ale tam też zobaczyliśmy jedynie spaloną ziemię ciągnącą się po horyzont. Po chwili jednak coś nowego zwróciło naszą uwagę. Po wypalonym stepie wirowały i toczyły się we wszystkich kierunkach niby tajemnicze zjawy dziwnie wyglądające obiekty w kształcie kul, niektóre tak duże jak ja. Wpadając na siebie, poruszały się to w przód, to w tył, to na boki, podfruwając często przy tym w powietrze, jakby miały skrzydła, i podejmując taniec po opadnięciu na ziemię.

Tajemnicze kule toczyły się razem z podmuchami – zwalniały, kiedy wiatr przycichał, nieruchomiały, kiedy zamierał. Widać było, że nie mają własnego życia, a jedynie tańczą z wiatrem w parze. Nie mogliśmy powstrzymać ciekawości. Podbiegliśmy dwieście czy trzysta metrów, by popatrzeć z bliska. Ale nawet kiedy zbliżyliśmy się do nich, wciąż nie mogliśmy zrozumieć, co to za zjawisko. Dopiero gdy silny wiatr dmuchnął w naszą stronę i kule w ciągu sekundy runęły na nas jak oszalałe, wszystko stało się jasne. Ale wtedy już nie było czasu na ucieczkę. Wyciągnąłem ręce, próbując odepchnąć pierwszą kulę, która potoczyła się na mnie. To był błąd. Całe moje ciało zaatakowały dziesiątki ostrych jak igły kolców. Dopiero gdy wiatr się zmienił, kule zechciały od nas odfrunąć.

– Diabły stepowe! – wołała za nimi Zosia, wyciągając kolce ze skóry i z ubrania.

– Witaj w Kazachstanie, siostrzyczko. Ciesz się, że to nie rosyjskie diabły – odpowiedział z kwaśną miną Jurek.

Co tchu pobiegliśmy do chaty po pomoc. Ledwie weszliśmy, mama zawołała:

– Dobry Boże, dzieci, co wam się stało?!

Chcieliśmy jakoś wyjaśnić, ale stara kazachska kobieta, do której nas wmeldowano, zbliżyła się trochę nieśmiało i pokazała na migi, żebyśmy usiedli na podłodze. Nie wydawała się zdziwiona naszym stanem, przysiadła tylko obok i wysunęła ku nam w jednej ręce butelkę z jakimiś korzeniami pływającymi w ciemnym płynie, a w drugiej kłębek waty, z którego połowę podała mamie. A potem część waty umoczyła w płynie z butelki i jeden po drugim zaczęła delikatnie wyjmować kolce z mojego ciała, natychmiast przemywając krwawiące miejsca. Gestem zachęciła mamę, żeby tak samo robiła z Zosią i Jurkiem. Swędzenie i bolesne pieczenie znikało już po kilku minutach. Co za ulga! Podziękowałem, chociaż zdawałem sobie sprawę, że kobieta nie rozumie, co do niej mówię. Mama wzruszyła się jej pomocą i natychmiast wyciągnęła z walizki haftowaną chusteczkę. Kazaszka najpierw się wzbraniała, ale w końcu wzięła prezent z błyszczącymi oczami i szerokim uśmiechem na pomarszczonej twarzy. Widać było, że sprawił jej wielką radość, i do końca dnia ucieszona pokazywała go całej rodzinie, a przy okazji i nam.

Chociaż było to w sensie dosłownym bolesne doświadczenie, potyczka z tajemniczymi tańczącymi kulami stała się cenną lekcją i od tego dnia nazywaliśmy je tak, jak Zosia trafnie je określiła: „diabłami stepowymi". Wkrótce dowiedzieliśmy się prawdy o ich diabelskim zachowaniu. Stepowe trawy i krzewy podczas letniej spiekoty usychają na pieprz, a wiatr kruszy je i roznosi po równinach. Fragmenty suchych gałązek i ostrych traw zahaczają się tysiącem kolców i cierni, sczepiają się ze sobą i toczone wiatrem porywają po drodze coraz więcej i więcej takich samych drobinek. Tworzą się z tego bardzo lekkie duże kule, które mimo niegroźnego wyglądu mogą boleśnie doświadczyć nieobeznanych z życiem na stepie.

Kazachowie, którzy początkowo sprawiali wrażenie dzikich i wzbudzali strach, wkrótce okazali się uprzejmi i pomocni. Mimo że byli bardzo biedni, od razu zaczęli dzielić się z nami swoimi skromnymi racjami pożywienia. Pierwszego dnia dostaliśmy od nich cienkie placki z mąki, wody i odrobiny soli, które piekli na gorących cegłach. Dali nam też trochę owczego sera oraz ser z koziego mleka, którego nie chciałem jeść, ponieważ pełno było w nim nieżywych much. Co prawda ugryzłem kawałek, kiedy mama skarciła mnie, ale natychmiast zwymiotowałem. Kazachowie roześmiali się. Od teraz z takich jedynie składników miała się składać nasza dieta, do wyboru było więc albo natychmiast przywyknąć, albo zagłodzić się na śmierć. Przerażenie ogarniało mnie na myśl, że poczuję, jak rozgryzam martwą muchę, ale nie było rady – nie dało się ich wszystkich wydłubać. Kazachowie częstowali nas też prymitywną „herbatą" z rozgniecionych ziaren oraz różnorakich gałązek i ziół, a od czasu do czasu także jagnięciną i kumysem, czyli sfermentowanym kobylim mlekiem, trzymanym w skórzanych bukłakach, które dla chłodu przechowywali zakopane w ziemi. Mleko miało okropny smak i zapach, lecz mama nieustępliwie przestrzegała, żebyśmy wypijali swoją porcję pomimo moich gwałtownych sprzeciwów. Upominała mnie przy tym, że powinienem jeść i pić to, co dają nam Kazachowie, i dziękować Bogu, że chcą się w ogóle z nami dzielić.

Ponieważ nie było noży ani widelców, jadaliśmy palcami. W chacie przestrzegano kazachskiej etykiety. Była ona zdecydowanie odmienna od naszej i polegała między innymi na tym, że pierwsi pożywiali się mężczyźni, potem kobiety, a na końcu dzieci. Dziwiło mnie pozbawienie kobiet i dzieci specjalnych względów, ale mama tłumaczyła mi, że zwyczaje są różne w zależności od kraju i przeważnie mają swoją przyczynę.

Mnie jednak nadal trudno było pojąć, czemu Kazachowie do jedzenia zasiadają na podłodze, z brudnymi rękoma, i nie okazują większego szacunku kobietom. Zapytałem brata, czy widział kiedykolwiek, żeby Kazach całował kobietę w rękę na powitanie, ale on zaskoczył mnie, stwierdzając, że zadaję niemądre pytania. Czemu moje pytanie miało być niemądre? Czyż nie w taki właśnie sposób uczono nas witać się z kobietami?

Nie potrzebowaliśmy wiele czasu, by zrozumieć znaczenie sowieckiej zasady, w myśl której kto nie pracuje, ten nie je. W praktyce wyglądało to tak, że państwo odbierało kołchozom prawie wszystko, co wyprodukowały, a marna resztka produkcji rolnej, która pozostawała w kołchozie, dzielona była między robotników według ich wydajności. Byli co prawda tacy, bardzo nieliczni, którzy mieli odwagę zapytać, co się stało z marksistowskim hasłem: „Od każdego według jego zdolności, każdemu według jego potrzeb", ale takie pytanie mogło poskutkować jedynie wysłaniem na „wycieczkę" do któregoś z syberyjskich łagrów.

Organizacja pracy była prosta. Ludzie sprawni fizycznie doglądali bydła i wszelkich zwierząt gospodarskich, wyrabiali gliniane cegły, wyciągali i przywozili wodę, zbierali z pól krowie i końskie łajno do suszenia na opał bądź nawóz oraz zajmowali się wszelkimi codziennymi pracami. Swoją pierwszą pracę zarobkową dostałem kilka dni po naszym przyjeździe. Miałem wtedy zaledwie siedem lat, ale gdybym nie pracował, rzeczywiście mógłbym nie mieć co jeść, to znaczy nie dostawałbym dziennej racji pozbawionego smaku chleba, kobylego mleka i sera upstrzonego muchami. Tym, którzy byli niezdolni do pracy, pozostawało albo polegać na miłosierdziu pracującej rodziny, albo kraść.

Moja praca nie wymagała żadnego przeszkolenia ani praktyki. Gołymi rękoma zbierałem *kiziak*, czyli krowie łajno, układałem je w sterty jedno na drugim i zanosiłem w pobliże chat. Dorośli dodawali potem do niego słomę i układali ciasno w duże stosy, które schły przez kilka miesięcy na palącym słońcu, a następnie były cięte na kostki wielkości cegły i składowane jako opał na zimę wewnątrz albo na zewnątrz chat. Jak się okazało, moja prosta praca wymagała jednak pewnej wprawy i techniki. Jeśli zebrało się łajno za wcześnie po zostawieniu przez krowę, rozpadało się w rękach. Z kolei zebrane za późno było za bardzo wyschnięte i nie dawało się dobrze połączyć ze słomą.

Pracowałem w żarze lejącym się z bezchmurnego nieba, ręce i całe ciało miałem umorusane krowim łajnem, dręczyły mnie muchy i po kilku dniach czułem taką złość i bezsilność, że marzyłem o chwili, kiedy będę mógł pierwszemu napotkanemu sowieckiemu urzędnikowi wygarnąć, co myślę o jego kraju. Nie musiałem długo czekać. Pewnego dnia podszedł do mnie oficer NKWD, którego znałem z oratorskiego przemówienia wygłoszonego przed nami tuż po naszym przyjeździe. Przechadzał się dumnie niczym paw w niebieskoszarych spodniach z czerwonymi lampasami po obu stronach. W pierwszej chwili ogarnął mnie strach, kiedy zaczął tak paradować tuż przed moim nosem. Ale zaraz potem górę wzięły złość i rozdrażnienie.

– Jak się masz, Wiesław? – odezwał się kiepską polszczyzną.

Podniosłem kolejny placek miękkiego krowiego łajna i nawet na niego nie spojrzałem, za to czułem wielką pokusę, żeby naumyślnie potknąć się i upuścić mu go na buty. Ani drgnąłem, kiedy zaczął mnie wypytywać.

Najpierw zapytał, gdzie jest mama, potem gdzie są brat i siostra, a wreszcie, czy naszej rodzinie „podoba się ich wielki kraj". Pamiętałem ostrzeżenie mamy, żeby się pilnować i nie robić niczego niemądrego oraz nie odpowiadać na pytania Sowietów, szczególnie zadawane przez enkawudzistów. Za każdym razem odpowiedziałem więc:

– Nie wiem.

– A czy ty w ogóle cokolwiek wiesz?! – rzucił w końcu. Twarz i szyja mu poczerwieniały i zauważyłem, że robi się na mnie nie na żarty zły.

– Wiem sporo rzeczy, proszę pana – odpowiedziałem grzecznie, tak jak zawsze uczono mnie zwracać się do starszej osoby, ale jednocześnie zacinając się przy każdym słowie, ponieważ pamiętałem z naszego pierwszego spotkania, że w Związku Sowieckim nie ma „proszę panów", tylko obywatele.

Mężczyzna podskoczył jak skwarka na gorącej patelni i krzyknął:

– Nie jestem „panem". Przyjaciele mówią do mnie *towariszcz*, czyli „towarzysz". A ja jestem przyjacielem twojej rodziny i twoim i masz o tym pamiętać.

– Będę pamiętał, towariszcz-u – odpowiedziałem, niepewny jak rzeczywiście mam się do niego zwracać

Przedtem powiedział, że w Związku Radzieckim wszyscy są równi i że nazywa się ich „grażdaninami", czyli obywatelami. Teraz twierdzi, że niektórzy mówią na niego „towarzysz", a nie „obywatel". To wszystko było mylące i pomyślałem, że przydałoby mi się wyjaśnienie.

– *Towariszcz*, czy to znaczy, że nie jesteście *grażdanin*? – zapytałem.

– Jestem, ale jestem też członkiem Partii Komunistycznej i my wszyscy w partii mówimy do siebie *towariszcz*, bo okazujemy sobie szacunek i przypominamy innym obywatelom, że jesteśmy także ich towarzyszami i przyjaciółmi.

Skoro tak się upiera, że jest moim przyjacielem, pomyślałem, może mógłbym go wypróbować. Po co są bowiem przyjaciele, jeśli nie po to, by pomagać sobie nawzajem? Ciekawe, czy ów przyjaciel pomoże takiemu zmęczonemu obywatelowi jak ja. Miałem ułożone i gotowe do przeniesienia dwie sterty krowiego łajna. Powiedziałem, że ciężko i długo pracowałem na prażącym słońcu, że słaniam się ze zmęczenia i nie jestem przyzwyczajony do takiej pracy. Wszystko to było prawdą. Po czym bez chwili wahania podniosłem jeden z dwóch stosów i podszedłem z nim do oficera. Zmęczonym głosem poprosiłem bardzo uprzejmie:

– *Towariszcz*, proszę pomóc mi przenieść tę jedną stertę krowich placków bliżej chat, żebym nie musiał się po nią wracać.

Tego jednak było za wiele.

– Ty mały polski rozpieszczony paniczyku! – zaczął krzyczeć. – Jestem oficerem NKWD i przedstawicielem Związku Socjalistycznych Republik Radzieckich. Nie muszę zbierać krowiego łajna jak ty i cała reszta polskich kapitalistów. Pracuj, a kiedyś zrobimy z ciebie dobrego komunistycznego obywatela i nauczysz się doceniać nasz wielki kraj. Tym razem ci daruję. Przynajmniej zapamiętałeś, żeby nazwać mnie *towariszcz*. – Splunął na ziemię ze złością i odszedł, mamrocząc coś do siebie po rosyjsku.

Po jakimś czasie trochę się uspokoiłem, ale też uświadomiłem sobie, co zrobiłem. Miałem nadzieję, że nic złego nie spotka nas za to.

Kiedy Jurek wrócił do chaty, mamy i Zosi jeszcze nie było. Od razu opowiedziałem mu wszystko słowo w słowo. Najpierw zbladł, a potem zabronił cokolwiek mówić mamie albo siostrze. Wreszcie wytłumaczył mi, że funkcjonariusze NKWD i ich donosiciele stosują taką taktykę, że przepytują małe dzieci, żeby zdobyć informacje, które potem wykorzystują przeciwko ich rodzinom.

– Od tej chwili – nakazał – niezależnie od tego, kto z tobą rozmawia, odpowiadaj, że niczego nie widziałeś, nie słyszałeś, niczego nie wiesz, a najlepiej mów, że niczego nie pamiętasz. – Po chwili dodał: – Nigdy nie wiadomo, kto donosi do NKWD.

Zwróciłem bratu uwagę, że w ten sposób będę musiał kłamać, ale Jurek odrzekł, że między kłamstwem i odmową mówienia prawdy jest duża różnica.

– Jeśli powiesz im, co naprawdę myślisz o komunizmie i Związku Sowieckim, możemy skończyć na Syberii, a tam jest jeszcze gorzej niż tutaj. – Dodał też, że to, co zrobiłem, było i niemądre, i niebezpieczne. Surowo mnie upomniał, bym nigdy więcej nie zachowywał się w taki sposób.

Obiecałem, ale ze świadomością, że będzie mi trudno dotrzymać słowa.

Osiemnastoletniego Jurka przydzielono do pracy przy wyrobie cegieł. Polegała ona na tym, że w wykopie polewano wodą wydobywaną glinę a następnie mieszano ją za pomocą urządzenia obracanego przez woły. Powstawała w ten sposób masa, którą po włożeniu do form suszono na słońcu, by uzyskać cegły, transportowane następnie do innych części Związku Radzieckiego. Oprócz prac przy glinie do obowiązków brata należało także ciągnięcie wody ze studni. Miał dużą wydajność i dzięki temu przydzielano mu większe racje żywności, którymi dzielił się z nami. Bez jego dodatkowego wysiłku mielibyśmy zdecydowanie mniej jedzenia. Mamę i Zosię umieszczono przy doglądaniu bydła, wyciąganiu wody i rozmaitych pracach porządkowych.

Przez większość czasu, który zostawał po pracy, zabijaliśmy codziennie pchły i wszy. Kazachowie najpierw miażdżyli pasożyty w zębach, a potem wrzucali je do ognia, my natomiast rozgniataliśmy je najpierw między paznokciami.

Ponieważ miałem dopiero siedem i pół roku, nie było dla mnie pracy tak dużo jak dla innych. Kiedy wszyscy wychodzili, zostawałem sam i siedziałem bezczynnie, wyglądając na step i rozmyślając o naszym nieszczęściu. Widok stepu karmił moje uczucie braku nadziei oraz pustki. Jak długo by się patrzyło, zawsze było widać jedynie bezkresną jałową ziemię spotykającą się z pustym niebem. Płaska, spalona słońcem, spękana ziemia, pełna szczelin. Gdzieniegdzie suche gałązki i wyschła trawa. Żadnej zieleni. Godzinami patrzyłem dookoła i każdą minutę wypełniało pragnienie, by wrócić tam, gdzie było moje miejsce, do domu w Sarnach. Mama cały czas przypominała, byśmy nie tracili wiary i modlili się o szybki powrót. To właśnie była lekcja, którą z tego wszystkiego zapamiętałem najlepiej – że bez nadziei nie ma przetrwania.

Latem Kazachowie wykorzystywali na opał do gotowania suche kule, „diabły stepowe", które poznaliśmy pierwszego dnia naszego pobytu. Stanowiły wygodniejsze źródło opału niż krowie łajno, ponieważ było ich dużo i były łatwopalne. Około tygodnia po mojej konfrontacji z enkawudzistą przydzielono mnie oraz Zosi dodatkową pracę: zbieranie suchych kul. Stanęliśmy wobec problemu, jak bezpiecznie i nie kalecząc się, zebrać ich jak najwięcej. Lekkie letnie ubranie się nie nadawało. Jedynym, co mogło zapewnić jakąś ochronę, była nasza zimowa odzież tudzież czapki i rękawice. Dobrze zapamiętaliśmy pierwsze bolesne spotkanie z „diabłami" i z dwojga złego bez wahania wybraliśmy włożenie zimowych ubrań mimo palącego upału. Poznawaliśmy step i uczyliśmy się dostosowywać.

Niebezpieczne przygody jednak nie zawsze nas omijały, szczególnie mnie. Po wodę dla naszej osady trzeba było jechać do studni odległej o spory szmat drogi. Pewnego razu zadanie to przypadło memu bratu. Jurek zaprzągł woły do drewnianego wozu załadowanego beczkami i widząc, z jakim zainteresowaniem przyglądam się temu, co robi, zaproponował przejażdżkę. Nie trzeba było mi powtarzać dwa razy. Usadowiłem się na krawędzi skrzyni furmanki i pojechaliśmy. Ja majtałem nogami i podskakiwałem na suchych twardych koleinach, bujając myślami gdzieś w obłokach, a Jurek szedł obok, prowadząc zaprzęg. Nagle spadłem na ziemię płasko na brzuch, wprost pod toczące się koło. Usłyszawszy krzyk, Jurek, który na szczęście znajdował się po tej samej stronie wozu co ja, doskoczył i w ostatniej chwili, gdy ciężkie koło już miało zmiażdżyć mi nogi, zdołał mnie wyciągnąć jednym silnym szarpnięciem. Zelektryzowała mnie wtedy myśl, że choć tym razem zostałem uratowany, może nadejść kiedyś chwila, gdy nie znajdzie się przy mnie nikt z rodziny, by mnie wyciągnąć z nieszczęścia.

Mijało półtora miesiąca od naszego przyjazdu do kazachskiego przysiółka, gdy pewnego dnia nastąpiło poruszenie i błyskawicznie rozeszła się wieść o nieuchronnie nadciągającym niebezpieczeństwie. Palił się step. Wysuszone trawy i niskie krzewy stanęły w płomieniach, na horyzoncie widać było czarny dym oraz ogień, który zbliżał się do nas. Wiatr pędził ogniste kule, suche kule zbitych gałązek i traw, które Kazachowie zbierali na opał, zamienione teraz w śmiertelnie niebezpieczne pociski, wybuchające jak petardy. Myśl, że możemy się spalić, była przerażająca, ale patrzeć na przybliżanie się ściany ognia i nie móc zejść jej z drogi było uczuciem jeszcze bardziej paraliżującym i trudnym do opisania. Mięśnie tężały, krew szybciej krążyła, zmysły wzroku, powonienia i słuchu wyostrzały się, w miarę jak ogień podpełzał coraz bliżej i bliżej. Wreszcie tak blisko, że słyszałem trzask płonącej trawy.

W pierwszym odruchu chciałem uciekać w przeciwną stronę, sądząc, że tam powinno być bezpieczniej, ale doświadczeni Kazachowie dobrze wiedzieli, że trzeba pozostać na miejscu. Zajęli stanowiska i zaprzągłszy wszystkie woły, zaczęli orać ziemię dookoła zabudowań. Pragnąłem uczynić, co tylko w mojej mocy, by pomóc ratować rodzinę i innych. W świeżo zoranej ziemi wszyscy, nawet dzieci, kopaliśmy rowy. Potem zebraliśmy leżące po obu stronach rowów krowie łajno, które mogłoby podsycić płomień. Zbliżający się ogień był rozszalałym piekłem. Nosiliśmy wiadrami wodę i nic już więcej nie można było zrobić, co najwyżej się modlić. Więc modliliśmy się, dopóki diabły stepowe i luźne suche gałęzie się nie wypaliły. Ku memu zdumieniu ogień zatrzymał się na rowach. Kolejny raz byłem pod wrażeniem zdolności Kazachów do przetrwania w tak surowych i trudnych warunkach.

W kołchozie w Szarmamulzaku mieszkaliśmy z Kazachami przez prawie trzy miesiące. Tak samo jak wciąż słyszę stukanie kół towarowego wagonu, tak też wciąż widzę rozciągający się przede mną w nieskończoność step. Obraz owej jałowej ziemi wywołuje uczucia, od których nie udaje mi się uciec – że jestem w miejscu, którego nie ma, że zmierzam donikąd, że tkwię nieodwołalnie uwięziony w bezkresie.

Rozdział 6

Semiozierskm

Odkąd przyjechaliśmy do Szarmamulzaku, mama cały czas usilnie prosiła regularnie przesłuchujących nas oficerów NKWD o przeniesienie do Semiozierska, niezbyt odległego miasteczka, o którego istnieniu dowiedziała się od Kazachów. Jej determinację spowodowały zapewne słowa wypowiedziane pewnego razu przez oficera. Podczas jednego z przesłuchań zapytała, kiedy będziemy mogli wrócić do Polski.

– Prędzej zobaczysz własne uszy niż Polskę – usłyszała w odpowiedzi.

Mama zaczynała rozumieć, że nasze zesłanie może potrwać dłużej. Od początku była przekonana, że ciężkie warunki życia w stepie stawiają pod znakiem zapytania nasze przetrwanie. Wiedziała, że szanse przeżycia wzrosłyby w mieście, gdzie łatwiej byłoby też uzyskać informacje o ojcu i wojnie.

Enkawudziści tygodniami wysłuchiwali jej błagań, aż wreszcie wydali zezwolenie na przesiedlenie. Pojechaliśmy do nowego domu wozem drabiniastym zaprzężonym w woły. Człowiek traci poczucie czasu podczas podróży przez step, szczególnie wozem ciągniętym przez powolne woły. Jednostajność przestrzeni bez żadnych punktów odniesienia w krajobrazie sprzyja wrażeniu zatrzymania czasu. Podróżni wędrujący przez pustynię też tego doświadczają.

Semiozierskm położony był również na stepie, ale okazał się całkowicie innym miejscem. Zabudowę stanowiły regularne budynki z drewnianych bali albo z cegieł i gliny. Inna była też okolica. Znajdowało się tutaj jeziorko, obrośnięte co prawda pojedynczymi, ale za to zielonymi drzewami, oraz las, odległy o pół dnia jazdy konno. Miasteczko zamieszkiwali Rosjanie, Ukraińcy, Białorusini, Polacy i Żydzi. Większość z nich deportowano jeszcze za caratu za otwarty sprzeciw wobec ucisku. Mieszkała w nim również nieliczna grupa Kazachów oraz około pięćdziesięciu deportowanych Polaków. Niektórzy znaleźli się tutaj po rewolucji październikowej; innych wysłano na reedukację w duchu komunistycznym za sprzeciw wobec reżimu.

Gdy przybyliśmy, miejscowy enkawudzista zaprowadził nas do pustej lepianki. Za łóżka służyły nam tutaj deski. Mamie udało się wkrótce zdobyć jutę i słomę, z których zrobiła materace. Mieliśmy na nich spać przez cały pobyt w Semioziersku. Słomiane materace były niewygodne, ale było to znacznie lepsze niż spanie na gołych deskach albo bezpośrednio na klepisku.

Nasz nowy dom także był zapchlony i zawszony. Najwyraźniej musiała to być norma w Związku Radzieckim, choć sowieccy obywatele chyba nie mogli się jakoś z nią pogodzić, bo trawili godziny na zabijaniu wszy, owych obrzydliwych stworzeń, które zakłócały prywatność człowieka w dzień i w nocy. Niewiele można było zdziałać, by się ich pozbyć, gdy nie było dostępu do bieżącej wody i leków, jedynie czasami do kostki mydła. Każdego dnia mama i Zosia godzinami wyczesywały wszy i gnidy z włosów. Mycie, nawet jeśli mieliśmy mydło, niewiele pomagało. Wszy przeżywały. Jedynym naprawdę działającym lekarstwem była nafta. Wkrótce jednak odkryliśmy, że długi kontakt skóry z naftą i wdychanie jej oparów stanowiły nowe zagrożenie dla zdrowia. Sytuacja była beznadziejna, ponieważ niezależnie od tego, co byśmy robili, zawsze od nowa łapaliśmy wszy od innych ludzi.

Koszmarem były też pluskwy. Budziliśmy się, czując, jak łażą po nas i wysysają krew. Spędzaliśmy niezliczone godziny, wyłapując je. Ale najbardziej absorbowało nas wymyślanie metod zapobiegania ich atakom, ponieważ zabijanie pluskiew stwarzało nowy problem, a mianowicie ich krew odrażająco cuchnęła. Walka z pluskwami była daremna, ale i tak cały czas ją podejmowaliśmy.

Moskwa wiedziała o trapiącej społeczeństwo pladze pcheł, wszy, pluskiew i innych powszechnie występujących insektów. Zamiast jednak próbować zlikwidować problem, poprawiając warunki życia, uciekała się do powierzchownych, prowizorycznych metod, takich jak budowanie darmowych łaźni parowych. Rosjanie zwali je baniami i były one najczęściej prymitywnymi imitacjami sauny. Woda lana na rozgrzane kamienie wytwarzała gęstą parę. Kąpiący się, by otworzyć pory skórne i dokładnie się domyć, smagali się brzozowymi witkami i robili to albo sami, albo przy czyjejś pomocy. W małych miejscowościach mężczyźni i kobiety często wspólnie korzystali z łaźni. W większych miastach łaźnie były bardziej wyrafinowane, miały kafelkową posadzkę, prysznice, a gorąca woda oraz para pochodziły z węglowych bojlerów.

Łaźnie parowe miały służyć jako odwszalnie, choć Sowieci oficjalnie nigdy nie nazywali ich w ten sposób. Kiedy wchodziło się do środka, trzeba było oddać ubranie szatniarzowi, którego zadaniem było poddać je przepisowym metodom dezynsekcji. W tym czasie kąpiący się otrzymywali silnie pachnącą, lepką odwszawiającą substancję i musieli się nią wysmarować. Główny problem z łaźniami był taki, że najczęściej brakowało w nich mydła i albo nie było opału, albo piece w ogóle nie działały. Paradoksalnie to właśnie banie stawały się świetnym miejscem dla złapania wszy i w rezultacie bywało, że kąpiący się wychodzili z łaźni bardziej zawszeni, niż kiedy do niej wchodzili.

Łaźnia parowa w Semioziersku była wyjątkowo mała oraz koedukacyjna. Chadzaliśmy do niej rzadko, ponieważ mama nie chciała narażać nas na widoki według niej nie dla naszych oczu, zresztą łaźnia najczęściej była nieczynna. Zmagaliśmy się więc samodzielnie z wszami i brudem, zimą myjąc się mokrymi szmatami, a kiedy było wystarczająco ciepło, szliśmy do jeziora. Jezioro okazało się jednak także problemem, ponieważ miejscowi kąpali się nago, a młodzi często kochali się publicznie na plaży. Siostra nie chciała, żebym oglądał takie rzeczy, i ze wszech miar starała się odciągać mnie od takich widoków.

Kilka tygodni po ulokowaniu się w nowej chacie poskarżyłem się mamie, że bolą mnie i swędzą oczy. Mama najpierw nie wiedziała, co się dzieje. Następnego dnia jednak powieki zaczerwieniły się i tak bardzo mi spuchły, że nie mogłem prawie ich otworzyć. Wtedy mama zorientowała się, że między rzęsami wykluwają się gnidy i mam na powiekach wszy. Nie mieliśmy nic, ani pęsety, ani lekarstw, ani żadnej maści, za pomocą których można byłoby usunąć gnidy i ulżyć obolałym powiekom. Mama nie mogła zrobić nic innego, jak tylko spróbować wydłubać je jedna po drugiej igłą. Najpierw wpadłem w panikę – szybko jednak zrozumiałem, że nie mam wyboru. Bałem się bólu, ale też i tego, że najwyraźniej sama mama przerażona jest tym, co musi zrobić. Gdy nadszedł czas, wydawało mi się, że trwa to całą wieczność. Ręce trzymałem na jej kolanach i zaciskałem zęby. Byłem cicho. Nie chciałem krzyczeć. Musiałem być dzielny przez wzgląd na ojca, który tego by ode mnie oczekiwał, oraz dla mamy, która tego potrzebowała. Kiedy było po wszystkim, mama pocałowała mnie i przytuliła. Od razu poczułem się lepiej, chociaż czerwone i zapuchnięte powieki wciąż bolały mnie i swędziły. Zagoiły się dopiero po dwóch tygodniach. Mama cały ten czas dokładała wszelkich starań, by ustrzec mnie przed nowym zainfekowaniem.

Nie było to moje jedyne nieszczęście jesienią 1940 roku. By oszczędzać buty, biegałem boso i pewnego dnia przebiłem sobie na wylot stopę zardzewiałym gwoździem. Tym razem też mama przyszła mi z pomocą. W pobliżu nie było lekarza, nie mieliśmy żadnych środków medycznych, ale trzeba było natychmiast wyciągnąć gwóźdź i opatrzyć ranę, bez względu na to, jak bardzo będzie mnie to boleć. Mama kazała Zosi przegotować wodę i przynieść watę oraz jodynę, którą przywieźliśmy z Polski. Kiedy wszystko było gotowe, posadziła mnie na krześle i poradziła złapać się go obiema rękami. Podała mi także ręcznik, żebym miał na czym zacisnąć zęby. Jurek mocno złapał moją stopę, żebym nie mógł nią poruszyć. Zamknąłem oczy. Chwilę potem zemdlałem – nie wiem tylko, czy ze strachu czy z bólu. Mama wyciągnęła gwóźdź, przemyła ranę i zaaplikowała wyciąg z ziół, mający zapobiec zakażeniu. Potem poszliśmy jeszcze do pielęgniarki w mieście, która jednak nie mogła nic więcej pomóc, ponieważ nie miała żadnych leków.

Niedługo po przyjechaniu do Semiozierska mama wystarała się o pozwolenie na kolejną przeprowadzkę. Przenieśliśmy się do chaty, która była co prawda także jednoizbowa i którą mieliśmy na dokładkę dzielić z inną polską czteroosobową rodziną, w sumie było więc nas ośmioro, ale mimo przeludnienia warunki i tak były znacznie lepsze niż w poprzednich miejscach, w których mieszkaliśmy od czasu deportacji. W nowej chacie było małe dodatkowe pomieszczenie służące za kuchnię i spiżarnię, była drewniana podłoga i ceglany piec. Zaprzyjaźniliśmy się z Zosią z dziewczynkami, które mieszkały z nami. Były w naszym wieku i po raz pierwszy od wyjazdu z Polski miałem z kim się bawić. Zimą przeprowadziliśmy się kolejny raz. Tym razem do małej chaty, składającej się z izby z dwoma oknami i składziku, którą mieliśmy tylko dla siebie.

Oczywiście sytuacja i tak daleka była od zadowalającej, ale przeprowadzka do dużego miasta była właściwie niemożliwa. Nie tylko deportowani, ale też obywatele ZSRR podlegali restrykcjom. Moskwa, Leningrad i Kijów były zamknięte dla wszystkich oprócz tych, których przenoszono tam z urzędu. Jedynie, co można było uzyskać, to pozwolenie na przeprowadzkę w obrębie tego samego miasta, choć i to wymagało wiele załatwiania.

Mama wydeptywała ścieżki do biura NKWD, ustawicznie starając się znaleźć jakieś lepsze miejsce dla nas. Polityczni urzędnicy wypytywali ją, czemu stara się o przeniesienie, bezustannie wzywali na kolejne przesłuchania i kazali bezterminowo czekać na decyzję, która ostatecznie zależała od widzimisię miejscowego oficera.

Gdy tylko przyjechaliśmy do Semiozierska, NKWD natychmiast kazało mamie, Jurkowi i Zosi iść do pracy. Jurek razem z dwoma innymi młodymi deportowanymi Polakami dostał przydział przy wyrębie drzew. Przez trzy miesiące mieszkał w lesie w prymitywnych barakach, wrócił do nas dopiero, kiedy zaczęła się zbliżać zima. Pracę miał ciężką i niebezpieczną, do tego dokuczały robotnikom komary. By osłonić twarze i szyje, robili z papieru oraz czegoś w rodzaju gazy specjalne kaptury z maskami. Mimo że był upał, praca wymagała wkładania rękawic oraz grubych ubrań. Zosię, wówczas czternastoletnią, także posłano do lasu. Z innymi młodymi Polkami ładowała drewno na wozy i transportowała z powrotem do miasteczka.

Mamie udało się dzięki wielokrotnym prośbom dostać pracę w fabryce wojłokowych butów. Było to prawdziwe błogosławieństwo, gdyż zajęcia przydzielane deportowanym z urzędu przekraczały najczęściej ich możliwości fizyczne. Była to polityka ich celowego wyniszczania i eksterminacji. Dla mnie natomiast nie było tutaj, w przeciwieństwie do Szarmamulzaku, żadnej pracy. Większość czasu spędzałem więc bezczynnie, rozmyślając o domu i wymyślając, w jaki sposób można byłoby uciec do Polski, choć widziałem, że NKWD pilnuje nas bezustannie, i zdawałem już sobie sprawę, że stąd nie da się uciec, nawet w wyobraźni.

Mama też to rozumiała i nie marnując czasu, próbowała zebrać jak najwięcej informacji na temat sowieckiego systemu. Dowiedziała się na przykład, że obowiązuje przepis, w myśl którego wszystkie dzieci poniżej szesnastu lat mają prawo uczęszczać przez co najmniej dziesięć lat do szkoły. Postanowiła wykorzystać to, by uchronić brata i siostrę przed ciężką pracą. Kolejny raz poszła do miejscowego NKWD, prosząc o zgodę na posłanie Jurka i Zosi do szkoły. Kiedy minęły dwa miesiące, a jej podanie wciąż odkładano na bok, zagroziła, że napisze do samego naczelnego biura. Nie wiem, skąd znalazła w sobie tyle odwagi, by straszyć enkawudzistów, ale zgodę otrzymała, i to nie tylko dla Zosi, ale także i dla brata, który miał już wówczas osiemnaście lat. W ten sposób Jurek i Zosia zaczęli uczęszczać do sowieckiej dziesięciolatki. Mieliśmy szczęście, że Semioziersk był na tyle duży, iż taką szkołę w ogóle posiadał. W mniejszych miasteczkach dzieci albo posyłano do pracy, albo odbierano je rodzinom i wysyłano do szkoły gdzie indziej. Często zdarzało się, że rodzice i dzieci już nigdy więcej nie widzieli się nawzajem.

Do problemu mojej edukacji mama podeszła inaczej. W żadnym wypadku nie zamierzała posłać mnie do sowieckiej szkoły. Bała się, że kontakt z komunistyczną ideologią mógłby zatruć mój młody umysł. Ściszonym głosem opowiadała mi o Sowietach, o ich występnym zachowaniu, ciągłych kłamstwach i oszustwach, ograniczaniu wolności osobistej i próbach sterowania ludzkimi myślami.

Opowiedziała mi, że Sowieci zaczynają pranie mózgów już w przedszkolu. Mówią dzieciom, że to wielkie szczęście mieszkać w robotniczym raju. Mówią, że wszędzie indziej są prześladowania, choroby, bieda i cierpienie, ale nie w Związku Radzieckim. Od początku uczą wszystkie dzieci dokładnie tak samo myśleć i mówić, „tak jak roboty", wyjaśniała mi mama. Dzieci nie mogą mieć swojego zdania ani tym bardziej wygłaszać go. Starsze dzieci, które zadają pytania i okazują niezadowolenie, są karane albo wyrzucane ze szkoły. Zdarzają się przypadki, że rodzice tracą pracę z powodu tego, co mówią ich dzieci.

– Były przypadki zesłania rodziców na Syberię – powiedziała – za wychowywanie dzieci w „wywrotowej atmosferze".

Chociaż bardzo tęskniłem do towarzystwa rówieśników i byłem niezadowolony, rozumiałem mamy argumenty i zgodziłem się na nie bez protestów. Mama oznajmiła wówczas kategorycznie, że ja będę uczył się tego, czego powinny uczyć się polskie dzieci. I poprosiła Zosię, żeby w chwilach wolnych od pracy i własnej nauki zajęła się moją edukacją.

Siostra uczyła mnie języka polskiego, historii Polski, geografii i matematyki. Nie mieliśmy polskich podręczników, więc musiała nauczać z pamięci. Moim ulubionym przedmiotem szybko stała się historia. Pamiętałem, jak o przodkach opowiadał mi już ojciec. Lubiłem te historie, dodawały mi siły i jakiegoś poczucia sensu i sprawiedliwości. Teraz widzę, że dzięki nim budowałem właściwe poczucie tożsamości i przynależności, mimo iż byłem tak daleko od prawdziwego domu.

Lekcje w domu zamiast uczęszczania do sowieckiej szkoły wydały mi się na początku nową ekscytującą przygodą, ale mój entuzjazm nie trwał długo. Kiedy wszyscy wychodzili do pracy lub szkoły, nadal zostawałem sam, przez cały dzień nie mając ani co robić, ani z kim się bawić. Dni bez książek i zabawek dłużyły mi się i tęskniłem za swoim przytulnym pokojem w Sarnach. Do tego lekcje z Zosią odbywały się coraz bardziej sporadycznie, od kiedy nastały cięższe czasy i trudniejsza stawała się walka o przetrwanie. Jednym słowem, marzyłem o tym, żeby pójść do szkoły, choćby po prostu po to, aby być pośród innych dzieci w moim wieku, nawet jeśli miały prane mózgi. Przez dwa lata pobytu w Kazachstanie nigdy jednak do szkoły nie poszedłem.

Doświadczenia brata i siostry szybko pokazały, że mama miała rację, sprzeciwiając się posłaniu mnie do sowieckiej szkoły. Jurek i Zosia często opowiadali mamie, co działo się w ich klasach. Z ich rozmów wynikało, że sowieckie dzieci nie chodziły do szkoły jedynie, by uczyć się czytać, pisać i liczyć. Codziennie wpajano im hasła o wielkości Związku Radzieckiego oraz jego obywateli: rolników na polach, robotników w fabrykach, mechaników, rybaków, inżynierów, lekarzy, muzyków, lotników, marynarzy i dzielnych sowieckich żołnierzy, którzy nie przegrali nigdy żadnej bitwy ani wojny. Zadawano dzieciom pytanie, kto ze wszystkich obywateli radzieckich jest największy i najszlachetniejszy i najbardziej troszczy się o uciemiężonych robotników. Uczniowie bezbłędnie znali odpowiedź, jakiej od nich oczekiwano, i wszystkie co do jednej ręce natychmiast podnosiły się do góry. Najwięksi sowieccy przywódcy kochali swój naród, a szczególnie kochali małe dzieci. Raz na jakiś czas Zosia i Jurek przynosili mi ze szkoły kawałek cukierka, który był dla mnie ucztą, bo w sklepach nie można było kupić cukru ani słodyczy. W szkole uczono dzieci, że cukierek, który dostają, pochodzi z dalekiej Moskwy od wspaniałomyślnego Ojca Narodu, Stalina, który troszczy się o wszystkie swoje dzieci w robotniczym raju. Robiło to na uczniach tak wielkie wrażenie, że dalej już starczało tylko niewielkie słowo zachęty ze strony nauczycieli, by z entuzjazmem wstępowali do młodzieżowych organizacji komunistycznych, które przysposabiały ich do pracy dla „Rodiny", czyli ojczyzny; ich misją miała być walka z kapitalistycznym uciskiem i oswobodzenie ciemiężonych, aby ostatecznie cały świat stał się robotniczym rajem na wzór Związku Radzieckiego.

Propaganda wielkości i chwały Związku Radzieckiego w społeczeństwie nie ograniczała się do szkół. Ściany pomieszczeń i korytarzy wszystkich urzędów, dworców, szpitali, jadłodajni, sal zebrań i wszelkich budynków użyteczności publicznej powyklejane były plakatami agitacyjnymi. Wisiały one także w Pałacu Kultury w Semioziersku. Było to miejsce jak wiele tego typu w całym kraju, udekorowane plakatami, czerwonym suknem i portretami rządowych funkcjonariuszy. „Pałace" zwykle wyposażone były w radio, dwie gazety, kilka książek o komunizmie oraz krzesła i stół, przy którym obywatele mogli siedzieć i wchłaniać bieżącą rządową propagandę. Zamykanie w domu, z dala od szkoły, nie było w stanie uchronić mnie przed stykaniem się z komunistyczną propagandą.

Co prawda chciałem mieć kontakt z dziećmi, ale brak formalnej nauki nie był dla mnie zmartwieniem. Życie w Semioziersku wcale nie było wiele łatwiejsze niż w Szarmamulzaku i tak samo trudno było je zaakceptować. Przenieśliśmy się z koszmarnych warunków do zaledwie okropnych. Ale tym, co najbardziej mi w owym czasie przeszkadzało, było ciągłe obserwowanie nas przez tajne służby. Odkąd przeprowadziliśmy się do Semioziersku, liczba ich inspekcji zdecydowanie wzrosła, rzecz jasna nie w celu wypytywania się o nasze samopoczucie czy powodzenie. Bałem się przesłuchań, i to zarówno tych łagodnych, jak i bezczelnych, szczególnie kiedy byłem sam w domu. Rodzina ostrzegała mnie przed taktyką NKWD i wkrótce poznałem się na niej. Ale zagrożenie, jakie niosły przesłuchania – nawet kiedy wydawały się całkiem niewinne – było psychicznie wyczerpujące.

Na początku myślałem, że NKWD obawia się, że możemy uciec do Polski. Ale zaraz potem zrozumiałem, jak bardzo byłoby to niemożliwe. Tysiące kilometrów w głębi sowieckiej ziemi, matka z dziećmi, bezradni i bezbronni – w jaki sposób mieliby uciec? NKWD było ze swymi informatorami w każdym mieście i w każdej wiosce w Związku Radzieckim. Nie dalibyśmy przecież rady przejść piechotą z powrotem tej samej drogi, którą przebyliśmy, ani też wsiąść do pociągu bez przepustek, paszportów i bez pieniędzy. Iść przez rosyjski step? Żar spaliłby nas w lecie, a śnieżyce i wilki zabiłyby nas zimą. Dlaczego więc nie przestawali nas śledzić?

Mama i Zosia mówiły najczęściej to samo:

– Nie zadawaj takich pytań. Ktoś może cię usłyszeć i wtedy wszyscy będziemy mieć kłopoty. – Niekiedy dodawały: – Porozmawiamy o tym, kiedy dorośniesz. Teraz jesteś za mały, żeby zrozumieć.

Na szczęście Jurek był bardziej rozmowny i przyznał, że NKWD tak naprawdę na pewno nie podejrzewa nas, żebyśmy chcieli uciec. Wiedzą, że nie mielibyśmy szans, powiedział, chociaż zapewne mają świadomość kłopotów, jakie sprawilibyśmy, podejmując próbę. Nie obawiali się też nas jako jednostek. Kiedy tylko chcieli, mogli przecież zabić nas albo wysłać na Syberię i nikt by im w tym nie przeszkodził. Tym, czego rzeczywiście boją się, wyjaśniał, jest to, co reprezentujemy jako Polacy – nasz sposób życia i nasze przekonania. A najbardziej boją się, że będziemy opowiadać obywatelom sowieckim o życiu poza Związkiem Radzieckim.

Słuchając brata, kiedy mówił w taki sposób, czułem się zawsze dumny z tego, kim jestem. Czułem lęk przed NKWD, ale odczuwałem też skrytą radość i satysfakcję, że budząca postrach tajna policja sowiecka obawia się tego, co moja rodzina i taki mały chłopiec jak ja przedstawiają oraz w co wierzą.

Tajny nadzór był tylko jednym z wielu nowych dla nas zjawisk, które początkowo ciężko psychicznie nas doświadczały, ale z którymi po pewnym czasie nauczyliśmy się żyć. Inną wielce uciążliwą stroną życia był brak nawet najbardziej podstawowych artykułów sanitarnych, któremu towarzyszyły odstręczające nawyki ludności w zakresie higieny osobistej, skutkujące groźnymi problemami ze zdrowiem, czasem kończącymi się śmiercią. Do tego sowiecka propaganda tylko pogłębiała krytyczną sytuację. Na przykład posiadanie i używanie chusteczki do nosa uważane było za kapitalistyczny luksus i mogło stać się przyczyną podejrzenia kogoś o przynależność do burżuazji albo nawet o to, że jest się wrogiem ludu. W związku z tym ludzie w miejscach publicznych wydmuchiwali nosy bez chusteczek, strząsając ich zawartość palcami, wycieranymi następnie o ubranie. Równie powszechnie stosowali też inną metodę, czyli wciągali zawartość nosa do gardła i z energicznym wydechem odpluwali. Znajdujący się obok ludzie zawsze musieli mieć się na baczności, a już szczególnie tacy mali jak ja, śmigający jak strzała to tu, to tam. Nierzadko potem w domu znajdywało się czyjąś plwocinę na ubraniu.

Brak publicznych i prywatnych urządzeń sanitarnych pogłębiał poniżenie, w jakim zmuszeni byliśmy żyć. Co prawda było kilka miejskich latryn, ale zazwyczaj nie nadawały się do użytku, szczególnie latem. Wydzielały nieznośny fetor. Podłogę i drewniane siedzenia pokrywały ekskrementy. Ściany umazane były zaschniętymi i świeżymi fekaliami, ponieważ ludzie używali palców zamiast papieru toaletowego, który był całkowicie nieosiągalny. Papier toaletowy, tak jak chusteczki do nosa, uważany był za kapitalistyczny zbytek.

Wobec takiej sytuacji obywatele stosowali różne inne zastępcze sposoby. Na przykład latem zatrzymywali się przy drodze i zbierali świeże liście, którymi się podcierali. Gdy nie było świeżych liści, używali okrągłych kamieni. Jeśli nie było kamieni, szukali jeszcze innych metod. Wynajdywali na przykład kępki zielonej trawy.

Szczególnie małe dzieci lubiły się nią wycierać. W trawie kryły się niekiedy gałęzie lub osty, ale przynajmniej palce były czyste. Zimą liście, trawy i kamienie schowane były pod głębokim śniegiem, więc jedynym sposobem podtarcia się było zastosowanie ubitej śnieżnej kuli.

Przyjaciółka mojej siostry, Iwona Gronkowska, córka polskiego przemysłowca, opowiadała o dylemacie, wobec jakiego stawali razem z innymi deportowanymi podczas pracy w kołchozie, gdzie przy pomocy pasterskich psów pilnowali ośmiu tysięcy owiec. Iwona miała wówczas czternaście lat. Psy, zawsze głodne, trzymane były cały czas na dworze. Gdy niczego niepodejrzewający człowiek wychodził na zewnątrz, by załatwić potrzebę, te atakowały go od tyłu, walcząc między sobą o odchody, które nie zdążyły jeszcze nawet spaść na ziemię. Ludzie zaczęli nosić kije do opędzania się przed psami, ale było to i niewygodne, i niebezpieczne. Pojawił się więc wynalazek zrodzony z potrzeby – zaczęto budować małe igloo, takie, by zmieściło się w nim własne siedzenie, a psy odganiano bez wykręcania ciała do tyłu. Choć metoda wciąż kryła wiele niebezpieczeństw, przynajmniej nie groziło ugryzienie w pośladek.

Panujące warunki życia pozbawiały ludzi wrażliwości. Doszło do tego, że miejscowi przestawali czynić jakiekolwiek wysiłki, by zachować dyskrecję. Często widywało się mężczyzn i kobiety ściągających ubranie i wypróżniających się nie na uboczu, ale tam, gdzie im wypadło. Pewnego dnia, niedługo po przyjeździe do Semiozierska, poszliśmy całą czwórką za miasto w poszukiwaniu pola arbuzów, które miało być gdzieś w okolicy. Po chwili dostrzegliśmy znajomą parę, kucającą tuż przy drodze po tej samej stronie, którą szliśmy. Zosia speszyła się i zaproponowała, abyśmy przeszli na drugie pobocze. Mama jednak odparła, że byłoby to niezręczne i że należy po prostu iść dalej, nie patrząc w ich kierunku. Kiedy ich mijaliśmy, pomachali nam i przywitali się. Mama odpowiedziała po rosyjsku, a ja odmachałem, czując komizm całej tej sytuacji. Gdy znaleźliśmy się poza zasięgiem głosu, Zosia zaczęła wyśmiewać się z tego, co właśnie zobaczyła, ale mama natychmiast przypomniała jej, że nie jesteśmy w Warszawie ani w Paryżu i że powinniśmy dostosować nasze oczekiwania i reakcje do sytuacji.

Zapytałem kiedyś mamę, dlaczego ludzie są tutaj tacy prostaccy. Jej odpowiedź zdziwiła mnie.

– Nie zaprzątaj sobie uwagi tymi ludźmi. Nie zawsze trzeba winić ich za to, jak żyją – powiedziała. – To system komunistyczny narzucił im sposób życia. Tym, co ty musisz zapamiętać, i to na zawsze, jest, jak zostałeś wychowany i kim ty sam jesteś.

Obyczaje panujące w publicznych jadłodajniach w Semioziersku oraz wszędzie indziej, gdzie mieliśmy okazję jadać, stanowiły kwintesencję sowieckiej kultury osobistej. Chodziłem do nich, przyznaję, zawsze pod przymusem.

Sowieckie restauracje otwierano nieregularnie i zaledwie na kilka godzin dziennie. Znajdowały się w nich zawsze dostępne dwa darmowe produkty – gorąca woda i sól. Do podstawowych dań należały zupa rybna i rozwodniony kapuśniak. W wyznaczone dni można było kupić kromkę ciężkostrawnego ciemnego chleba. W restauracjach siadało się na długich ławach przy starych drewnianych stołach o grubych blatach pełnych szpar, w których tkwiły nagromadzone przez lata resztki jedzenia. Ludzie bez pytania dosiadali się do innych, gdziekolwiek były wolne miejsca, ale w Związku Radzieckim nie było przecież nieznajomych. Każdy był obywatelem oraz przyjacielem lub towarzyszem. Przynajmniej tak obywatelom mówiono.

Pewne problemy jednak istniały. Jednym z nich był powszechny niedostatek sztućców, których zawsze brakowało dla wszystkich. Aby zdobyć łyżkę, należało najlepiej zająć miejsce obok osoby, która właśnie kończyła jeść. Obywatel, przyjaciel lub towarzysz po zakończeniu jedzenia oblizywał łyżkę, żeby nic się nie zmarnowało, i przekazywał ją nowo przybyłemu. Jeśli komuś przeszkadzało, że łyżka jest niemyta, mógł najwyżej, z braku serwetek, wytrzeć ją o własne ubranie. Po rozstawioną na stołach grubą sól sięgało się wprost palcami albo łyżką, wskutek czego pojemniki z solą zawierały także kawałki ryby, kapusty i kaszy, nie wspominając o ślinie kolejnych jedzących.

W całym pomieszczeniu słychać było siorbanie. Po posiłku usta wycierało się ręką albo rękawem. Nie zrobić tego było *niekulturno*, czyli niekulturalnie. A potem należało beknąć, głośno i bez zakrywania ust, w taki bowiem sposób okazywało się ukontentowanie posiłkiem. Można było jeszcze dorzucić – *charaszo, charaszo*. W jadłodajniach słychać też było wszędzie siąkanie nosa, co jednakże nikomu nie psuło przyjemności z posiłku. Wedle obowiązującej propagandy w Związku Radzieckim nie było żadnych zdrowotnych problemów ani chorób zakaźnych. Moskwa ogłosiła, że sowieccy lekarze zwalczyli je wszystkie zaraz po rewolucji. A do tego wynaleźli najlepsze lekarstwa na każdą chorobę. W rzeczywistości nie mogło być nic bardziej odległego od prawdy. Jeśli ktoś nie uległ propagandzie, to z ręką na sercu mógł stwierdzić tylko tyle, że przy sporej dozie szczęścia można było zdobyć jeden z dwóch rodzajów leków: na jakiekolwiek schorzenie od pasa w górę aspirynę; a od pasa w dół olej rycynowy.

Rozdział 7

Zima i wilki

Zima 1940–1941 ruszyła z furią do szturmu w iście syberyjski sposób – śnieżną nawałnicą i szalejącymi zawiejami. Śnieg, który spadał tutaj późną jesienią, nie topniał aż do wiosny. Udeptywany na ulicach pokrywał je tak grubą warstwą, że ludzie poruszali się prawie półtora metra nad ziemią. Wśród nich przemierzała zimą ulice także nasza mama, nie tylko w drodze do pracy, ale stojąc w kolejkach po jedzenie, wymieniając się z Kazachami oraz chodząc do biura NKWD po wieści o ojcu. Ostatni list od niego mieliśmy w kwietniu, jeszcze przed naszą deportacją.

Zamiecie śnieżne nazywaliśmy „białą lawą". Jeśli ktoś dał się złapać, zatapiała go i całkowicie pogrążała. My baliśmy się wychodzić nawet do wychodka. Przerażała nas myśl, że moglibyśmy zgubić drogę i zamarznąć na śmierć, dlatego używaliśmy wiader w domu.

Podczas śnieżycy życie zamierało. Temperatura spadała do minus czterdziestu stopni, a porywiste wiatry usypywały ze śniegu zaspy nie do przebycia. Gdy nastawał tak wielki mróz, pod chaty podchodziły blisko głodne wilki i wyły po nocach, uniemożliwiając zaśnięcie. Prześladowała mnie wizja białych kłów dzikich zwierząt rozszarpujących moje ciało i myślałem, że to byłoby straszne zostać pożartym żywcem. Podobno zdarzają się takie wypadki, kiedy wilki zaczynają głodować.

Jeśli zamieć śnieżna złapała podróżnego, rzadko udawało mu się przeżyć. Jego zamarznięte ciało albo zostawało potem pożarte, albo znajdywano je pod topniejącym śniegiem na wiosnę. Miejscowi pocieszali się, powiadając, że w śnieżycy i przejmującym zimnie nie czuje się bólu ani zamarzania, więc jest to przyjemna śmierć. Doceniałem intencje, ale na mnie takie uwagi oddziaływały w sposób zgoła przeciwny do zamierzonego – przepełniały mi serce strachem. Nie byłem bowiem gotów na śmierć ani w zawiei, ani w żaden inny sposób. Każdorazowo, kiedy nadchodziła burza śnieżna, zastanawiałem się też, jakim sposobem ktoś, kto zamarzł na śmierć, mógł opowiedzieć innym, jak to jest tak umierać.

Chowanie nieboszczyków w tak trudnych warunkach było niemożliwe. W związku z tym drewniane trumny, obwiązane drutem, by nie dobrały się do nich wilki, ustawiano na śnieżnych kopcach i pozostawiano tak do wiosny. Po pewnym czasie nowy śnieg je przykrywał, i potem kolejny, i kolejny, ale gdy nadchodziła wreszcie odwilż, ukazywały się znowu. Wtedy zmarli mogli otrzymać właściwy pochówek.

Tylko ci, którzy byli na tyle przezorni, by czynić zapasy pomimo nędznych racji żywnościowych, mieli w tym trudnym czasie czym zapełnić puste żołądki, i dzięki temu mieli szansę na przetrwanie. Inni nie.

Podczas śnieżycy byliśmy w naszej chacie jak żywcem pogrzebani. Rosnące zwały śniegu szybko zaczynały zasłaniać okna, aż dochodziły do czubka komina. W chacie robiło się ciemno i strasznie. Całymi dniami nie mieliśmy gdzie opróżniać kubłów, od czego odór wewnątrz stawał się nie do zniesienia. Drzwi uchylaliśmy tylko na tyle, by nabrać śniegu, który topiliśmy na wodę. Nie mieliśmy kontaktu z nikim z zewnątrz i po jakimś czasie ogarniało nas wrażenie, że nic już nie istnieje oprócz nas i głodnych wilków. Drewno płonące w piecu było jedynym źródłem światła w wiecznie panujących ciemnościach. To światło trzymało nas przy życiu.

Kiedy mijała śnieżna nawałnica, trzeba było odkopać drzwi i dojście do chaty. To było pierwsze zadanie. Potem należało przekopać tunel do sąsiadów, aby móc się kontaktować i w razie potrzeby udzielać sobie pomocy. Pozostawało jeszcze wykopanie tunelu do wychodka. Miejscowa ludność stosowała zwykle prosty sposób, który uratował niejedno życie: między chatami oraz od chat do sławojek rozciągano sznurek. Kiedy jeszcze nie było zbyt dużo śniegu, czyli wczesną zimą, sznurki pozwalały nam bezpiecznie przemieszczać się nawet podczas szalejącej, oślepiającej zawiei. Niestety, z chwilą gdy śnieg potworzył wysokie zaspy, sznurek stawał się bezużyteczny.

W okresach pomiędzy śnieżycami też trzeba było odwagi, by przedsięwziąć jakąkolwiek podróż, chociaż czasami widywało się śmiałków wędrujących saniami zaprzężonymi w konia. Wystarczyło tylko trochę zboczyć z ubitego traktu, a niechybnie i koń, i woźnica zapadali się w śnieg, co często oznaczało śmierć, bo z tak głębokiego śniegu bardzo trudno się odkopać. Spotkało to niejedną osobę. Pewnego razu pożyczyliśmy z Jurkiem konia i sanie, by coś załatwić. Zanim jednak zdążyliśmy wyjechać na drogę, koń zniknął. Po kilku godzinach kopania udało nam się wydobyć go z głębokiego śniegu i zaprowadzić z powrotem do stajni, ale z wyprawy zrezygnowaliśmy.

Ogrzewanie pochłaniało nam olbrzymie ilości drewna, które nikło w oczach, aż kiedyś nadszedł dzień, że całkiem się skończyło. W owym czasie Jurek zdążył już zaznajomić się z kilkoma przyjaźnie nastawionymi miejscowymi ludźmi pracującymi w kołchozie i pewien człowiek zgodził się wypożyczyć nam sanie zaprzężone w konia i do tego dwie siekiery oraz strzelbę w zamian za męski zegarek, jeden z tych, które mama zaszyła jeszcze w Polsce, przed deportacją. Handel wymienny był najlepszym sposobem, jeśli chciało się coś zdobyć lub załatwić. Pieniądze okazywały się właściwie nieprzydatne – niewielu ludzi godziło się je przyjmować, ponieważ w państwowych sklepach nie znajdowali praktycznie nic do kupienia.

Wyprawa w środku zimy do lasu bez strzelby równałaby się właściwie samobójstwu, wygłodniałe wilki atakowały bowiem i pożerały ludzi. Ale dla Polaka, który znalazł się w posiadaniu strzelby, równie śmiertelnym niebezpieczeństwem byłoby dać się złapać przez NKWD. Jurek postanowił jednak zaryzykować, a na dodatek, pomimo wielkich sprzeciwów mamy, zadecydował, żebym to ja pojechał pomóc mu zbierać i ładować drzewo. Mama prosiła, by wziął któregoś z polskich przyjaciół, ponieważ bardzo bała się mnie puścić. Staraliśmy się jednak uspokoić ją. Ale prawdę powiedziawszy, sam bardzo się bałem, choć nie chciałem dać nic po sobie poznać. Będę mieć przecież pod bokiem starszego brata oraz siekiery i strzelbę. Poza tym, rozważałem, mam doświadczenie myśliwskie, które na pewno się przyda, jeśli zaatakują nas wilki. Mama powinna była pamiętać, jak dobrze się spisałem na polowaniu z ojcem. Nic nie zapomniałem z jego instrukcji, jak polować na dzikiego zwierza: „Nie strzelaj, dopóki nie zobaczysz białek jego ślepi"...

W dzień wyprawy, tak jak Jurek uzgodnił, mocno zarośnięty Rosjanin jeszcze przed świtaniem podprowadził sanie zaprzężone w konia i zapukał do drzwi. Wyszliśmy do niego i przywitaliśmy się serdecznie. Mróz był tak siarczysty, że ścinał ślinę, kiedy się splunęło. Włożyliśmy na siebie kilka warstw ubrań poprzekładanych gazetami oraz tzw. fufajki, czyli watowane kurtki. Na głowach mieliśmy wełniane czapy z nausznikami, do tego grube rękawice, szaliki oraz walonki. Mama udzieliła nam kilku rad na pożegnanie, po czym uściskały nas obie z Zosią, ucałowały i zmówiły modlitwę za nasz szczęśliwy powrót. Na koniec dla dodatkowej ochrony przed zimnem mama posmarowała nam buzie łojem, naciągnęliśmy na twarze wełniane długie skarpety, i ruszyliśmy.

Po drodze wysadziliśmy pod domem starego Rosjanina.

– Jedźcie z Bogiem – odpowiedział na nasze grzeczne pożegnanie, pomachał i zniknął w nieoświetlonej chacie.

– Dobry stary Rosjanin – mruknął Jurek, kiedy ruszyliśmy. – Widzisz, bracie, starzy jeszcze wierzą w Boga.

Strzelbę ukryliśmy na dnie sań pod słomą na wypadek, gdybyśmy natknęli się na funkcjonariusza NKWD, za to dwie siekiery położyliśmy na widocznym miejscu. Jechaliśmy, siedząc obok siebie w milczeniu, aż zasypane śniegiem chaty zniknęły z tyłu za nami w bladym świetle szarawego, posępnego syberyjskiego świtu. Śnieg ciągnął się po ginący w mroku horyzont, teraz powoli rozjaśniający się, w miarę jak złote słońce zaczynało zerkać na ziemię. Koń stąpał po lekko ubitej drodze bez zbytniego pośpiechu, jakby dobrze wiedział, gdzie jechać. Brat popuścił cokolwiek wodze i zwrócił się do mnie ze słowami, że jadę z nim tylko dlatego, żeby lepiej przygotować się do opieki nad matką i siostrą, gdyby jemu miało się coś przytrafić.

Udział w tej wyprawie był dla mnie przerażający, chociaż, jak się rzekło, nie przyznawałem się do tego nikomu. W dodatku teraz brat mówi, że coś mogłoby mu się stać. Przestraszyłem się jeszcze bardziej. Co miałbym robić? Do tej pory to mną się wszyscy opiekowali. Z dziecięcą naiwnością zapytałem brata, co takiego mogłoby mu się przytrafić. Na co on odpowiedział, że w Związku Radzieckim człowiek nigdy nie wie, czy przyjdzie mu żyć, czy umierać. A nawet jeśli się będzie żyć, większość tego życia można spędzić w więzieniu albo i gorzej, na Syberii w łagrze.

– A jeśli nie zrobi się nic złego? – zapytałem.

– To nie ma znaczenia – odpowiedział. – Ludzie trafiają do więzienia choćby za prawdę albo za to, że chcą być wolni.

Spytałem dlaczego, a Jurek wyjaśnił, że Sowieci po prostu zamykają w więzieniach wszystkich, którzy nie zgadzają się z nimi. Wśród sowieckich obywateli krąży zupełnie poważnie traktowane powiedzenie, że w ich kraju są jedynie trzy kategorie ludzi: ci, którzy są w więzieniu, ci, co z więzienia wyszli oraz ci, którzy czekają na pójście do więzienia.

– Jeśli ktoś chce ci zaszkodzić, bo na przykład nie lubi ciebie, to wystarczy, że doniesie do NKWD, że powiedziałeś albo zrobiłeś coś, czego wcale nie powiedziałeś ani nie zrobiłeś, a już idziesz do więzienia albo na Syberię.

Przez chwilę jechaliśmy w milczeniu. Potem Jurek zaczął instruować mnie, co będziemy robić. Był poważny i brzmiało to zupełnie jak słowa ojca wtedy, kiedy, jeszcze w Polsce, pojechaliśmy na polowanie.

– Słuchaj uważnie, braciszku. To, co mamy zrobić, uchroni rodzinę przed zamarznięciem na śmierć. Nie wolno nam popełnić żadnego błędu. Powiem ci dokładnie, co robić i czego nie robić. Chociaż masz dopiero osiem lat, chcę, żebyś zachowywał się teraz jak dorosły mężczyzna. Myślisz, że dasz radę?

Zdjął mnie strach, ale zaraz przypomniałem sobie, że jadąc pierwszy raz na polowanie, też się trochę bałem. Przypomniałem sobie, jak ojciec zapewniał mnie, że nie mam się czego bać, jeśli będę robił dokładnie to, co mi każe. Pamiętałem też, jak bałem się śmierci, kiedy płonął step, ale jednak nie wpadłem w panikę ani nie schowałem się mamie pod spódnicę. Nosiłem błoto i wodę i robiłem razem z innymi wszystko, co Kazachowie kazali nam robić, żeby się uratować. Pomyślałem sobie, że przez ostatni rok wiele zobaczyłem i wiele przeszedłem. Widziałem już śmierć, więc miałbym nie móc zachować się jak mężczyzna? Poza tym mama i Zosia powierzyły nam swój los.

Zapewniłem brata, że postaram się z całych sił zachowywać jak dorosły i będę robić wszystko, co powie. Jurek powiedział, że on zajmie się powożeniem, a mi kazał wyciągnąć strzelbę i usadowić się w saniach tyłem do kierunku jazdy. Moim zadaniem było przede wszystkim zachować spokój, pod żadnym pozorem nie panikować, a jeśli zobaczę biegnące za nami wilki, n i e strzelać. Gdyby próbowały nas atakować – co Jurek uważał za mało prawdopodobne – miałem wypatrzyć przewodnika stada, dobrze ustawić rękę, precyzyjnie wycelować i strzelić, ale dopiero wtedy, kiedy zobaczę białka jego ślepi. Jeśli chybię, będziemy musieli się bronić za pomocą siekier.

– Cokolwiek by się stało, masz trzymać się blisko mnie. Jasne?

Przytaknąłem i dodałem, że mówi zupełnie jak ojciec, który uczył mnie w Polsce polowania na dzika.

– Cieszę się, że pamiętasz – powiedział Jurek. – Być może będziesz musiał skorzystać dzisiaj z tych nauk.

Kilka godzin później dojechaliśmy bez przeszkód na skraj lasu.

Kiedy wjechaliśmy między drzewa, pociemniało. Im głębiej się zapuszczaliśmy, tym robiło się mroczniej i straszniej. Czysty bielusieńki śnieg jak całun zakrył leśne poszycie i tylko gdzieniegdzie wystawały suche gałęzie niczym szkielety. Ogromne, nagie drzewa, na wpół zamarzłe, wznosiły się wysoko ku niebu. Ich pozornie obumarłe gałęzie przeplatały się wzajemnie, tworząc jakby gigantyczną pajęczą sieć. Żadnych ptaków, żadnych zwierząt. Głucha cisza. Byłem pewien, że za grubymi pniami drzew na pewno ukrywają się upiory i duchy, tak jak na cmentarzu, gdzie nie widać ich ani nie słychać, a wiadomo, że są. Cisza była tak absolutna, że wyraźnie słyszeliśmy odgłos końskich kopyt i własny oddech. Na pewno wilki też nas słyszą, pomyślałem. Ogarnął mnie strach i zaczęło mi walić serce. Jurek ściągnął wodze i zatrzymał wóz obok większej niż gdzie indziej sterty leżących gałęzi. Zawrócił konia i sanie w kierunku, z którego przyjechaliśmy.

– To na wypadek, gdyby trzeba było nagle uciekać – wyjaśnił.

Bogu dzięki, że nie jedziemy już dalej w głąb tego zakazanego miejsca, szepnąłem sam do siebie i cichutko modliłem się, żeby to nie trwało długo.

Jurek najpierw mocno przywiązał konia do niezbyt grubego pnia i kazał mi odłożyć obok strzelbę i dwie siekiery. Potem wróciliśmy do sań i przerzuciliśmy przez nie na krzyż dwie długie liny, które przewlekliśmy następnie przez żelazne pierścienie, znajdujące się po obu stronach. Długie luźne końce lin posłużą nam do przymocowania ładunku, wyjaśnił Jurek. Nie tracąc czasu, zaczęliśmy znosić gałęzie, niewiele korzystając z siekier. Najpierw załadowaliśmy duże i ciężkie kłody, potem gałęzie średniej wielkości, a na wierzchu najmniejsze. Praca szła powoli, oddychało się z trudem. Szybko poczułem wyczerpanie, zaczęły boleć mnie płuca. Wtedy przypomniało mi się, jak zmęczyłem się podczas mojej pierwszej wyprawy na polowanie dwa lata temu, i powiedziałem sobie, że wytrzymam do końca. Kiedyś mi się udało, więc teraz też się uda.

Sanie były już prawie pełne, kiedy nagle ciszę przerwał ogłuszający wybuch gdzieś niedaleko. Jurek odrzucił naręcze chrustu i podbiegł do konia. Zrobiłem to samo. Przestraszone zwierzę próbowało stanąć dęba, szarpiąc w górę i w dół uwiązane wodze. Nie mogąc się zerwać, biło kopytami w miejscu, wciąż szarpiąc się i ciągnąc. Jurek chwycił wodze tuż przy pysku konia, poklepał po szyi przerażone zwierzę i przemówił po rosyjsku, rozpaczliwie starając się je uspokoić. Tylko tego nam brakowało, by spłoszony koń zerwał się, roztrzaskał sanie o drzewa i odbiegł. Mielibyśmy przed sobą długą i niebezpieczną drogę, pewnie nie doszlibyśmy przed nocą do domu. Moglibyśmy nawet zamarznąć na śmierć, a wtedy to już wilki na pewno by nas dopadły.

Po chwili koń trochę się uspokoił, ale ja byłem wciąż śmiertelnie przerażony.

– Co to było? – ledwo wydusiłem z siebie.

– Nic strasznego – odpowiedział. – Po prostu rozpękł się zamarznięty pień.

Głaszcząc konia, uspokajał mnie, tłumacząc, że – jak powiadają ludzie pracujący w lesie – kiedy temperatura utrzymuje się poniżej czterdziestu stopni przez długi czas, co często się tutaj zdarza, wiele drzew zamarza w środku na kamień. Podczas zamarzania wilgoć zwiększa objętość, a co za tym idzie, wzrasta ciśnienie wewnątrz pnia i w końcu doprowadza to do jego gwałtownego rozszczepienia, co daje odgłos podobny do wybuchu. Poza tym przy tak niskiej temperaturze powietrze jest niezwykle rozrzedzone, a to wzmacnia dźwięk i niesie go na dużą odległość. Z tej właśnie przyczyny wydawało nam się, że wybuch zabrzmiał tak blisko.

– Lepiej się czujesz? – na koniec zapytał.

– Tak – odparłem. Ale zaledwie to powiedziałem, usłyszeliśmy w oddali przeciągłe wycie.

– Wilki! – wrzasnąłem.

– Szybko! – dyrygował Jurek. – Bierz strzelbę i siekierę, ja przywiążę ładunek. – Uwinął się z tym błyskawicznie, po czym natychmiast podsadził mnie na sanie, podał strzelbę, obie siekiery położył z przodu, żeby mieć je pod ręką, odwiązał płochliwego konia, w dwóch susach znalazł się obok mnie i trzasnął wodzami ponad końskim grzbietem. Z początku powoli, ale w końcu ruszyliśmy. Dzięki Bogu wracaliśmy. Och, jak bardzo wtedy pragnąłem i jak się modliłem, abyśmy tylko wyjechali z lasu, zanim wilki nas dogonią!

Jurek odwrócił się do mnie z nowymi instrukcjami. Nakazał usiąść tyłem do siebie i oprzeć się o jego plecy, nogi szeroko rozstawić, mocno zapierając o grube gałęzie, i przede wszystkim niczego nie robić bez polecenia. Potem kazał mi wziąć strzelbę i trzymać ją w poprzek kolan, jedną siekierę położyć na kolanach „na wszelki wypadek", no i oczy, i uszy mieć szeroko otwarte. Gdybym coś zobaczył albo usłyszał, miałem natychmiast podać mu broń. Pod żadnym pozorem nie wolno mi było strzelać. I raz jeszcze przypomniał, żebym nie wpadał w panikę.

Gdyby tylko ojciec tu był, byłoby bezpieczniej i łatwiej dałoby się to wszystko znieść. Tak czy owak, zrobiłem, jak brat przykazał. Opierając się o niego, trzymając strzelbę i siekierę na kolanach, a nogi między gałęziami, nieustannie przeczesywałem wzrokiem obszar za saniami, w miarę jak sunęliśmy przez las. W dalszym ciągu nie było widać żadnych oznak życia, ale wycie wilków się przybliżyło.

W wyobraźni widziałem przerażające sceny. Głodne wilki o błyszczących żółtych ślepiach, gotowe do ataku, miały szeroko otwarte paszcze, a w nich białe kły. Potem dzik szarżujący na nas z całym impetem. Ujrzałem znowu pierwszą wyprawę myśliwską z ojcem i mój pierwszy strzał do wyimaginowanego zwierza. Ojciec powiedział wówczas: „Chybisz i będziemy mieć kłopoty". Wszystko było wtedy na niby, choć wydawało się takie realne. Dzisiaj wcale nie wydawało się realne, a jednak działo się naprawdę i pierwszy strzał m u s i a ł być dobry. Jurek, jakby czytał w moich myślach, odwrócił się i uspokajającym tonem powiedział:

– Na otwartej przestrzeni będziemy znacznie bezpieczniejsi. I pamiętaj, że jest nas dwóch.

Las z każdą chwilą stawał się rzadszy. Koń jednak z coraz większym wysiłkiem ciągnął sanie, a czas zdawał się stać w miejscu. Kiedy odwróciłem się, by zobaczyć, czy daleko jeszcze do końca lasu, szalik zsunął mi się z nosa i z ust. Mroźne powietrze zakłuło mnie w płuca. Poskarżyłem się, że boli mnie, kiedy oddycham, a Jurek przyznał, że jego też.

– Zawsze tak jest, kiedy przez długi czas przebywa się na zewnątrz w taką pogodę. – Kazał mi zakryć nos i usta szalikiem i nic nie mówić. – Jeśli poczujesz się zmęczony i śpiący, pamiętaj, żeby nawet na chwilę nie zamykać oczu – ostrzegł. – W innym razie będziemy mieć poważne kłopoty.

Stosując się do jego rady, otworzyłem szerzej oczy i dla wygody mocniej oparłem się o jego plecy. Czas mijał, a mnie coraz bardziej bolało w piersiach. Czułem ból, zmęczenie, senność i dziwne otępienie. Och, jakże chciałem choć trochę się zdrzemnąć! Tylko na moment, tyle żeby oczy odpoczęły. Już byłbym się poddał, gdyby nie przeszkadzały mi te denerwujące małe czarne punkty tańczące za nami w oddali, to w tył, to w przód, to na boki. Przetarłem oczy, ale czarne punkty nadal tańczyły tu i tam, do tego poruszały się coraz szybciej. A po kilku minutach powiększyły się. Koń cicho zarżał parę razy i bez ponaglania przyśpieszył kroku. Nagle uświadomiłem sobie, że jesteśmy celem polowania. Trąciłem Jurka łokciem. Kiedy się odwrócił, ledwo dosłyszalnie szepnąłem:

– Wilki!

– Widzę je, braciszku, od dawna – odpowiedział. – Spokojnie. Jest szansa, że jeśli ich nie rozdrażnimy, pójdą za nami jeszcze jakiś czas, a potem zrezygnują.

Pragnąłem, żeby brat miał rację, ale na wszelki wypadek zacząłem się modlić. Zaczęło robić się coraz ciemniej. Tańczące przed mymi oczami punkty zanikały. Wydarzenia długiego dnia całkowicie osłabiły mnie, pokonały i wpadłem w błogi stan odrętwienia.

Oparłem się jeszcze mocniej o plecy brata i pomimo ostrzeżenia przymknąłem oczy. Ostatnie słowa Jurka, jakie usłyszałem, ledwie do mnie dotarły.

– Wiesiu – powiedział – nie mów nic mamie o wybuchu ani o wilkach.

Ostatnie, co zapamiętałem z tego dnia, było to, że mama i Zosia rozbierają mnie i rozcierają energicznie całe moje ciało.

Rozdział 8

Pietrowiczowie

Późną wiosną 1941 znowu się przeprowadziliśmy. Sześć miesięcy po przybyciu do Semiozierska mamie udało się znaleźć jednoizbową chatę zamieszkaną przez rosyjskie małżeństwo w podeszłym wieku, które zgodziło się przyjąć nas do siebie. Nie miałem zawsze pełnego rozeznania co do powodów przeprowadzek, ale tym razem musiała nim być bliskość niewielkiego jeziora, stwarzająca możliwość połowu ryb oraz dostęp do łodzi naszych uprzejmych nowych gospodarzy. Korzystne było też bliższe położenie chaty od centrum miasta, czyli od sklepów. Z rzadka można było w nich coś dostać, ale kolejki ustawiały się zazwyczaj już w nocy, na długo przed godziną otwarcia. Bywało, że mama, Jurek i Zosia czekali pod sklepem na zmianę przez całą noc w obawie, by towary się nie skończyły, zanim przyjdzie ich kolej. Choćby tylko z tego powodu mieszkanie bliżej sklepów było bardzo korzystne.

Mama musiała oczywiście uzyskać zgodę NKWD na przeprowadzkę, więc podczas jednej z obowiązkowych, regularnych wizyt w ich biurze złożyła podanie. Tak samo jak za każdym razem, odkąd wyjechaliśmy z Szarmamulzaku, biurokratyczna procedura toczyła się niespiesznie, ale w końcu pozwolenie wydano nam bez zastrzeżeń. Zaraz potem przeprowadziliśmy się do krytej strzechą lepianki Iwana i Natalii Pietrowiczów. Było to stare rosyjskie małżeństwo. Przygarbione plecy, pomarszczone twarze, zniszczone dłonie – widać było, że długo już żyją i że nie jest to łatwe życie. Przywitaliśmy się po wejściu, ale odpowiedział tylko staruszek. Poczuliśmy się niezręcznie i nie mogliśmy dojść, czy mają do nas pretensję o coś, czy tylko boją się rozmawiać z nieznajomymi. W chacie nie było ani kuchni, ani łazienki i znajdowały się w niej tylko jedne drzwi, ale przynajmniej sprawiała wrażenie domu. Za łóżka służyły nam podwyższenia z desek ustawione pod ścianami. Położyliśmy na nich słomiane materace i poduszki, które przynieśliśmy ze sobą. Obok pieca stał stary drewniany stół pełen szpar i pęknięć w blacie, w których tkwiły okruszki i zaschłe resztki jedzenia nagromadzone przez lata. Do siedzenia służyły dwie drewniane ławy.

Do jeziora było od chaty około stu pięćdziesięciu metrów. Naprzeciwko drzwi wejściowych stała walącą się szopa, w której pan Pietrowicz trzymał małą, wiecznie przeciekającą łódkę. Kiedy tylko pogoda sprzyjała, wypływał w niej na połów, zdarzało się, że kilka razy na tydzień. Kiedyś później powiedział mi, że dawniej, zanim przyszli komuniści i zabrali ludziom wszystko, w miejscu szopy była obora.

Pan Pietrowicz zajmował się też przylegającym do chaty ogródkiem. Miejscowym zwyczajem jako nawóz wykorzystywał odchody wydobyte z wychodka. Nawet chciał, żebyśmy wiosną i latem załatwiali się w ogrodzie, żeby użyźnić uprawy, ale nie daliśmy się namówić.

Wiosna dowlokła się do lata, czas ledwo płynął. Mama wciąż nagabywała funkcjonariuszy NKWD o ojca. Pytani, czy nadal przebywa w Starobielsku, zaprzeczali. Pytani, w którym znajduje się obozie, odpowiadali, że nie wiedzą. Pytani, czy żyje, mówili, że nie wiadomo. Pytani, jak to możliwe, żeby nie znali miejsca pobytu własnego jeńca wojennego, odpowiadali zawsze tak samo. Mówili, że prawdopodobnie uciekł.

Okazało się, że żony innych polskich oficerów, dopytując się o mężów, otrzymywały od enkawudzistów takie same odpowiedzi. Wzmogło to nasze podejrzenia i niepokój. Mama płakała po każdej wizycie w NKWD. Jurek był posępny, ale nie chciał snuć domysłów. Zosi przynosiło ulgę układanie wierszy o tacie; do dzisiaj przechowujemy je jak skarby w rodzinnym archiwum. Ja głęboko wierzyłem, że żyje, ponieważ nie byłem w stanie wyobrazić sobie nic innego. Kochałem go i tęskniłem za nim. Musi wrócić. Znajdzie nas. I wszyscy pojedziemy do domu i będziemy żyć tak jak dawniej, tyle że ze wspomnieniem koszmaru, który nigdy nie powinien był się zdarzyć.

Moja nienawiść do naszych prześladowców rosła i coraz trudniej było mi znosić czekanie na to, kiedy ojciec nas odnajdzie. Nie tylko armia sowiecka i NKWD, ale wprost wszyscy komuniści stali się obiektem tej nienawiści. Stali się moimi wrogami, a ja zmuszony byłem żyć wśród nich, co czyniło każdy dzień męczarnią bez końca. Kiedy byliśmy jeszcze w domu, w Polsce, codziennie wieczorem zmawiałem pacierz i niecierpliwie wyczekiwałem kolejnego dnia. W Kazachstanie także modliłem się co wieczór, ale kładłem się spać w strachu przed następnym dniem.

Mama codziennie chodziła do pracy, a Jurek i Zosia do szkoły. Dla mnie dzień w dzień, tydzień w tydzień nie było nic do zrobienia. Nie było też w okolicy żadnych polskich dzieci, z którymi mógłbym się bawić czy choćby porozmawiać.

– Nie zadawaj się z Rosjanami i nie ufaj im. Pamiętaj, że każdy z nich może być agentem, który nas szpieguje, nawet ciebie – ciągle przypominała mi mama.

Rozumiałem ostrzeżenie oraz miałem w pamięci, co ojciec mówił o posłuszeństwie wobec mamy, ale w duszy czułem, że byłoby łatwiej, gdybym mógł się z kimś bawić i rozmawiać, nawet gdyby ten ktoś miał być Rosjaninem. Później odkryłem, że większość Rosjan, tak jak i mieszkańców innych sowieckich republik, wcale nie należy do partii komunistycznej. Sowiecki reżim przysparzał im takich samych cierpień jak nam i wielu z nich współczuło deportowanym Polakom.

Choć Pietrowiczowie byli miłymi ludźmi, litościwymi, skorymi do pomocy – i rzeczywiście pomagali nam w miarę swoich możliwości – nie zadawali się z nikim poza nami. Natalia nie rozmawiała z ludźmi w ogóle, ani z sąsiadami, ani z nami, nawet do własnego męża prawie się nie odzywała. Uporawszy się z domowymi obowiązkami, siadała i tkwiła tak nieruchomo, godzinami zapatrzona apatycznie w przestrzeń, jakby traciła rozum. A może po prostu nie ufała nikomu, nawet mężowi?

Iwan większość czasu spędzał, pracując w ogrodzie albo przy łodzi. Raz po raz odzywał się do mnie po rosyjsku. Ku memu zdumieniu po pewnym czasie zaczął zagadywać do mnie łamaną polszczyzną. Czułem, że chce się zaprzyjaźnić. Nie słuchając przestrogi mamy, zacząłem się coraz częściej kręcić w pobliżu starego mężczyzny.

Był życzliwym człowiekiem, który najwyraźniej darzył mnie sympatią; nie mogłem go nie polubić. Ustawicznie zajęty czymś Jurek nie miał czasu, a ów stary człek o łagodnej duszy okazywał troskliwe i niemal ojcowskie zainteresowanie mną. Z każdym dniem miałem większy zasób rosyjskich słów i w krótkim czasie tyle się nauczyłem, że mogłem rozmawiać z nim o codziennych sprawach. Ja z kolei pomagałem staruszkowi pogłębić znajomość polskiego, którego liznął trochę od Polaków deportowanych do Rosji jeszcze za cara. Mama nic nie wiedziała o tym, że zaczynam rozumieć i mówić w obcym języku.

Pewnego razu był rześki i piękny słoneczny poranek. Pan Pietrowicz, przygotowując łódź, zapytał, czy chciałbym udać się z nim na połów. Odparłem, że bardzo bym chciał, ale nie wolno mi, ponieważ nie umiem pływać. Nie potrafiłem zdobyć się na to, by powiedzieć mu, że mama zakazała mi rozmawiać z Rosjanami i zabroniła ufać któremukolwiek z nich.

Stary Iwan zapewnił, że pływał łodzią setki razy i że nie ma się czego bać.

– Chodź, Wiesław – powiedział. – Każdy chłopiec powinien nauczyć się łowić ryby. Nie wypłyniemy daleko. Bez obaw. I nic nie powiem mamie.

Wahałem się. A jeśli mama zapyta, co robiłem przez cały dzień? Bardzo chciałem zrobić nareszcie coś ciekawego, pierwszy raz od opuszczenia Polski, i dlatego miałem wielką ochotę popłynąć na ryby. Ale też nie chciałem niepokoić mamy i sprzeciwiać się jej. Miała wystarczająco dużo trosk bez niepokojenia się, że mógłbym się utopić. Zresztą nie umiałem jej okłamywać. Ale przecież była też możliwość, że nie zapyta, co robiłem. Albo może mógłbym powiedzieć jej tylko część prawdy; w ten sposób nie musiałbym kłamać.

– Dziękuję, panie Pietrowicz – odpowiedziałem w końcu pełen rozterki. – Popłynę, ale proszę obiecać, że nic pan nie powie.

– Obiecam, jeśli ty mi obiecasz, że nie będziesz więcej nazywać mnie panem Pietrowiczem. Ciągle mówisz do mnie „pan", a my nie mamy tutaj panów, tylko obywateli.

Zdziwiony odparłem, że w Polsce dzieci zawsze zwracają się z szacunkiem do starszych. Na co przypomniał, że przecież nie jestem już w Polsce, ale ja niezbity z tropu odrzekłem, że to nie ma znaczenia, bo on przecież i tak jest starszy ode mnie.

Pan Pietrowicz wyprostował się i patrzył na mnie dobrą chwilę w milczeniu. Potem położył mi na ramieniu wielką, ciężką dłoń i pochylając się, przybliżył twarz do mojej twarzy, jakby zależało mu, żeby nikt nie usłyszał, co chce mi powiedzieć, chociaż przecież i tak nikogo nie było w pobliżu.

– Wiesław – zaczął. – Mam sześćdziesiąt siedem lat. Jestem starym rosyjskim chłopem i oprócz ciebie i twojej rodziny nikt nigdy nie nazywał mnie panem. Dziękuję, że jesteś miły, ale proszę, nie nazywaj mnie tak, kiedy inni Rosjanie są w pobliżu, ponieważ możemy mieć z tego z żoną tylko kłopoty.

– Ale przecież wy nie zrobiliście nic złego. Dlaczego mielibyście mieć kłopoty?

– Nieważne, Wiesław – odpowiedział, rozglądając się nerwowo. – Chodźmy na ryby, robi się późno.

Zaciągnęliśmy drewnianą łódź nad jezioro, zdjęliśmy buty i weszliśmy po kolana do wody. Następnie załadowaliśmy się na łódkę i odepchnęliśmy ją wiekowym, popękanym wiosłem od brzegu. Stary dał mi wędkę – długi kij ze sznurkiem zakończonym haczykiem. Karpie dobrze brały. Używaliśmy robaków z ogrodu za przynętę i po dwóch godzinach mieliśmy z pół tuzina ryb. W podnieceniu zapomniałem bać się wody. Bałem się tylko, że wszystko wyjdzie na jaw.

Czas było wracać. Przybiliśmy do brzegu. Z łodzi trzeba było wylać wodę, więc odwróciliśmy ją do góry dnem i zaciągnęliśmy z powrotem do szopy. Oskrobaliśmy ryby i wreszcie poszliśmy do domu. Pani Pietrowiczowa w milczeniu wzięła się do smażenia.

Niebawem wrócili mama, Jurek i Zosia. Przywitaliśmy się i usiedliśmy do rybnego obiadu. Nasi rosyjscy gospodarze nigdy nie siadali z nami przy stole, tylko na krzesłach w swoim rogu chaty i jedli, trzymając talerze na kolanach. Mama wypytała Jurka i Zosię o szkołę. No a potem oczywiście musiała zwrócić się do mnie z zapytaniem, jak się mam.

– Świetnie, dziękuję, mamo – odpowiedziałem szybko, mając głęboką nadzieję, że na tym się skończy. Ale niestety.

– A co dziś porabiałeś, syneczku?

– Nic takiego.

– Jak to nic nie robiłeś? Musiałeś chyba coś robić, bo okropnie pachniesz, zupełnie jak rybka.

Chyba zrobiłem błąd, siadając tuż koło niej. Zresztą mama zawsze i tak wyczuwała, kiedy coś zbroiłem. Wzdychając, powiedziałem, że pomagałem panu Pietrowiczowi skrobać karpie w szopie.

Jurek i Zosia zerknęli najpierw na mnie, potem popatrzyli na siebie, ale się nie odezwali.

Mama także spojrzała na mnie uważnie. A później powiedziała, że w przyszłości, kiedy będę chciał czyścić ryby, powinienem pamiętać, żeby wyszorować potem dobrze ręce z braku mydła piaskiem i umyć wodą.

– Może będziesz wtedy mniej pachniał – dorzuciła na koniec i zerknęła w stronę pana Pietrowicza. Ale on siedział odwrócony plecami i albo nie słyszał naszej rozmowy, albo udawał, że jej nie słyszy.

Dziękuję, panie Pietrowicz, szepnąłem w głębi duszy, starannie unikając wzroku mamy. Poczułem falę przyjaźni dla starego człowieka. I skądś wiedziałem, że mogę mu ufać.

Wiosna przeszła w lato. Życie utwierdzało nas w nadziei, że będzie nam tutaj łatwiej niż w Szarmamulzaku. Los okazał się jednak okrutny.

22 czerwca 1941 roku Niemcy zaatakowały Związek Radziecki. Rozpadła się zawarta zaledwie dwa lata wcześniej „wieczna przyjaźń" nazistów z Sowietami. Niemiecki blitzkrieg, który szybko posuwał się z zachodu w stronę Kijowa oraz w stronę Leningradu, był posunięciem równie zdradzieckim jak inwazja radziecka na Polskę w 1939 roku. Armia Czerwona była nieprzygotowana do wojny z serdecznym sojusznikiem i w krótkim czasie, upokorzona, musiała się cofnąć. Później dowiedzieliśmy się, że podczas pierwszych dwóch miesięcy inwazji poniosła wielką porażkę.

Moskwa natychmiast rozpoczęła ogromną ofensywę propagandową, by zmobilizować opinię publiczną. Organizowano wiece, gazety i radio karmiły ludność sloganami w nacjonalistycznym duchu: „Faszystowskie świnie zapłacą za to!", „Obywatele, powstańcie przeciw najeźdźcy i brońcie swojej ojczyzny!", „Robotnicy zwyciężą!" Razem ze sloganami rzucano zapewnienia, że za kilka dni faszyści padną, bo zwycięska Armia Czerwona wygrywa jedną wielką bitwę za drugą.

Widzieliśmy dobre i złe strony niemieckiego ataku. I Niemcy, i Rosjanie, byli naszymi zagorzałymi wrogami. Mama z Jurkiem byli przeświadczeni, że gdyby te dwa państwa pozostały sojusznikami, Polskę czekałaby zagłada, a my utracilibyśmy dom na zawsze. Trudno było się oprzeć spekulowaniu, który z naszych wrogów zwycięży i z jakim dla nas skutkiem. Ale było pocieszające, że ci, którzy są naszymi śmiertelnymi wrogami, toczą między sobą walkę. Dawało to nadzieję na powrót do domu w wolnej Polsce. Bez względu na rozwój sytuacji, najważniejsze było dla nas jednak przetrwanie z dnia na dzień, przypominała nam mama. A warunki się pogarszały. By wyżywić Armię Czerwoną i ludność w strefie działań wojennych, władze sowieckie zaczęły konfiskować zapasy żywności z kołchozów, prawie nic w nich nie zostawiając. Sklepy świeciły pustkami. Stały w nich kuszące szynki, kiełbasy, ryby, ser i pieczywo wykonane z drewna i pomalowane jak prawdziwe, ale dostać można było jedynie mikroskopijne porcje przydziałowego chleba i mąki. Szczęśliwym zrządzeniem losu mieliśmy w pobliżu jezioro, zaopatrujące nas w ryby.

Z upływem czasu umacniało się uczucie przyjaźni między mną a panem Pietrowiczem. Przynajmniej raz na tydzień wypływaliśmy razem na ryby. Ale chociaż moja znajomość rosyjskiego wyraźnie się poprawiała, nie rozmawialiśmy praktycznie o niczym innym oprócz wędkarstwa. Stary człowiek najwyżej czasami wspominał, że wojna wkrótce się skończy, ponieważ Armia Czerwona dzielnie bije Niemców. Jurek słyszał wcześniej to samo od innych ludzi, ale powtarzał, że nie wierzy im.

Pan Pietrowicz był przekonany, że wojna może się skończyć nawet jeszcze przed zimą.

– Twoja mama nie będzie już musiała wtedy stać w kolejce całą noc po kawałek chleba, jak żebraczka.

Pałałem wówczas taką samą nienawiścią do Niemców i do Sowietów. Niemców nienawidziłem za to, że rozpoczęli wojnę, a Sowietów za krzywdy wyrządzone mojej rodzinie. Byłem pewien, że jedni i drudzy to źli ludzie. Byłoby najlepiej, gdyby pozabijali się nawzajem do ostatniego, myślałem. Zapanowałby wtedy pokój. Pragnąłem podzielić się tym, co czułem, ale coś mnie powstrzymywało. Chociaż stary był Rosjaninem, nie chciałem przecież zranić jego uczuć. Dzięki niemu i jego żonie zaczynałem zdawać sobie sprawę, że są w tym kraju dobrzy ludzie, którzy cierpią tak jak my.

Jakby nie dość było strapień, pan Pietrowicz poważnie się rozchorował. Przez wiele dni leżał w łóżku. Skończyło się łowienie ryb. Zazwyczaj kiedy nikogo nie było w pobliżu, prosił, żebym usiadł obok niego. Cichym głosem narzekał na nędzne koleje swojego życia. Zawsze było za mało jedzenia, puste sklepy, długie kolejki i brak opieki medycznej. Mówił o harówce za darmo, przez całe życie. Narzekał, że nikt się nim nie przejmuje, nawet własna żona. Mówił, że niektóre psy mają lepsze życie niż on.

– Nie sądzisz, że najłatwiej byłoby po prostu położyć się i umrzeć? – powiedział pewnego popołudnia.

Kto wie, pomyślałem sobie, może on tego naprawdę pragnie? Przeraziła mnie sama myśl o kimś umierającym na moich oczach. Żal mi było starego pana Pietrowicza, ale nie wiedziałem, co robić. Czy był aż tak nieszczęśliwy? Hamowałem łzy. Zastanawiałem się, co można powiedzieć człowiekowi, który chce umrzeć. Może gdybym był starszy, tobym wiedział. Gdy będziemy uciekać ze Związku Sowieckiego, powinniśmy zabrać go wraz z żoną do Polski. Mógłby wtedy umrzeć pośród dobrych ludzi i nie czułby się taki nieszczęśliwy. Raz w życiu byłby wolny, myślałem, siedząc koło niego i zastanawiając się, co mu odpowiedzieć. W końcu zdecydowałem, że zaproponuję pójście na ryby następnego dnia.

– Moglibyśmy pójść… – odpowiedział pan Pietrowicz.

Właśnie wtedy weszła jego żona. Jak zwykle usiadła na swoim krześle i utkwiła nieruchomy wzrok w przestrzeni. Pora była zostawić łóżko pana Pietrowicza.

Następnego ranka, po wyjściu mamy, Zosi i Jurka, głośno krzątałem się po izbie. Chciałem, żeby pan Pietrowicz nie spał do południa, jak miał ostatnio w zwyczaju. Wreszcie wstał, znacznie później, niż czynił to przed chorobą. Zwlókł się z łóżka i ruszając w kierunku drzwi, odezwał się, że dzisiaj to ja zabieram go na ryby.

Poszliśmy po wędki, nakopaliśmy w ogrodzie robaków i zaciągnęliśmy łódkę po wyboistej ścieżce nad jezioro. Co najmniej dziesięć razy przystawaliśmy po drodze. Staruszek kaszlał, ciężko było mu oddychać i czoło miał zroszone potem. A kiedy wreszcie wsiedliśmy do łodzi i odepchnęliśmy ją jak zwykle od brzegu, powiosłował ku środkowi jeziora, znacznie dalej niż kiedykolwiek przedtem. Rzuciliśmy do wody haczyki z przynętą, usiedliśmy, patrzyliśmy, ale ryby nie brały. Stary był głęboko zamyślony i w ogóle nie zwracał uwagi na spławiki. Za to cały czas spoglądał na mnie, jakby chciał coś powiedzieć. Wreszcie poprosił, żebym obiecał, że nikomu nie zdradzę, o czym będziemy mówili.

Dreszcz przeszedł mi po plecach. Cóż on może chcieć wyznać takiemu małemu chłopcu jak ja? Niemniej obiecałem.

– Wiesz, że jestem starym schorowanym człowiekiem i długo już nie pożyję – zaczął – ale zanim umrę, byłbym szczęśliwy, gdybym mógł się czegoś dowiedzieć. Opowiedz mi o swoim kraju i o swoim domu. Myślę, że komuniści we wszystkim nas okłamują. Czy bardzo inaczej jest w Polsce niż w Związku Radzieckim?

Opowiedziałem panu Pietrowiczowi o wygodach, jakie były w naszym domu, o niani i przyjaciołach. Opowiedziałem mu o kościele, świętach Wielkanocy i Bożego Narodzenia, o bałwanach, przejażdżkach saniami z ojcem, grzybobraniach, polowaniach, wakacjach na wsi i o moich kaczkach, gęsiach i sarnach. Cieszyło mnie dzielenie się z nim wspomnieniami. Opowiedziałem o mnóstwie książek, które mieliśmy, oraz o historiach słyszanych od ojca. Na koniec powiedziałem, jak strasznie tęsknię za tatą i że jestem z niego bardzo dumny, bo walczył najpierw w dwóch wojnach, a teraz walczy w trzeciej, przeciw Rosjanom.

Stary słuchał z niedowierzaniem, co rusz przerywając. Niektóre rzeczy musiałem tłumaczyć po parę razy. Wyglądało na to, że albo nie jest w stanie zrozumieć, albo uwierzyć, że mieliśmy łazienkę i toaletę wewnątrz domu, a także jadalnię i kuchnię i że każdy miał swoją osobną sypialnię z własnym piecem. Chyba nie umiał wyobrazić sobie takich wygód. Zdziwiło go też, że miałem własne książki z bajkami i że uczono mnie czytać i pisać, kiedy miałem sześć lat.

Potem przyszła kolej na jego opowieść. Gdy on miał sześć

lat, musiał pomagać w domu i przy gospodarstwie, nie chodził do szkoły ani wówczas, ani potem i nigdy nie uczył się czytać ani pisać.

– Przez całe życie tylko ciężko pracowałem. Najpierw dla carów, a później dla komunistów. Kiedy byłem młody, rządzili carowie krwiopijcy... – Zapatrzył się w dal. – Nie – po chwili ciągnął dalej – nigdy nie miałem nic z tych rzeczy, o których opowiadasz, ale za carów można było przynajmniej pójść do kościoła. Obchodziliśmy nasze święta tak samo jak wy. – Mówił coraz bardziej chrapliwym głosem. – Jak komuniści zdobyli władzę, to przejęli kościoły i wszystko z nimi związane. Za dnia nazywali cię obywatelem i „towariszczem", a w nocy przychodzili zamordować – powiedział i dodał, że jego żona zachowuje się, jakby była niespełna rozumu, odkąd komuniści wymordowali jej całą rodzinę dwadzieścia lat temu. – Teraz tylko siedzi i gapi się w przestrzeń. Obydwoje cierpimy – dodał z goryczą. – Przez całe życie byliśmy jak łazarze. Komuniści mówią, że towarzysz Stalin daje nam wszystko, że jest wielki, że wielcy są wszyscy nasi przywódcy, wielki jest komunizm i wielki jest Związek Radziecki. Same kłamstwa! Stalin to morderca i skurwysyn, ponoć zabił nawet własną żonę.

Z każdym słowem podnosił głos, na koniec już prawie krzyczał. Oczy mu pałały, pot kroplił się na czole. Zacząłem się bać, żeby starzec nie zrobił czegoś szalonego. Byliśmy na środku jeziora, a ja nie umiałem pływać. Miałem przemarznięte nogi od wody gromadzącej się na dnie łodzi i cały drżałem.

– Bardzo mi szkoda pana i pańskiej żony, panie Pietrowicz – wykrztusiłem z nadzieją, że trochę go to uspokoi.

Wydał się zaskoczony.

– Szkoda ci nas? To mnie powinno być ciebie szkoda, bo ty i twoja rodzina mieliście wszystko i straciliście to.

Zapewniłem go, że wszystko odzyskamy, kiedy wrócimy do Polski. Zaproponowałem nawet, że weźmiemy państwa Pietrowiczów ze sobą, jak będziemy wracać.

– Niech was Bóg strzeże, Wiesław – odrzekł ze smutkiem pan

Pietrowicz. – Powiem ci coś. Ze Związku Sowieckiego nikt się nie wydostaje. Nikt. Komuniści prędzej zabiją człowieka, niż dadzą mu wyjechać. Boją się, że świat mógłby się dowiedzieć, jak my tu żyjemy. A poza tym... Jesteś małym chłopcem i być może jeszcze nie będziesz umiał tego pojąć, ale widzisz, rzecz w tym, że ja chcę umrzeć w Rosji. Kiedyś zrozumiesz, czemu człowiek pragnie umrzeć we własnym kraju, nawet jeśli ten kraj jest taki straszny jak nasz.

Ale ja już zaczynałem to rozumieć. Przypomniało mi się, jak bojąc się śmierci podczas pożaru stepu, czułem w głębi serca bolesną zgodę tylko na to, że jeśli już musiałbym umrzeć i miałbym być pochowany, to jedynie we własnym kraju. Natomiast to, co powiedział o niemożności wydostania się ze Związku Radzieckiego, przeraziło mnie. Chociaż zaraz potem pomyślałem, że stary musi się jednak mylić. Dlaczego bowiem mama mówiłaby nam, że uwolnimy się z sowieckich okowów, gdyby nie miało tak być?

Staruszek mówił jeszcze o wielu rzeczach. Większości z tego, co powiedział, nie rozumiałem w pełni. Opowiadał o Leninie, człowieku, którego podobiznę znałem z plakatów, i o tym, że komuniści nazywają go „ojcem narodu". Cały czas określał komunistów jako „kłamców, oszustów i morderców". Jego głos stawał się coraz bardziej chrapliwy i zduszony, aż w końcu ledwo go rozumiałem. Wyglądało na to, że nie może skończyć, chociaż coraz częściej dusił go kaszel i pluł krwią, czasem do łodzi, czasem na ubranie. Co chwila wycierał nos rękawem. Im dłużej mówił, tym bardziej się emocjonował, a ja tym bardziej się bałem. Woda przeciekająca do dziurawej łodzi podniosła się wysoko jak nigdy dotąd. Byliśmy już wyjątkowo długo na jeziorze. Złapałem kubełek, który zawsze braliśmy ze sobą, i zacząłem ją wybierać, ale stary człowiek chyba nawet tego nie zauważył.

– Komuniści mówią, że wy tam, w Polsce, macie panów i niewolników i że panowie zabijają niewolników, kiedy tylko chcą. Mówią, że panowie zmuszają chłopskie kobiety, by karmiły piersią szczenięta. Czy to prawda, Wiesław? – zapytał.

Nie chciałem słuchać takich oszczerstw.

– To wierutne brednie, panie Pietrowicz! Podłe kłamstwa. Polacy to dobrzy chrześcijanie, nie postępują w taki sposób. Nigdy nie widziałem, żeby ktoś robił takie rzeczy. To śmiertelny grzech zabijać, idzie się za to do piekła – odpowiedziałem podniesionym głosem, dając się ponieść złości.

– Wiem, Wiesław, wiem. Komuniści to kłamcy, ale chciałem usłyszeć o tym wszystkim od ciebie, bo wiem, że ty nie kłamiesz.

Miał rację. Wychowano mnie w przekonaniu, że nie powinienem kłamać, i nigdy tego nie robiłem. Ale skąd stary człowiek o tym wiedział? Uznałem jednak, że nie pora pytać. Do łodzi dostawało się coraz więcej wody, a ja byłem już zbyt zmęczony, żeby wygarniać ją samemu. Z każdą minutą coraz bardziej się bałem. Płonący step w Szarmamulzaku zrodził we mnie lęk przed śmiercią w płomieniach. Zimą zdejmował strach przed zamarznięciem na śmierć i pożarciem przez wilki. Ale utonięcie w jeziorze, gdzie nikt nie byłby w stanie mnie odnaleźć, wydało mi się najbardziej przerażające. Myśl o błotnistym dnie i rybach kąsających ciało przeszyła mnie od stóp do głów dreszczem. Koniecznie trzeba było coś powiedzieć, żeby pan Pietrowicz skończył narzekać na komunistów i bezpiecznie dowiózł nas do brzegu.

– Proszę, panie Pietrowicz – odezwałem się błagalnym tonem – nie umiem pływać i boję się, że utonę. Czy moglibyśmy już wracać?

Stary przerwał tyradę, spojrzał na mnie życzliwie, odplunął kolejny raz krwią i zaczął wiosłować z powrotem.

– Nie bój się, Wiesław – mruknął. – Skoro tak mocno wierzysz, że pisany jest wam powrót do Polski, muszę bezpiecznie odstawić cię na brzeg.

Łódka, ciężka od wody, dotknęła wreszcie stałego gruntu. Podziękowałem mu i poprosiłem, żeby nie mówił nic mamie o naszej wyprawie na ryby.

Rozdział 9

Wojna i głód

Wojna między nacierającymi Niemcami a Związkiem Radzieckim rozszalała się na dobre i w połowie sierpnia 1941 roku dostawy żywności były jeszcze bardziej mizerne. Szczególnie zagrożeni byli ludzie mieszkający blisko linii frontu, ale działania wojenne praktycznie wszystkim przynosiły groźbę śmierci głodowej. Szybko postępujący naprzód Niemcy okupowali zachodnie i południowe tereny Związku Radzieckiego, które były najżyźniejszym obszarem kraju. Udało im się skutecznie odciąć od reszty ZSRR Ukrainę, będącą głównym źródłem żywności.

W zdumiewająco krótkim czasie niecałych dwóch miesięcy wojska niemieckie dotarły do Leningradu oraz Kijowa i szybko posuwały się dalej, w stronę Moskwy. W sierpniu rozpoczęło się oblężenie Leningradu, dawnego Petersburga – historycznej stolicy Rosji. Trwało dziewięćset dni. Odwaga obrońców miasta była bezprecedensowa. Milion ludzi zginęło; sześćset tysięcy umarło z głodu.

Rząd sowiecki stanął wobec problemu, który wzmagał się wraz z postępowaniem armii niemieckiej w głąb kraju: jak wyżywić zarówno ludzi uciekających przed Niemcami, jak i olbrzymią i wciąż rosnącą własną armię. Miliony obywateli ruszyło na wschód oraz południe, zjadając po drodze wszystko, co było dostępne, i powiększając w ten sposób i tak już uciążliwe niedobory żywności, spowodowane utratą na rzecz Niemców urodzajnych ziem. Rzesze uciekinierów obciążały też ponad miarę zaplecze sanitarne, jakiekolwiek by ono było, doprowadzając do szerzenia się chorób. Egocentryczna anarchia zaczynała zagrażać bezpieczeństwu obywateli.

Od samego początku inwazji niemieckiej władze sowieckie zalały kraj propagandą na temat okrucieństwa agresora. Wszędzie rozgłaszano, że Niemcy podpalają wsie, wieszają cywili, palą żywcem i popełniają inne zbrodnie. Takie informacje, nawet jeśli nie było wiadomo, ile jest w nich prawdy, skłaniały do ucieczki przed Niemcami. Choć byliśmy setki kilometrów od linii frontu, sytuacja stawała się bardzo trudna. Większość dostępnej żywności była konfiskowana na potrzeby Armii Czerwonej, a lekarstwa, i tak zawsze trudne do zdobycia, stały się teraz całkowicie nieosiągalne. Ludzie, żeby przeżyć, kradli w kołchozach świniom pomyje.

Choć nie znaliśmy tych faktów, odczuwaliśmy jednak ich działanie. W miarę rozwoju wypadków coraz trudniej było zdobyć jakiekolwiek jedzenie. Szczęściem, wciąż dostępne były ogórki i arbuzy, a także ryby, jeśli udało się je złowić, choć teraz coraz rzadziej – z powodu słabego zdrowia pana Pietrowicza. Zapobiegliwie część z nich suszyliśmy i soliliśmy na zimę, ale nie były to duże zapasy i z biegiem czasu zacząłem odkrywać, co to znaczy być głodnym, a jeszcze później, co – przymierać głodem.

Mama wymieniała kurczące się zasoby przemyconej biżuterii na coraz skromniejsze porcje trudno dostępnych produktów żywnościowych. Dzięki temu jako tako przeżywaliśmy. Kiedy zapas kosztowności stopniał, zaczęła odpruwać koronki od ubrania i bielizny, którą suto nimi obszyła jeszcze w Polsce, a które tutaj były wysoko cenionymi ozdobami. Cięła też na kawałki poszewki i prześcieradła i wraz z moją siostrą haftowała je całymi dniami.

Były też w użyciu i inne sposoby uzupełniania zaopatrzenia – na przykład mama z siostrą dostawały chleb i mąkę w zamian za przepowiadanie losu miejscowym kobietom. Wykorzystywały to, czego nauczyły się od Cyganów, którzy kiedyś przychodzili do nas do domu. Przysłuchiwałem się, jak mama nakłania Zosię, by mówiła kobietom to, co najbardziej chcą usłyszeć, czyli że wojna się skończy i ich mężowie i synowie powrócą cali do domów. Kobiety będą chciały częściej znowu przychodzić po takie przepowiednie, tłumaczyła. Zapytałem mamę, a co będzie, jeśli zaraz po wróżeniu któryś z synów lub mężów zostanie zabity. Odpowiedziała, że dla dobra nas wszystkich trzeba mieć nadzieję, że nic takiego się nie stanie. I dalej robić to, co trzeba.

Gdyby nie pomysłowość mamy, padlibyśmy z głodu. Czarna godzina nadeszła szybciej, niż się spodziewaliśmy. Chociaż sięgaliśmy po przywiezione z Saren suchary jedynie wtedy, kiedy nie było już absolutnie nic innego, i to bardzo oszczędnie, trzy duże worki, które wzięliśmy ze sobą, były nieomalże puste.

Z pożywienia była teraz dostępna w Semioziersku prawie wyłącznie żółta kasza jęczmienna używana jako karma dla kurcząt. Czasami udawało nam się dostać też pszeniczne plewy, które pozostawały po przesianiu mąki. Jedyna wartość odżywcza tego czystego błonnika to były mikrodrobinki mącznego pyłu, który do nich przylgnął. Rząd ustanowił przydział chleba, ale dostawy tego i innych artykułów miały często wielodniowe przerwy. Kiedy chleb w końcu przychodził, był czarny, ciężki jak glina i lepki. Przydział wynosił około połowy kilograma na osobę dziennie, ale czasami nie starczało go dla wszystkich czekających w kolejce.

Po wielogodzinnym staniu w ogonku Jurek przyniósł kiedyś do domu naszą porcję czarnego chleba. Tego dnia pieczywo było wyjątkowo ciężkie i pachniało pleśnią. Zapytałem brata, skąd ten zapach. Wytłumaczył mi, że ludzie, którzy przywożą chleb, albo ci, co go sprzedają, często nasączają go wodą, żeby miał wagę większą niż ta, którą pokwitowali przy odbiorze z piekarni. Chleb racjonowany był według wagi, więc dzięki takiemu oszustwu uzyskiwali nadwyżkę, którą sprzedawali na czarnym rynku albo zatrzymywali dla siebie.

Pokątne handlowanie żywnością było w tamtym wojennym czasie nielegalne, a więc niebezpieczne. Mama starała się zawsze wyszukiwać Kazachów godnych zaufania, współczujących nam w niedoli.

Takich, którym sowiecki reżim tak samo nie służył, jak nam. Czasami udawało się jej dostać od nich trochę żytniej mąki. Ponieważ nie było jajek, mleka ani masła, żeby zrobić makaron, improwizowała, sypiąc mąkę wprost na gotującą się wodę. W zależności od tego, ile jej użyła, otrzymywała papkę albo lurowatą, albo o konsystencji owsianki. Dziękowaliśmy Bogu za to, że mieliśmy Kazachów pod bokiem. To wtedy nauczyłem się cennej życiowej zasady, by nigdy nie sądzić człowieka po kolorze skóry czy zapachu ciała.

Po powrocie z jednej z handlowych wypraw mama przyniosła kiedyś do domu żart. Kazach powiedział jej, że wypuszczone przez Rosjan znaczki pocztowe z portretem Stalina nie trzymają się na kopertach. A kiedy zapytała zdziwiona dlaczego, wyjaśnił ze śmiechem: „Ponieważ ludzie plują na twarz Stalina, ale znaczek nie chce się przykleić tą stroną". Za takie uwłaczające władzy historyjki można było trafić na Syberię i Kazachowie dobrze o tym wiedzieli, ale ufali mamie.

A potem w naszym życiu wydarzył się mały cud. Jurkowi udało się złapać pracę po szkole i przez mniej więcej sześć miesięcy pracował na pół etatu w rzeźni. Do domu wracał zazwyczaj wyczerpany i zamknięty w sobie, ale pewnego razu przyszedł w ożywionym nastroju. Przywitał się, odłożył torbę z książkami szkolnymi obok na podłogę i usiadł, żeby odsapnąć. Po chwili, kiedy mama odwróciła się, sięgnął do torby, coś wyjął i chowając to za plecami, podszedł do mamy, oznajmiając, że coś dla niej przyniósł. Wręczył jej paczuszkę zawiniętą w zatłuszczony brązowy papier. Mama była zaskoczona, ale nic nie powiedziała. Rozwinęła powoli paczkę i popatrzyła na Jurka z niedowierzaniem. Po chwili milczenia zapytała, jakim cudem udało mu się zdobyć mięso.

– Ukradłem – odpowiedział Jurek po prostu. Strach odbił się w mamy wzroku i cichym głosem przypomniała mu, że mogą przecież go skazać na śmierć albo zesłać na Syberię za kradzież mięsa podczas wojny. Stała nieruchomo, trzymając mięso w drżącej ręce i nie wiedząc, co z nim począć.

– Proszę, żebyś się o mnie nie martwiła – powiedział Jurek i zaraz dodał, że najważniejsze jest przetrwanie rodziny.

Mama odłożyła mięso na stół i ujęła w dłonie twarz syna w błagalnym geście, jaki rodzice czasem stosują wobec małych dzieci. Prosiła go, by obiecał, że nigdy więcej tak nie postąpi. Jurek mógł jednak tylko przyrzec, że dopóki będzie w stanie jakkolwiek temu zaradzić, nie pozwoli jej umrzeć z powodu niedożywienia ani głodu.

– Zajmując się nielegalnym handlem, ryzykujesz dla nas życie – dorzucił. – Dzielisz się też z nami swoimi porcjami, chociaż sama jesteś niedożywiona i głodna.

Mama żachnęła się.

– Chodziłeś do jezuickiej szkoły. Wiesz, że kradzież jest śmiertelnym grzechem, niezależnie od pobudek.

– Mamo – odpowiedział Jurek bez wahania. – Nie jestem teraz ani w jezuickiej szkole, ani w Polsce wśród cywilizowanych ludzi. Znaleźliśmy się wbrew naszej woli w bezbożnym komunistycznym kraju. Głodujemy, a ty masz słabe zdrowie. Śmiertelny grzech czy też nie, zrobię, co tylko się da, żebyśmy przetrwali. Bóg to zrozumie.

Nie wierzyłem własnym uszom, ale jednocześnie cieszyłem się, że brat w ten sposób mówi do mamy.

Mama zaczęła szlochać. Jurek objął ją i długo przytulał. Potem podszedł z nią do łóżka, pomógł się położyć i trzymając wciąż za rękę, przytłumionym i łagodnym głosem szepnął:

– Kochana mamusiu, codziennie modlisz się do Boga, żeby pozwolił nam wrócić do Polski. Ale żeby On mógł nam pomóc, najpierw musimy pomóc sobie sami, i to najlepiej jak umiemy. Jeżeli jest tylko jeden sposób, trzeba z niego skorzystać. Zrozum, proszę. Nie czas teraz na nauki moralne.

Mama nie odpowiedziała. Cóż miała rzec?

Ich rozmowa poruszyła mnie do głębi. Czułem zarazem serdeczne współczucie dla niej i bezgraniczny podziw dla niego. Oto rozgrywała się przede mną parabola, ale z udziałem żywych osób, drogich memu sercu.

Zosia była wyraźnie wzburzona, ale milczała w nadziei, że mama zaraz się uspokoi. Włożyła mięso do garnka z wodą i postawiła na piecu, w którym było wciąż napalone. Potem zaniosła do stołu cztery głębokie talerze i przyłączyła się do Jurka, siedzącego obok mamy.

Po niedługim czasie pomieszczenie wypełnił smakowity zapach gotującego się mięsa, drażniąc nasze kubki smakowe i wzmagając uczucie głodu. Wyobrażałem sobie, jak będzie smakowało po tak długiej nieobecności w naszej diecie. Kiedy było gotowe, mama poprosiła Zosię, by rozstawiła dwa dodatkowe talerze, a sama podzieliła mięso na sześć porcji, nałożyła po jednej na każdy talerz i polała wywarem, w którym się gotowało. Zasiedliśmy do stołu. Mama zaprosiła Pietrowiczów, którzy byli w jeszcze gorszej kondycji od nas i siedzieli w milczeniu w swoim kącie chaty.

Iwan podszedł do stołu onieśmielony uprzejmością mamy. Stał przez chwilę, patrząc na każde z nas po kolei. Widać było wyraźnie, że chciałby coś powiedzieć, ale niezdolny był wykrztusić ani słowa. Po chwili odezwał się z trudem:

– Niech Bóg wam wszystkim błogosławi.

To był pierwszy raz, kiedy usłyszeliśmy, jak stary Rosjanin wzywa imię Boże. Zabrał oba talerze, jeden podał żonie, a z drugim usiadł na krześle obok swego łóżka. Jego żona jadła bez słowa, jak zawsze spoglądając jedynie w przestrzeń ponad naszymi głowami, tak jakby nas tam wcale nie było.

Mama najwyraźniej doszła do siebie po początkowym wstrząsie i podziękowała Jurkowi za obiad, zachęcając nas, żebyśmy uczynili to samo.

Przez następne dni błagała jednak Jurka, by już więcej nie kradł. Próbowała przekonać go, jak łatwo mógłby ktoś donieść na niego do NKWD. Jurek odpowiadał jednak, że jest „kryty". Wszyscy pozostali robotnicy kradli, nawet nadzorcy. Ich rodziny też głodowały. W Związku Sowieckim, jeśli nie kradniesz jedzenia, umierasz, mówił.

Jakże to było prawdziwe. Miejscowi ludzie powiadali: „Oni kradną nam, my im".

Kiedy mniej więcej tydzień później nasze zapasy były bliskie wyczerpania, Jurek przyniósł w szkolnej torbie kolejny kawałek mięsa i niedbałym gestem wręczył go mamie. Wezwawszy opieki Boskiej nad synem, mama natychmiast przystąpiła do gotowania. I tak Jurek przynosił nam mięso jeszcze wiele razy przed nastaniem jesieni.

Tym sposobem nauczyłem się nowej, wprowadzającej zamęt w mojej głowie lekcji na temat życia: uczciwość kończy się tam, gdzie zaczyna się głód.

Rozdział 10

Przesłuchanie

Był schyłek sierpnia. Po zachodzie słońca zmówiliśmy jak zwykle modlitwę i ułożyliśmy się do snu. Chodziliśmy spać wcześnie i wstawaliśmy późno, by złagodzić dojmujące uczucie głodu. Sen tego wieczoru nadszedł szybciej niż zazwyczaj, ponieważ znowu mieliśmy w żołądkach trochę białka, a kojący zapach mięsa ciągle jeszcze wisiał w powietrzu.

Raptem w środku nocy zerwało nas ciężkie walenie w rozklekotane drzwi. Żołądek podszedł mi do gardła, kiedy w popłochu wyskakiwaliśmy z łóżek.

– Boże, ratuj nas – szepnęła mama i podeszła do wejścia. Choć wszyscy mówiliśmy już nieźle po rosyjsku, mama zawołała „kto tam?" po polsku, udając, że nie wie, kto mógł przyjść o takiej porze.

Odpowiedział jej męski głos, po rosyjsku rozkazując otworzyć. Przedstawił się jako oficer Narodowego Komisariatu Spraw Wewnętrznych.

Serce mi waliło. To samo NKWD, budząca postrach sowiecka tajna policja, załomotało do drzwi naszego domu w Polsce. Pewnie przyszli teraz po brata za to, że kradł mięso. Mama otworzyła, oficer NKWD wszedł do środka.

– Obywatelka Anna Adamczykowa – powiedział, patrząc na mamę.

– Tak.

– Każcie swemu synowi Jurijowi Adamczykowi ubierać się szybko i iść z nami.

– Ale dlaczego? – zaprotestowała. – To tylko chłopiec. Nic złego nie zrobił.

– Marnujecie nasz czas – warknął oficer. – Każcie mu się pośpieszyć.

Jurek ubierał się naprędce, by nie pogarszać beznadziejnej sytuacji. Uściskaliśmy i ucałowaliśmy go, bojąc się, że może już nigdy nie wrócić. Mężczyzna stał i patrzył w milczeniu, bez słowa wyjaśnienia, dlaczego do nas przyszedł.

Kiedy zamknęły się za nimi drzwi, mama wybuchnęła niepohamowanym płaczem. Ani Zosia, ani ja nie byliśmy w stanie uczynić nic, by ją uspokoić. Po pewnym czasie zdołała jedynie zawołać zbolałym głosem:

– Prosiłam go, ale nie słuchał. Dlaczego mój własny syn nie chciał mnie usłuchać?

– Mamusiu – błagała ją Zosia – może to wcale nie to, czego się obawiasz. Może to tylko rutynowe zastraszanie.

Mama nic na to nie powiedziała, poprosiła jedynie, abyśmy wszyscy uklękli przy jej łóżku do wspólnej modlitwy. Mieliśmy modlić się za Jurka, i robiliśmy to, żarliwie i szczerze. Godzinę później zaczęły boleć mnie kolana. Zerknąłem na mamę kilka razy, by zwrócić na siebie jej uwagę, ale miała zamknięte oczy i pochyloną głowę. Wreszcie, kiedy nie mogłem już dłużej wytrzymać, poskarżyłem się, że bardzo mnie bolą nogi i że jestem zmęczony. Mama przerwała modlitwę i kazała nam wracać do łóżka, ale sama mimo naszych nalegań się nie położyła.

– Będę się modlić w imieniu nas trojga, dopóki mój syn nie wróci do domu. – Głos mamy zdawał się rozpływać w ciemnościach.

A jeśli on nigdy nie wróci? – pomyślałem. Co wtedy? Mama nie może przecież klęczeć i modlić się do końca życia...

Minuty i godziny wlokły się niemiłosiernie. Nie mogliśmy z Zosią zasnąć, trawieni niepokojem i strachem. Rozmyślałem w kółko o tym, co działo się z nami, odkąd nas deportowano. Jak zwykle, nic z tego nie rozumiałem. Nie było w tym żadnego sensu. Nie mogłem też zrozumieć, dlaczego mama, chora i osłabiona, klęczy godzinami i modli się do Boga wciąż o to samo, raz za razem. Kiedy byłem bardzo mały, mama uczyła mnie, że Bóg wysłuchuje naszych modlitw za pierwszym razem; nie trzeba ich więc chyba ciągle powtarzać? Uczyła mnie, że jest wielce miłosierny. Nie trzeba więc chyba bez przerwy błagać go o odrobinę łaski? Po raz pierwszy w życiu zacząłem się świadomie zastanawiać, czy jest możliwe, że mama wierzy w coś, co może nie istnieje.

Tuż przed świtem znowu rozległo się pukanie do drzwi. Mama wstała od modlitwy i pobiegła otworzyć. Na progu stał ten sam enkawudzista, ale nie było widać nikogo więcej oprócz niego. Wszedł do środka i mierząc mamę wzrokiem, powiedział:

– Obywatelka Anna, jeśli chcecie dobra waszego syna, powiecie mu, żeby wstąpił do zwycięskiej Armii Czerwonej, żeby walczyć z naszym wspólnym wrogiem, faszystowskimi niemieckimi świniami.

Z całego serca nienawidziłem, kiedy jakiś Sowiet nazywał mamę „obywatelką". Brzmiało to jak obelga, ale nic nie mogłem na to poradzić, jeśli nie chciałem znaleźć się w tarapatach. Trzymałem więc język za zębami i starałem się dzielnie to znosić.

Mama była tak samo jak ja zdezorientowana jego słowami i w odpowiedzi zapytała jedynie:

– Gdzie jest teraz mój syn?

– Jest u nas – odpowiedział oficer.

Po czym, ku naszemu zaskoczeniu, nie powiedział więcej ani słowa, tylko odwrócił się na pięcie i wyszedł. Zaraz doszły nas jakieś głosy po rosyjsku. A minutę później wszedł do domu Jurek, sam, i zamknął za sobą drzwi. Najpierw przylgnęliśmy do niego jak pszczoły do miodu, a po chwili skakaliśmy z Zosią z wielkiej radości, że znów jest z nami żywy i cały. Zachowywaliśmy się jak małe dzieci, które dostały niespodziewany prezent. Mama rozpłakała się, ale tym razem z radości. Objęła syna i dziękowała Bogu za jego powrót. Wreszcie, otarłszy łzy, zapytała, czy przyłapano go na kradzieży mięsa.

Jan Franciszek Adamczyk, mój ojciec, jako kapitan Wojska Polskiego wkrótce po odzyskaniu przez Polskę niepodległości, Kraków, 1919 r.

Anna Adamczyk z domu Schinagel, moja mama, na krótko przed urodzeniem Zosi, Sarny, 1926 r.

Zdjęcie ślubne Anny i Jana Adamczyków, Kraków, 5 lipca 1921 r.

Moje rodzeństwo, Jurek i Zosia

Ojciec, Zosia i ja przed wejściem do naszego mieszkania, Łuck, 1939 r.

Jurek (*pierwszy z prawej*) na przepustce z Armii Polskiej w Iraku, z Zosią i ze mną, Teheran, 1943 r. Ostatni raz widzieliśmy go rok wcześniej w Turkmenistanie, kiedy jeszcze żyła nasza mama. Ponownie spotkamy się z nim za pięć lat.

Zosia na plaży w Libanie, 1947 r.

Jurek, 2. Korpus Polski, Włochy, 1945 r.

Zosia (*druga od prawej*), nasza amerykańska kuzynka, por. Jean (Janka) Siepak (*trzecia od prawej*), oraz ja (*drugi od lewej*), Teheran, lato 1943 r. Jean, instrumentariuszka w 113. szpitalu Armii USA w Ahwazie, odnalazła nas przez Amerykański Czerwony Krzyż po blisko dziewięciu miesiącach od naszej ucieczki ze Związku Radzieckiego.

Jean, Zosia i ja, Teheran, 1944 r.

113. amerykański szpital wojskowy w Ahwazie, wchodzący w skład V Armii, 1943 r. Widok z lotu ptaka

Zosia, wkrótce po przybyciu do Ghaziru, Liban, 1946 r.

Zdjęcie ślubne Zofii Adamczyk i Mieczysława Kamińskiego, Five Oaks, Anglia, 1948 r.

Srebrna puderniczka kupiona dla Zosi w Teheranie, 1945 r.

Odjazd z Olkusza do Charkowa, 1998 r.

Po złożeniu wieńca w hołdzie memu ojcu podczas międzynarodowego nabożeństwa żałobnego za polskich oficerów pomordowanych w masakrze katyńskiej. Obok mnie stoją członkowie polsko-ukraińskiej kompanii honorowej. Cmentarz Piatichatki, Charków, Ukraina, 1998 r.

Dzwon, który jest częścią pomnika poświęconego polskim oficerom zamordowanym przez NKWD i pogrzebanym w masowych grobach na cmentarzu w Piatichatkach. Dzwon z tekstem *Bogurodzicy* umocowany jest częściowo poniżej poziomu ziemi, by zaznaczyć symbolicznie solidarność z zamordowanymi polskimi oficerami. Charków, Ukraina, 2002 r.

Mój syn, George Adamczyk, urodzony w Ameryce, przy największym masowym grobie, w którym spoczywają szczątki 1025 polskich oficerów. Cmentarz Piatichatki, Charków, Ukraina, 1998 r.

– Nie – odpowiedział i obiecał zaraz wszystko dokładnie wyjaśnić. – Najpierw mam dla nas bardzo dobrą nowinę.

Wszystko wydawało się nierzeczywiste. Prawie całą noc modliliśmy się, przerażeni jego losem, a teraz Jurek mówi, że ma dla nas nowinę lepszą niż to, że jest cały i zdrowy. Kiepski żart, pomyślałem sobie. Mama upomniała go, żeby nie dowcipkował sobie w tak trudnej chwili, ale Jurek zapewnił ją, że wcale nie żartuje. A potem wyjaśnił, że rząd sowiecki ogłosił amnestię dla wszystkich Polaków. Z chwilą wyrobienia potrzebnych dokumentów zostaniemy uznani za wolnych obywateli – z prawem do swobodnego poruszania się po Związku Radzieckim i do opuszczenia tego kraju.

Mama usiadła ze zdumienia, a my zaczęliśmy skakać, obejmować się, całować i krzyczeć z przejęcia. Potem chwyciliśmy mamę za ręce i wszyscy czworo zaśpiewaliśmy: „Jeszcze Polska nie zginęła, póki my żyjemy..."

Iwan Pietrowicz, który czuwał z nami przez całą noc, teraz milczał. Podszedł, kiedy skończyliśmy śpiewać. Złożył ręce niczym do modlitwy i patrząc na brata jak na ducha, przyznał, że nie przypuszczał, iż kiedykolwiek go jeszcze zobaczy. Głos mu drżał, kiedy zapytał, czy wieści są prawdziwe.

Przyszło mi do głowy, że sama myśl o wolności musi wykraczać poza zdolność pojmowania starego Rosjanina. Dobrze pamiętałem, jak w przeciekającej łódce powiedział mi: „Ze Związku Sowieckiego nikt się nie wydostaje. Nikt. Komuniści prędzej zabiją człowieka, niż dadzą mu wyjechać".

Zanim Jurek zdążył się odezwać w odpowiedzi, wtrąciłem podekscytowany:

– Tak, panie Pietrowicz, to prawda. Na pewno pamięta pan, co mówiłem, kiedy byliśmy na rybach. Mama od początku obiecywała, że wrócimy do Polski. – Z radości nie dbałem już o to, że mama się dowie, iż spędzałem czas w dziurawej łodzi.

Stary Rosjanin położył nam z Jurkiem ręce na ramionach i powiedział, że nigdy nie zapomni tej obietnicy. Potem zwrócił się do brata, mówiąc, że jest szczęściarzem. Łza potoczyła mu się po policzku. Stary otarł ją rękawem koszuli i wrócił do swojego kąta. Nie wiem, czy była to łza radości z naszego powodu, czy łza smutku nad własną i żony dolą. W głębi serca czułem, że i jedno, i drugie.

Mama była co prawda fizycznie i psychicznie osłabiona po tych wszystkich przeżyciach, ale to ona zadała w końcu nurtujące nas pytanie:

– Jureczku, chcesz mi powiedzieć, że sowiecka tajna policja obudziła nas w środku nocy, wyciągnęła cię z domu jak kryminalistę, czym nas wszystkich śmiertelnie przeraziła, tylko po to, żeby przekazać ci dobrą nowinę o amnestii dla Polaków?

– Mamo, to była typowa przebiegła taktyka komunistycznego zastraszania. Chodziło o to, żebym zgodził się na ich żądania – odpowiedział.

– Nic nie rozumiem. Jakie żądania?

– NKWD chciało, żebym zaciągnął się do Armii Czerwonej.

Byliśmy wstrząśnięci. Nalegaliśmy z Zosią, żeby opowiedział wszystko po kolei od początku, bo przecież i tak byliśmy zbyt podnieceni, żeby wracać teraz do łóżek. Mimo wyczerpania po niełatwych przejściach Jurek chętnie na to przystał.

Funkcjonariusze NKWD zabrali go do swej siedziby i posadzili w pomieszczeniu udekorowanym lśniącą czerwoną draperią. Na ścianach wisiały wielkie portrety Lenina, Stalina i innych komunistycznych przywódców. Zaświecili mu w oczy oślepiającym światłem i zaczęli przesłuchanie, nie wyjaśniwszy, czemu go tam przyprowadzili. Pytania koncentrowały się wokół tego, co myśli o komunizmie, o Związku Radzieckim oraz o sowieckim narodzie, czyli w większości były takie same jak te, które zadawali nam przez cały czas. Bite dwie godziny musiał cierpliwie znosić setki pytań dotyczących wszystkich etapów naszego życia. Musiał być czujny cały czas, żeby się nie potknąć na jakiejś małej, pozornie błahej odpowiedzi, która mogłaby im się wydać sprzeczna z wcześniejszymi. Gdyby zrobił błąd, mogliby zastosować powszechną w czasie przesłuchań taktykę, czyli natychmiast oskarżyć go o kłamstwo.

Ku jego zaskoczeniu enkawudziści niespodziewanie zmienili ton i zaczęli przypochlebiać mu, jakim jest przykładnym uczniem, jak mu się chwali, że oprócz rodzimego języka polskiego zna rosyjski i niemiecki. Dodali, że ma miłą rodzinę, i powiedzieli, że Polacy i Sowieci przyłączyli się do aliantów w „braterskiej walce", by zwyciężyć „wspólnego wroga", czyli nacierające niemieckie „faszystowskie świnie". Na koniec przesłuchania opowiedzieli mu, jak dzielni sowieccy żołnierze i „zawsze zwycięska Armia Czerwona" miażdżą niemieckich agresorów i przepędzają ich z sowieckiej ziemi.

Podejrzliwość Jurka wzrastała z każdym ich słowem, szczególnie kiedy słyszał wytarte komunistyczne frazesy. Najpierw próbowali zastraszyć go. Potem zaczęli być mili. Nie miało to sensu, chociaż rozpoznawał w tym typową taktykę stosowaną podczas przesłuchań. Najbardziej obawiał się jednak, że mogą stosować jeszcze inne powszechnie znane i typowe metody, czyli bicie, przypalanie papierosem, wykręcanie stawów, przesłuchiwania non stop w dzień i w nocy przy oślepiających lampach, aż do fizycznego i psychicznego wyczerpania. A jeśli i to by ich nie zadowoliło, mogli posunąć się do kopania więźnia w krocze i wyrywania paznokci. Zawsze najważniejsze było, żeby nie popełnić omyłki, prowadziło to bowiem do automatycznego oskarżenia o kłamstwo. To z kolei mogło doprowadzić do postawienia zarzutu, że się jest „wrogiem ludu", szpiegiem albo jakimś kontrrewolucjonistą. Logika tych oskarżeń opierała się na przesłance, że zwykły obywatel robotniczego kraju nigdy nie ma powodu kłamać.

Szczęściem, nie przytrafiło się memu bratu nic z tego, czego się obawiał. Przesłuchujący zaskoczyli go za to żądaniem, by wstąpił do Armii Czerwonej, i dumnym tonem zaoferowali oficerską nominację po trzech miesiącach służby. Najprawdopodobniej spodziewali się, że skwapliwie skorzysta z niecodziennej okazji. Ale Jurkowi coś się tutaj nie zgadzało. Niewiele ponad rok temu deportowano go z rodziną z Polski jako „burżuazyjnych szpiegów, zdrajców i wrogów ludu". A teraz sowiecki tajniak spędza większość nocy, żeby przekonać jakiegoś młodego Polaka, by przyłączył się do zwycięskiej Armii Czerwonej. Wywnioskował, że Sowieci musieli ponieść poważną klęskę w walce z Niemcami i rozpaczliwie potrzebowali ludzi do walki. Nazywanie Armii Czerwonej zwycięską było chwytem, który miał nakłonić go do wstąpienia w jej szeregi.

Zosia mu przerwała:

– Mam nadzieję, że się nie zaciągnąłeś!

– Siostro – odrzekł Jurek – prędzej piekło by zamarzło, niżbym to zrobił. Oni są naszymi wrogami tak samo jak Niemcy.

Mama opowiedziała Jurkowi, z czym przyszedł enkawudzista, kiedy był tutaj drugi raz.

– To by pasowało – odparł. – Nie przekonali mnie, próbowali więc zastraszyć moją matkę.

– Ale dlaczego w takim razie tak łatwo cię wypuścili? – przerwała Zosia.

– Wcale nie puścili mnie tak łatwo – odpowiedział. – Trzymali mnie prawie całą noc i wypuścili wcale nie dlatego, że taką mieli ochotę. Kiedy odmówiłem przyjęcia nominacji na oficera Armii Czerwonej, powiedzieli mi, że rząd sowiecki ogłosił amnestię dla deportowanych Polaków i jeńców wojennych. A na samym końcu NKWD poinformowało mnie, że na sowieckiej ziemi będzie się też formować wojsko polskie.

Mamie rozjarzyły się oczy, gdy usłyszała o amnestii dla deportowanych i jeńców. Podniosła się i oznajmiła radośnie:

– Dzieci, zwolnią waszego ojca. Niedługo znowu będziemy razem.

– Mamo – przerwał Jurek – prawdopodobnie spotkam się z ojcem jeszcze wcześniej, ponieważ postanowiłem wstąpić do polskiej armii.

Spojrzeliśmy z Zosią na naszą biedną mamę. Nie zdążyła oswoić się z myślą, że jej mąż zostanie zwolniony i będzie mogła znowu go zobaczyć, a tymczasem pierworodny syn oznajmia, że wstępuje do armii. Mama westchnęła, wyczerpana przeżyciami i wydarzeniami tej nocy.

– Wiedziałam... Ojciec będzie z ciebie dumny, a ja będę się modlić za ciebie tak samo, jak modlę się za niego.

Dzień wstał już dobry czas temu. Wciąż mieliśmy mnóstwo pytań, ale zmęczenie było silniejsze. Mama zaproponowała, abyśmy zrezygnowali tego dnia z pracy i szkoły i położyli się, żeby chociaż trochę odpocząć. Późnym popołudniem z mocnego snu obudziły mnie szepty rodziny dyskutującej o amnestii. Przyłączyłem się do nich szybko, a mama podała wszystkim mąkę gotowaną na wodzie.

Jurek mówił, co ma się wydarzyć w najbliższych miesiącach. W ciągu następnych kilku tygodni NKWD powinno poinformować go o lokalizacji polskich punktów rekrutacyjnych. Kiedy tylko to nastąpi oraz gdy dostanie niezbędne dokumenty, wyruszy w drogę. Najpierw najważniejsze będzie zlokalizowanie ojca. A potem obaj będą starali się pomóc nam, przekazując niezbędne i bieżące informacje, uzyskane od dowództwa Armii Polskiej, co pozwoli nam przetrwać. Przed wyjazdem obiecał zgromadzić tyle drewna, żeby było go pod dostatkiem w czasie zimy, i uhandlować z Kazachami ile się da produktów żywnościowych.

Jurek starał się uzmysłowić nam, że w najbliższej przyszłości szanse na wyjazd ze Związku Radzieckiego mimo amnestii będą niewielkie i nierozsądnie byłoby myśleć inaczej. Na zachodzie szaleje wojna. Na północy i północnym wschodzie ciągną się tysiące kilometrów bezkresnej Syberii. Na wschodzie rozciąga się bezmiar Mongolii i Chin. Na południu znajdują się inne sowieckie republiki, a za nimi obce i nieznane kraje zachodniej Azji. Bez pieniędzy, zapasów, kontaktów, znajomości języków i bez żadnego zabezpieczenia taka wyprawa skończyłaby się, zanim zdążyłaby się zacząć. W sytuacji, w której Polska znajduje się pod niemiecką okupacją, a na sowieckiej ziemi toczy się z nimi walka, samobójstwem byłoby próbować wracać do kraju. Alternatywa – zostanie na miejscu i oczekiwanie na jakąś pomoc ze strony dowództwa Polskiej Armii – była trudna do przełknięcia, ale dawała przynajmniej nikłą nadzieję na przetrwanie.

Radość uchodziła ze mnie jak z nakłutego balonu. Gotowy byłem wyruszyć natychmiast, nawet jeśli miałbym całą drogę z powrotem do Saren iść na piechotę. Tymczasem słyszę, że trzeba nam czekać na jakąś następną okazję, a podupadająca na zdrowiu mama musi z dwójką dzieci stawić czoło kolejnej nadchodzącej syberyjskiej zimie. Gdybyśmy mieli przynajmniej dosyć jedzenia, żeby odpędzić głód, to czekanie na cud byłoby znośniejsze. Ale mi znudziło się już czekanie na cud.

Przez cały wrzesień zajmowaliśmy się z Jurkiem wyprawami po drzewo do lasu. Była to ciężka i niebezpieczna praca. Zmartwiona mama ciągle zalecała nam, abyśmy byli ostrożni. Obydwaj jednak wiedzieliśmy, że muszę się wprawiać, skoro mamy tutaj przeżyć. A jeśli brat będzie musiał wyjechać za tydzień albo dwa? Co wtedy zrobimy? Jurek pozwalał mi najczęściej rąbać mniejsze gałęzie oraz układać w stosy pocięte drewno. Część zapasów, które przygotowywaliśmy na zimę, składaliśmy w szopie, a część w naszej chacie.

Pod koniec września NKWD zawiadomiło brata, że może wyruszyć do Armii Polskiej, która formuje się w obwodzie orenburskim, położonym u zbiegu stepów środkowej Azji z Niziną Wschodnioeuropejską, i dało mu wszelkie niezbędne podróżne dokumenty. My zaś otrzymaliśmy „papiery wolnościowe", które pieczołowicie schowane przez mamę miały czekać, aż nadejdzie nasz czas. Jurek powinien udać się do obozu wojskowego w pobliżu miejscowości Tockoje, około czterdziestu kilometrów od kwatery nowo powołanego dowództwa w Buzułuku. Wyglądało na to, że miał walczyć z Niemcami na sowieckim froncie zachodnim.

Dni przed jego wyjazdem pełne były niepokoju i smutku. Mama poświęciła je głównie na handel z Kazachami. Za chusteczki do nosa wycinane ze starych poszewek na poduszki i haftowane przez nią i przez Zosię zgromadziła zapas żywności. Biedna mama. Nie minęły dwa lata, a kolejny mężczyzna jej życia wyruszał na wojnę.

Kiedy nadszedł czas odjazdu, Jurek był smutny i zamknięty w sobie. Nawet nie musiał mówić, jak mu jest ciężko zostawiać nas. Widzieliśmy w jego oczach wystarczająco wielki niepokój. Brat udzielił nam przed wyjazdem kilku rad. Po pierwsze, listy w czasie wojny idą miesiącami albo w ogóle nie dochodzą, do tego są cenzurowane. W związku z tym dobrze byłoby, gdybyśmy utrzymywali kontakt z innymi Polakami. Powinniśmy spodziewać się wysłanników Polskich Sił Zbrojnych, którzy powiadomią nas o postępowaniu amnestii. Powinniśmy też systematycznie chodzić do lokalnych władz po najświeższe wiadomości.

NKWD miało przewieźć Jurka tylko do dworca. Dalej musiał już radzić sobie sam. Bóg jeden wie ile tygodni zajmie mu podróż do Tockoje. Mama dała Jurkowi trochę pieniędzy i sucharów. Do ostatniej chwili udzielała mu wskazówek, jak powinien dbać o bezpieczeństwo w drodze, i prosiła, żeby napisał, jak tylko dotrze na miejsce. Nasze słowa pożegnania były pełne emocji i bólu. Kiedy NKWD przyjechało, by zabrać Jurka na stację, mama długo trzymała go w objęciach, całowała w oba policzki i łkała.

– Jedź z Bogiem, Jureczku – powiedziała.

– Czemu płaczecie, obywatelko Adamczykowa? – zapytał oddelegowany agent. – Powinniście się cieszyć, że wasz syn idzie walczyć z hitlerowcami i wyzwalać nasze kraje spod ich okupacji.

Wyzwalać nasze kraje? Wielce mnie korciło, żeby rzucić mu w twarz jedno z ostrych przekleństw, których nauczyłem się od pana Pietrowicza, ale nie miałem jeszcze okazji zastosować w praktyce. Gdyby nie płacząca mama, moje prawdziwe uczucia chyba wyszłyby na jaw. Na całe szczęście pamiętałem jej przestrogę, iż Bóg dał mi zęby do powstrzymywania języka.

Jurek i Zosia obejmowali się, płacząc. Siostra życzyła mu szczęścia i powtórzyła za mamą: „Jedź z Bogiem, Jureczku".

A gdy przyszła moja kolej, Jurek podniósł mnie, wyściskał po bratersku, ucałował w oba policzki, a potem, tak by nikt nie usłyszał, szepnął mi prosto do ucha: „Opiekuj się mamą i siostrą". Skądś już znałem te słowa. Z oczu popłynęły mi łzy, a gardło ścisnęło wzruszenie.

Rozdział 11

Żeby przetrwać...

Do obozu Armii Polskiej w Tockoje Jurek wyjechał z Semiozierska 4 października 1941 roku. Wyruszył w towarzystwie przyjaciela, Mietka Kamińskiego i jego ojca. Na ziemi leżała już gruba warstwa śniegu. Mężczyźni ubrani byli w typowe ruskie waciaki, podobnie pikowane czapy i spodnie, na nogach mieli walonki. Od tego czasu niemal trzy miesiące nie mieliśmy od nich żadnej wiadomości. Dochodziły nas jednak ustne wieści o nieludzkich warunkach, w jakich musi żyć nowo formujące się wojsko oraz podążająca za nim polska ludność cywilna.

Stopniowo przekonywaliśmy się, że oficjalne porozumienie między Związkiem Sowieckim, Brytyjczykami i Polakami to jedno, a rzeczywistość to drugie. Od samego początku rząd radziecki nie dotrzymywał warunków amnestii. Pomimo zobowiązania nie zawsze wydawał zezwolenia na wyjazd lub podróż „wolnym" obecnie Polakom, a tym, którzy je otrzymali, nie udzielał żadnej pomocy. Rzeczywiście, znajdowali się oni w rozpaczliwej sytuacji – nie mieli pieniędzy, nie mieli pojęcia, jak dotrzeć na miejsce, nie mieli co jeść po drodze ani gdzie uzyskać pomocy medycznej. A co najgorsze, musieli, bez dachu nad głową, stawić czoło nadchodzącej zimie. Byli też tacy, których wręcz nie wypuszczano z więzień, obozów pracy i obozów jenieckich, chociaż rozkaz z Moskwy rzekomo ich uwalniał. Kiedy stawiano Stalinowi zarzuty w tej kwestii, powtarzał jedynie, że powodem muszą być niedopatrzenia władz lokalnych i że on się nimi zajmie. Często tych, którym mówiono o amnestii, nie informowano o tworzeniu się Armii Polskiej. Innym mówiono o polskim wojsku, ale nie podawano, gdzie się tworzy.

Powrotna droga do Polski była zablokowana przez działania wojenne, ale mimo to wielu Polaków z całego Związku Radzieckiego ruszyło na zachód, żeby być bliżej ojczyzny. Błąkali się zagubieni od jednej stacji kolejowej do drugiej. Tysiące kobiet z dziećmi z czystej rozpaczy ciągnęło w ślad za rekrutami do obozów. Nie miały pieniędzy, jedzenia ani ubrań odpowiednich na surową syberyjską zimę. Ryzykowały życie, bo chciały być blisko polskich żołnierzy. Ludziom niczego nie obiecywano, ale oni pakowali swój ubogi dobytek i ruszali zdezorientowani, podróżując miesiącami, często w niewłaściwym kierunku. Tysiącami umierali z głodu, chorób i zimna.

Mama postanowiła, że zostaniemy na miejscu, głównie dlatego, żeby ojciec z Jurkiem mogli nas odnaleźć. Miała też nadzieję, że na wiosnę będzie łatwiej podróżować oraz rozeznać się w sytuacji. Jednakże trudy życia w Semioziersku zaczynały być ponad nasze siły. W kilka dni po wyjeździe Jurka nadeszły mrozy i spadł obfity śnieg. Skończyło się mięso, kończyły się zapasy produktów, które można było wymienić. Od nich zależało nasze przetrwanie i mama robiła wszystko, co mogła, by starczyły na jak najdłużej. Życie wlokło się dalej, a my kurczowo się go trzymaliśmy. Mama chodziła do pracy, jeśli nie była zbyt chora, a Zosia do szkoły, jeśli pozwalała na to pogoda.

Z każdym dniem nasza sytuacja stawała się coraz trudniejsza, a ja byłem bardziej niż kiedykolwiek przybity i nieszczęśliwy. Mój dziewięcioletni umysł zużywał nadmiar wolnego czasu, na jaki byłem skazany, na rozmyślanie o przetrwaniu i śmierci. W głowie cały czas pobrzmiewały mi echem pożegnalne słowa ojca i Jurka, ale najgorsze było to, że nic nie mogłem zrobić, żeby ulżyć naszej niedoli. Zacząłem się moczyć w nocy, co było dotkliwie krępujące. Mama w kółko zmieniała i suszyła prześcieradła, powtarzając jedynie:

– Nie martw się, synku, to przejdzie.

Ze strachu i rozpaczy zacząłem, wbrew zdrowemu rozsądkowi, palić papierosy. Skręcałem je z suszonych liści i kawałeczków papieru, które znalazłem w szopie. Były niewiele gorsze od tych produkowanych z kiepskiej machorki, składającej się z byle jak posiekanych łodyg, korzeni i liści najlichszego tytoniu. Mama szybko mnie przyłapała. Miała powód, by spuścić mi potężne lanie, więc nie protestowałem, jedynie obiecałem więcej tego nie robić. Udzieliła mi surowej reprymendy, ale przy końcu trochę złagodniała.

– I tobie, i nam jest ciężko. Mimo wszystko jednak spodziewam się, że będziesz bardziej rozsądny.

W miesiącach poprzedzających zimę mama spędzała wiele czasu, pieczołowicie szyjąc dla mnie płaszcz ze starego koca. Miał zastąpić waciak, z którego wyrosłem. Kiedy mama szyła, ja majstrowałem przy dwóch deskach znalezionych w szopie, próbując zrobić z nich parę nart. Ukończyłem je w tym samym czasie, kiedy płaszcz był gotowy. Mogłem wypróbować swoją pierwszą i jedyną zabawkę, jaką miałem w Kazachstanie. Mama surowo zaleciła mi, żebym uważał na płaszcz, bo drugiego nie dostanę. Kiedy znalazłem się na zewnątrz, tak byłem stęskniony za zabawą, że zapomniałem o wszelkich przestrogach. Przywiązałem deski do butów. Cóż to było za wspaniałe i beztroskie uczucie! Niestety po chwili wpadłem na stary płot, płaszcz zahaczył o wystający zardzewiały gwóźdź, no i rozdarł się z jednej strony.

Zabawa się skończyła. Nie miałem odwagi pokazać się mamie, ale po jakimś czasie drżałem z zimna i nie byłem już w stanie dłużej wytrzymać na mrozie; trzeba było wracać. Wszedłem do domu bokiem, zasłaniając rozerwaną połę płaszcza, potem szybko zdjąłem go i przewiesiłem przez krzesło. Mama spojrzała na mnie tylko raz. Zapytała, co się stało. Z całych sił starałem się nie rozpłakać, kiedy mówiłem, że rozdarłem płaszcz. Wyraźnie widziałem, jak na jej twarzy pojawia się wyraz znużenia i rezygnacji.

– Pamiętasz, co ci mówiłam? – spytała.

– Tak, mamo – odpowiedziałem – pamiętam, ale...

Zosia, potrząsając z niedowierzaniem głową, powiedziała:

– Wiesiu, jak mogłeś? Mama źle się czuje i jest taka przygnębiona brakiem wiadomości o tacie i Jurku...

Wiedziałem to wszystko i czułem się wystarczająco źle bez upominania. Przeprosiłem mamę z całego serca, tłumacząc, że to był wypadek. Mama przytuliła mnie, jakby nic się nie stało, i mocno trzymała w ramionach przez długą chwilę. Potem, bez słowa, znowu zasiadła do szycia mojego płaszcza.

Brakowało nam Jurka, nadeszła surowa syberyjska zima, wciąż nie mieliśmy żadnych wieści o ojcu. Podupadaliśmy na duchu najbardziej od czasu deportacji. Uważaliśmy, że skoro ogłoszona została amnestia, brak wiadomości o ojcu jest złą oznaką. Mimo to, nie tracąc resztek nadziei, mama regularnie chodziła do biura NKWD. Zawsze musiała długo czekać, zanim ktokolwiek zechciał ją przyjąć, i zawsze wracała z tą samą historyjką. Enkawudziści, jak zacięta płyta, odpowiadali wiecznie to samo na jej pytania: „Nic nie wiemy" albo „Prawdopodobnie uciekł".

Wreszcie, w któryś grudniowy dzień, nasze modlitwy zostały chyba wysłuchane. Kiedy zaczynałem właśnie całkowicie tracić wiarę w cuda, coś wyjątkowego podniosło nas na duchu i napełniło serca radością. Mama wbiegła do chaty i zanim jeszcze zdjęła ciężkie wierzchnie okrycie, uściskała nas radosna i roześmiana, pierwszy raz taka, odkąd wyjechaliśmy z Polski.

– Dzieci – zawołała – mam nieprawdopodobną nowinę. Znalazł się wasz ojciec, są z Jurkiem w tym samym obozie!

Pokazała korespondencję ze sztabu Armii Polskiej w Buzułuku. Na jednej stronie napisane było po polsku:

Przesyłam adres Pani męża:
Kapitan Adamczyk Jan
Obóz w Tockoje.
Buzułuk 20 XI 41

Mama nie posiadała się z radości, a my z Zosią płakaliśmy ze szczęścia. Po dwóch latach odnaleźliśmy go! Wyobrażaliśmy sobie spotkanie i jego radość na nasz widok, nieważne, że na tak obcej i wrogiej ziemi. Kiedy trochę ochłonęliśmy, mama wyjaśniła, że kartka jest odpowiedzią na list, który wysłała do sztabu w Buzułuku tuż po ogłoszeniu amnestii.

– Mamo – zapytała Zosia – jeżeli tata i Jurek są w tym samym obozie, to dlaczego nie mamy do tej pory wieści od żadnego z nich?

– Zosieńko, kochanie, nie zapominaj, że jest wojna. Może być wiele powodów, dla których nic jeszcze do nas nie doszło. Może wasz ojciec później dotarł do obozu i nie od razu się odnaleźli albo Sowieci ocenzurowali pocztę i przetrzymali gdzieś po drodze, wiesz przecież, jak często się to zdarza.

Takie wyjaśnienie wystarczyło nam i całym sercem cieszyliśmy się z najlepszej nowiny, jaką usłyszeliśmy od początku wojny.

Rozdział 12

Wódka i głód

Druga zima, jaką przyszło nam spędzić na sowieckiej ziemi, była zdecydowanie trudniejsza od pierwszej. Przenikliwe zimno, śnieżne zawieje i burze śniegowe obezwładniały ludzi i zwierzęta. Brak jedzenia pozbawiał nas resztek energii, potrzebnej do wykonywania zwykłych codziennych obowiązków. Dziąsła nam krwawiły po wielu miesiącach głodowej diety, dostaliśmy czyraków, ropni i zapalenia skóry, mieliśmy wzdęte żołądki, ropiały nam oczy i uszy. To wszystko, co robił dla nas Jurek, spadło teraz na mamę, która straciła bardzo na wadze i wyglądała mizernie i krucho. Mama była nieustannie przygnębiona, ale zawsze znajdowała jeszcze siłę, by troszczyć się o nas i nasze przetrwanie.

Dla mnie jednak brak jedzenia był wyniszczający nie tylko fizycznie, ale także psychicznie. Niezliczenie wiele razy modliłem się choćby o maleńką cząstkę tego, czego nie chciałem jeść w domu w Polsce. Moje cierpienia dodatkowo pogłębiał trudny do zniesienia widok mamy niknącej w oczach i chorowitej Zosi.

Staraliśmy się z siostrą pomagać jak najwięcej w pracach domowych. Wystawaliśmy godzinami w kolejkach po przydział chleba, rozpalaliśmy w piecu, topiliśmy śnieg na wodę do picia i gotowania i opróżnialiśmy kubły używane zamiast wychodka podczas zamieci i burz śnieżnych.

Pewnego razu pan Pietrowicz wstał wcześnie, by odgarnąć śnieg nawiany podczas jednej z takich śnieżyc. On również był coraz słabszy i widocznie coraz bardziej chory, bo częściej pluł krwią do małego pojemnika, który stał koło jego łóżka. Powoli ubrał się i z trudem powlókł ku drzwiom. Widząc to, powstrzymałem go.

– Panie Pietrowicz, proszę wrócić do łóżka i odpocząć – powiedziałem. – Dzisiaj my z Zosią odśnieżymy.

– Dziękuję, Wiesław – szepnął i odplunął krwią. – Niech Bóg błogosławi ciebie i twoją rodzinę.

W pewnym sensie przyjemnie było czuć wdzięczność tego starego chorego Rosjanina. Nie kierował mną jednakże wyłącznie altruizm. Coś mi mówiło, że on zamierza umrzeć. Unosiła się wokół niego aura śmierci i przerażało mnie to. Jeśli pan Pietrowicz wyjdzie w takim stanie odrzucać śnieg, dostanie ataku serca i umrze, to co wtedy? Co ja zrobię? Nie będę miał się do kogo odezwać, kiedy mama i Zosia będą poza domem.

I co zrobilibyśmy z ciałem? Z powodu wielkich opadów śniegu i ogromnych zasp drogi do miasta były nie do przebycia. Skąd zdobylibyśmy trumnę, a jeśli nawet udałoby się, to ziemia zamarzła na kamień i nie zdołalibyśmy wykopać grobu. Przez ileś dni jego ciało musiałoby leżeć w chacie, a ja wolałbym, jeśli to możliwe, uniknąć narażania siostry i mamy na spanie w jednym małym pomieszczeniu razem z trupem. Życie było wystarczająco ciężkie bez dodatkowego traumatycznego doświadczenia. Ale to jeszcze nie wszystko. W końcu bylibyśmy zmuszeni wynieść zwłoki do stajni, dopóki nie da się ich pochować, a tam przez dziury w ścianach z łatwością mogłyby dostać się do nich głodne wilki i pożreć je. Musielibyśmy tak postąpić, ale mimo wszystko perspektywa wydawała się okrutna i nieludzka. Zdecydowanie wolałem, żeby pan Pietrowicz pozostał przy życiu.

Zmienialiśmy się tego dnia z Zosią co pół godziny przy odrzucaniu śniegu i wykopaliśmy przejście do wychodka. Przy końcu jednej z moich tur odpoczywałem przez chwilę, z typową od pewnego czasu dla mnie melancholią wpatrując się w horyzont. Słońce stało już nisko, blask jego złotych promieni oślepiał, odbijając się od przeraźliwie białej powierzchni śniegu. Ziemia leżała uśpiona, jedynymi oznakami życia były cieniutkie pasemka dymu unoszącego się z kominów i wierzchołki drzew ledwo widoczne w oddali. Gdzieś za horyzontem musi być życie, pomyślałem, lepsze życie niż nasze w tym sowieckim piekle. Stałem nieporuszony, tak jak często na stepie w Szarmamulzaku, śniąc na jawie o życiu, które niegdyś wiodła moja rodzina. Potem naszły mnie myśli o mojej samotności i wrócił niepokój o ojca. Czy żyje? Czy zobaczę go jeszcze? Co z bratem, który poszedł bić Niemców? Zastanawiałem się nad jego losem.

Naraz ciszę moich rozmyślań przerwała bełkotliwa wrzawa, która wybuchła gdzieś z tyłu za mną. Z pobliskiej chaty wynurzyło się dwóch brodatych Rosjan w średnim wieku i obejmując się ramionami, przedzierali się przez śnieg chwiejnym krokiem, jakby ziemia ruszała im się pod nogami. Każdy dzierżył pustą szklankę w jednej, a butelkę wódki w drugiej ręce. Oddalali się hałaśliwie od chaty, potykając się co chwila, aż nagle stanęli, jakby zjednoczeni wspólnym celem. Rozluźniwszy uścisk, odsunęli się nieco od siebie i stanąwszy twarzą w twarz, wznieśli szklanki i butelki do nieba.

– Wypijmy za zwycięstwo dzielnych rosyjskich towarzyszy nad faszystowskimi niemieckimi świniami! – zawołał jeden.

Opuścili butelki, napełnili szklanki i stuknęli się.

– Za zwycięstwo – odpowiedział drugi. Przytknęli wargi do szklanek, by nie uronić ani jednej kropli, i zaczęli pić, odchylając głowy do tyłu i prostując się, aż opróżnili szklanki do dna, po czym zagryźli zaczerpniętym śniegiem.

Na tym nie zakończyło się ich świętowanie. Objęci ramionami zaczęli śpiewać i tańczyć, z ledwością utrzymując równowagę. Wreszcie przewrócili się i zniknęli w zaspie. Po minucie wynurzyli się cali w śniegu, mocując się i przepychając jak dwa dokazujące polarne niedźwiedzie. Wznieśli jeszcze raz toast.

– Za Stalina.

– Za Stalina, naszego towarzysza.

Szklanki napełniły się i znowu opróżniły, a śnieg ugasił pragnienie, które musiało być palące. Drobniejszy mężczyzna zachwiał się i naraz zwymiotował na ubranie. Potężniejszy cofnął się o krok z obrzydzeniem i huknął:

– A może byś tak brał się do wódki jak prawdziwy Rosjanin, hę, ty skurwysynu?

– Mówisz, że nie jestem prawdziwym Rosjaninem? Ty pijany draniu, ja ci pokażę, kto tu jest prawdziwym Rosjaninem! – Najwyraźniej bardziej ruszyła go nie obelga pod adresem własnej matki, ale zarzut, że nie jest „prawdziwym Rosjaninem". Nieudolnie próbował się wyprostować. – Wypij ze mną za Matkę Rosję, ty parszywy łgarzu i złodzieju – wystękał pijackim bełkotem.

– Za Matkę Rosję – odpowiedział jego towarzysz, nie przejawiając najmniejszej urazy z powodu zniewag, którymi został obsypany.

Tym razem mężczyźni unieśli do ust butelki i odchylając mocno głowy, wypili wszystko do ostatniej kropli. Potem jednym wyrzutem ramion w niebo posłali daleko za siebie i butelki, i szklanki, które gdzieś z tyłu utonęły w głębokim śniegu. Nie zważając na wymiociny, objęli się i zaczęli całować w policzki tradycyjnie po rosyjsku.

Dopiero wtedy doszło mnie wołanie mamy z chaty: „Wie-siu!" Z tonu jej głosu natychmiast wyczułem, co ma mi do powiedzenia. Ruszyłem w jej stronę, mijając się w wejściu z Zosią, która szła mnie zmienić przy kopaniu. Kiedy znaleźliśmy się w środku, mama zamknęła drzwi i zwróciła się do mnie szeptem:

– Tyle razy ci mówiłam, że masz się nie zbliżać do Rosjan, nie słuchać ich wulgarnego języka i nie przyglądać się ich prostackiemu zachowaniu!

– Ale mamo, odgarniałem śnieg, kiedy oni wyszli. Co miałem zrobić?

– Dobrze wiesz, co miałeś zrobić – odpowiedziała gniewnie.

Tak czy owak, najlepiej było nie odzywać się i nie denerwować osoby, która dba o nasze życie.

– Chodź, synku, ogrzej się przy piecu – powiedziała po chwili przepraszającym tonem. – Przygotuję ci coś do jedzenia.

Przygotuje mi coś do jedzenia? W ten sposób mawiało się u nas w domu. Tutaj nie było co przygotowywać. Tutaj takie zdanie mogło być tylko przejęzyczeniem. Nawet suchary się już skończyły.

Ciepło bijące od pieca rozgrzewało moje obolałe kości i uspokajało mnie. Siedziałem na drewnianym stołeczku i patrzyłem, jak gotuje się woda w starym żeliwnym garnku. Mama zaczęła sypać do niej grubą mąkę i mieszać. Po chwili papka zgęstniała i mama nalała ją do miski, którą postawiła na stole. Jadłem bardzo wolno, przedłużając ile się dało czynność i przyjemność jedzenia, dzięki czemu próbowałem poczuć, że zjadłem więcej. Kiedy już nic nie zostało, jak zwykle wylizałem talerz do czysta. Nadal skręcałem się z głodu, ale nie mogłem wziąć dokładki, ponieważ to, co zostało, miało stanowić dla mamy i Zosi jedyny posiłek tego dnia. Nie było nic innego do jedzenia.

Mama poradziła mi, żebym trochę odpoczął, więc się położyłem. Moje myśli błąkały się przez chwilę bezładnie, ale ponieważ dopiero co przyglądałem się pijackiej scenie, pomyślałem o owych dwóch Rosjanach oraz o naszej głodowej diecie. Coś mi tu poważnie nie pasowało.

– Mamo? – zapytałem, siadając.

– Tak, Wiesiulku – odpowiedziała pełnym czułości tonem i pogłaskała mnie po czole. Jej złość nie trwała nigdy dłużej niż kilka chwil.

– Chciałbym wiedzieć, jak to jest, że rząd radziecki może wyprodukować za dużo wódki, a nie potrafi wyprodukować wystarczająco jedzenia.

Mama najpierw odpowiedziała, że jest zbyt zmęczona na dyskusje, ale ja nie dawałem za wygraną, bo wiedziałem, że i tak w końcu się podda. Gdy obiecałem, że nie zadam żadnego więcej pytania, usiadła obok mnie i dobierając starannie słowa, zaczęła wyjaśniać.

Na długo przedtem, zanim ja i moje rodzeństwo przyszliśmy na świat, opowiadała, w Rosji była rewolucja, po której komuniści przejęli władzę. Od tego czasu wymordowali miliony własnych obywateli, a kolejne zagłodzili na śmierć. Radzieccy obywatele traktowani byli jak więźniowie we własnym kraju i sterowano nimi jak marionetkami na sznureczkach. Nie mieli żadnych perspektyw, przyszłość nie niosła żadnej nadziei, więc rząd komunistyczny zaczął karmić ich wódką, żeby dać im krótkotrwałą przyjemność i uczucie oderwania się od nędznej egzystencji. Kiedy ludzie piją, często zapominają o kłopotach, wyjaśniała mama, a jeśli piją bardzo dużo, to zapominają nawet, że mają rodziny albo że mają nazwisko.

Nadal nie rozumiałem. Czy nie byłoby mądrzej produkować jedzenie niż wódkę? Myślałem na głos: jak długo trzeba pić, żeby zapomnieć, że ma się pusty żołądek? Mama przypomniała, że obiecałem nie zadawać więcej pytań, i powiedziała, że na tym koniec rozmowy, ponieważ jest to zbyt niebezpieczny temat. Potem na chwilę zamilkła.

– Powinieneś zrozumieć, że komuniści nie są tacy sprytni i sami nie wiedzą, co jest dla nich dobre – powiedziała na koniec. – Aby ukryć błędy, które popełniali w ciągu minionych dwudziestu lat, mordowali ludzi, którzy myśleli inaczej, oraz tych, którzy ich krytykowali. Kończymy dyskusję. Chyba już rozumiesz, czemu powinieneś trzymać się od tych ludzi z daleka. A teraz połóż się i odpocznij.

Nagle ogarnęła mnie ogromna trwoga przed straszliwą śmiercią głodową. Każda inna śmierć, choćby taka od kuli, wydawała mi się lepsza.

– Mamo, nie chcę umierać. Czy mama myśli, że komuniści nas też zagłodzą na śmierć?

– Kochany synku. – Oczy zaszły jej łzami, kiedy pochylała się nade mną i brała mnie w ramiona. – Każdego kolejnego dnia modlę się do Boga Wszechmogącego, by dał nam przeżyć i wyjść z tego piekła.

Poczułem na twarzy jej łzy. Byłem jeszcze bardziej nieszczęśliwy, patrząc, jak mama płacze, i nie mogąc nic dla niej zrobić, ale przynajmniej czułem się przez chwilę bezpiecznie w jej ramionach.

Znowu tego wieczoru modliliśmy się z mamą i Zosią o cokolwiek do jedzenia na jutro. Nic więcej nie mogliśmy uczynić.

Trudno było mi zasnąć, kiedy czułem głód, ale gdy sen już nadszedł, skracał cierpienie. Nawet kiedy nie mogłem spać, zamykałem oczy, żeby nic nie widzieć. Pewnego wieczoru sny na jawie przeniosły mnie do domu w Polsce. Była Wigilia. Drzewko jarzyło się lampkami, ozdoby migotały hipnotyzującymi barwami, śnieg z białej waty leżał na gałązkach, które czule osłaniały mnóstwo pięknie opakowanych prezentów. Nasz aniołek tkwił dumnie na wierzchołku, spoglądając na nasze rozradowane buzie, rozradowane, ponieważ byliśmy wszyscy razem.

Wigilijny stół nakryty był świąteczną porcelaną i lśniącym srebrem. Pierwsze z dwunastu tradycyjnych dań już czekało, był to czas składania życzeń. Mama z ojcem dzielili się opłatkiem ze wszystkimi, obejmując się i całując, życząc zdrowia, szczęścia i czego tylko serce zapragnie.

Ktoś delikatnie pogłaskał mnie po głowie i czule pocałował w czoło. Otworzyłem oczy. Panował półmrok. Na skraju mojego łóżka siedziała mama i trzymała mnie za rękę. Wyglądała staro, miała zmarszczki, a pod oczami głębokie cienie. Gdzie jest jej radosna i promienna twarz, ta, którą widziałem jeszcze przed chwilą?

Zdezorientowany usiadłem i rozejrzałem się dokoła. Po drugiej stronie izby pan Pietrowicz i jego żona siedzieli na swoich krzesłach przygarbieni, ze szklanym wzrokiem utkwionym w klepisku podłogi. Zosia leżała zwinięta w kłębek na swoim łóżku.

Nie widać było wigilijnego stołu. Nie było ani ojca, ani brata, ani szczęśliwych twarzy, ani choinki, ani prezentów. W ogóle nie było Świąt Bożego Narodzenia. Jedynie żółte płomienie przeskakiwały nad palącymi się szczapami. W chacie panowała cisza.

Rozdział 13

Lekcje

Straszliwa zima trwała, a my siedzieliśmy w naszej chacie jak w ciemnicy, uwięzieni przez śnieg czasami na wiele dni. Mama nie miała jak dostać się do pracy, a Zosia do szkoły. Nawet NKWD w tych dniach nikogo nie nachodziło. Nie było takiej potrzeby. Przychodziły jedynie wygłodniałe wilki. Powracały regularnie i krążyły wokół naszej chaty, głośno wyjąc, jakby sprawdzały, czy jeszcze żyjemy. Śniegu spadło tak dużo, że nie było jak wynosić wiader z cuchnącymi nieczystościami na zewnątrz.

Mama z dnia na dzień słabła i przez większość czasu leżała i odpoczywała. Zaczynała przypłacać zdrowiem trudy, które musiała ponosić od czasu deportacji. Baliśmy się, że umrze. Nie wiedzieliśmy, co jej jest, i nie mieliśmy gdzie zwrócić się o pomoc. Przesiadywaliśmy z siostrą przy stole, przyglądając się płomieniom strzelającym w kuchennym piecu, i żeby nie zwariować, ratowaliśmy się wzajemnie rozmową. Snuliśmy wspomnienia o dawnych dobrych czasach w Polsce, o ojcu, rodzinie i przyjaciołach. Roiliśmy na głos o powrocie do domu. A gdy porównywanie obecnej niedoli z życiem, jakie niegdyś było naszym udziałem, stawało się zbyt bolesne, wracaliśmy do zwykłych lekcji polskiego, historii, arytmetyki i geometrii. Nie mieliśmy książek, papieru ani nic do pisania, mogliśmy więc jedynie ustnie przekazywać informacje z pamięci Zosi do mojej, tak jak ludzie czynili to tysiące lat przed nami.

Kiedy powtarzanie zaczynało nas nużyć, rozmawialiśmy o historii dziejącej się na naszych oczach, głównie o przebiegu wojny i o sprawach, które mogły nas bezpośrednio dotyczyć. Interesowało mnie, co siostra zasłyszała w szkole albo podczas zakupów. Wypytywałem ją o ludzi oraz sprawy, które najmniej rozumiałem. Zosię najwyraźniej frustrowały pytania, na które nie było łatwych odpowiedzi. Ale ja się nie zrażałem. Najbardziej nurtowało mnie, dlaczego w ogóle Niemcy i Sowieci napadli na Polskę, unieszczęśliwiając wszystkich, włącznie ze sobą. Zosia mówiła, że nie istnieje takie usprawiedliwienie, które cywilizowany człowiek mógłby przyjąć, ale z usprawiedliwieniem czy bez dopuścili się tego. Myślałem jednak, że musi istnieć na to pytanie jakaś bardziej wyczerpująca odpowiedź.

Pewnego razu najwidoczniej wytrącona z równowagi moim uporem odpysknęła, hamując gniew:

– Dlaczego? Naprawdę chcesz wiedzieć dlaczego?! Do głowy przychodzi mi tylko jedna odpowiedź, a mianowicie taka, że i Niemcy, i Sowieci, tak samo zresztą jak ich rosyjscy przodkowie za carów, mają to we krwi. Są wojennymi podżegaczami.

– Ale dlaczego tacy są? – nie dawałem za wygraną.

– Z powodu nienawiści, chciwości, opętania władzą albo mieszanki tego wszystkiego.

Kiedy męczyłem ją pytaniami, Zosia coraz bardziej się gniewała, zupełnie jak mama, gdy wierciłem jej dziurę w brzuchu na temat, o którym nie chciała rozmawiać. Oznajmiała, że jest zmęczona, i próbowała przerwać w ten sposób rozmowę.

– Wiem, że jesteś zmęczona, moja kochana nauczycielko, ale prawdziwym powodem, dla którego nie chcesz udzielić mi odpowiedzi, jest to, że tak jak mama, nie możesz przyznać, że należymy do tej samej rasy co te bestie. Obie wstydzicie się tego, bo to boli? – zapytałem, chociaż spodziewałem się, że nie odpowie.

Nie odpowiedziała.

Prawie za każdym razem, kiedy już byłem całkiem blisko odpowiedzi na moje pytanie, dorośli się wykręcali. Mówili mi, że nie chcą rozmawiać na ten temat, że jestem jeszcze za mały albo że porozmawiamy o tym innym razem. Moje niezadowolenie rosło. W swoim czasie zrozumiałem, że dorosłym było czasami trudniej znieść prawdę niż dzieciom.

Podniosłem się, by wrócić do domowych obowiązków. Na piecu przygasał czerwony blask palącego się drewna. Żółty płomyk przeskakujący co jakiś czas ze szczapy na szczapę zdawał się przypominać, że trzeba dołożyć do ognia. Obrzuciłem wzrokiem nieruchome postacie leżących w łóżkach, ledwo zarysowane w półmroku na tle ciemnych ścian naszej lepianki. Zosia przeszła za biały parawanik w przeciwległym rogu chaty, zasłaniający kubeł z nieczystościami. Zasłonka, zrobiona z resztek prześcieradła, wyglądała jak garbaty biały duch znieruchomiały w ciemności. Był dziwaczny, ale dobrze nam służył. Kiedyś będzie można pociąć go na kawałeczki, wyszyć i wymienić na jedzenie, jak będzie taka potrzeba.

Dołożyłem do ognia i gdy Zosia wynurzyła się z powrotem, podeszliśmy do drzwi i otworzyliśmy je bardzo delikatnie, by nie rozpadła się ściana śniegu, sięgająca za nimi wysoko ponad nasze głowy. Ostrożnie napełniliśmy dwa wiaderka białym puchem na wodę do picia. Część postawiliśmy do gotowania i usiedliśmy cichutko z powrotem za stołem. Patrzyliśmy na ogień. Jutro albo pojutrze będziemy musieli stawić czoło tym śniegom i odkopać naszą chatę.

Przysłuchująca się rozmowom przy stole mama wstała z łóżka i przysiadła się do nas, ale nie opowiedziała się po niczyjej stronie.

– Jak wydostaniemy się z tej nieludzkiej ziemi, może pewnego dnia napiszesz o przemilczanej stronie historii – powiedziała. – Odsłonisz jej ludzką twarz i opowiesz, ile trzeba krwi, łez, bólu i cierpienia, żeby przeżyć wojnę. Może ktoś... gdzieś... to przeczyta. Może pewnego dnia nie będzie więcej wojen, nie będzie Hitlerów, nie będzie Stalinów. Modlę się o to dla was, dla waszych dzieci i dla waszych wnuków.

Po jej policzku popłynęła łza. Podniosła się i podeszła do pieca.

Ze smutkiem w oczach wsypała trzy miarki plew do gotującej się wody. Zrezygnowani wypiliśmy jałową zupę w milczeniu i głodni położyliśmy się spać. Gdzieś za horyzontem toczyła się bitwa między Niemcami i Sowietami. W moich myślach eksplodowały miny i umierali ludzie. Na zewnątrz chaty zawodziły wilki.

Rozdział 14

Kultura komunistyczna

Zimą 1941–1942 podtrzymywaliśmy się przy życiu nadzieją, że wiosna uwolni nas od cierpień. Minęły prawie dwa lata, odkąd zostaliśmy deportowani do Związku Radzieckiego. Iwan Pietrowicz przez cały czas dawał upust swojej nienawiści do komunistów, opowiadając mi o takich ich podłych postępkach, których sam nie widziałem na co dzień. Wzmagało to mój lęk oraz nienawiść do twórców kultury, w której zmuszeni byliśmy żyć.

NKWD nachodziło nas nadal, mimo że Jurek poszedł do armii. Amnestia została oficjalnie ogłoszona i z formalnego punktu widzenia byliśmy wolnymi obywatelami, mającymi prawo opuścić ten kraj. Czemu więc nie zostawiali nas w spokoju? Przychodzili raz albo dwa razy na miesiąc, najczęściej w nocy, i zadawali wiecznie te same pytania na temat członków naszej rodziny oraz na temat innych Polaków. Gdzie chodzimy? Co robimy? Co myślimy o Związku Radzieckim? Co myślimy o ludziach radzieckich? Co myślimy o systemie komunistycznym? I tak dalej, w kółko to samo. Nie widzieliśmy w tym żadnego sensu.

Najgorsze w wizytach NKWD było to, że nigdy nie było wiadomo, czy nie zrobią nam czegoś złego. Nic by ich nie powstrzymało. Kiedy pytałem mamę, czemu wracają do nas regularnie i ciągle pytają o to samo, odpowiadała, że być może szukają pretekstu, żeby pomimo amnestii zatrzymać nas siłą w Związku Radzieckim. Albo obawiają się, że mogliśmy zacząć opowiadać tutejszym ludziom o życiu w innych krajach oraz o stosowanych przez władzę prześladowaniach.

Owo nękanie nas nie pozwalało zapomnieć o strachu, ucisku i poniżeniu, w jakim żyliśmy. Nawet sen nie sprzyjał wytchnieniu. Przynosił jedynie powtarzające się obrazy z życia, pełne długich kolejek zdesperowanych ludzi próbujących kupić ustawicznie niedostępne niezbędne produkty, pełne ludzi spluwających i siąkających nos w rękaw albo nawet wypróżniających się publicznie, hałaśliwych ludzi wulgarnie bełkoczących w zamroczeniu przesiąkniętym wódką, w której topili zmartwienia. Wszędzie widziałem obrazy smutnych, wystraszonych i poniżonych ludzi, gnębionych przez bezwzględną władzę, odartych z wolności, posępnych i pozbawionych nadziei. Słyszałem kłamstwa, które mówili sobie nawzajem, aby przeżyć, oraz kłamstwa, które mówił im ich rząd, by utrzymać się przy władzy. Słyszałem, jak ponurzy Rosjanie ze strachu przed karą spotykającą tych, którzy mówili prawdę, stosują własny porozumiewawczy kod, ukrywający myśli.

Popularna była anegdota ukazująca gorycz życia, jakie wiódł sowiecki obywatel. Przybysz pyta rosyjskiego pracownika kołchozu: „Jak się żyje w kołchozie?" „Dobrze, bardzo dobrze", odpowiada robotnik i wybucha płaczem.

Choć radzieccy obywatele byli rozczarowani niesprawnością systemu, musieli jakoś się pogodzić ze swoim losem. Aby wyrazić niedostatki egzystencji, uciekali się do dwuznacznych aforyzmów, ciętego humoru oraz ordynarnych przekleństw. Zapytać starego Rosjanina, który żył jeszcze za cara, dlaczego sowieckie rolnictwo jest takie złe, a odpowie: „Bóg jest wyżej, a rząd dalej". Obywatele zdawali sobie sprawę, że centralna władza w Moskwie nie ma zrozumienia dla problemów, z którymi borykają się lokalne kołchozy, rozsiane po całym kraju. Może zresztą rządu nic to nie obchodziło.

Umęczeni obywatele sprzymierzali się w ciętych żartach. Ktoś niezadowolony, stojąc całą noc w kolejce po kawałek chleba, słyszy pocieszenie: „Pamiętaj, przyjacielu, że wojna z Finlandią zaczęła się od kolejki po chleb w Leningradzie, która sięgnęła za fińską granicę". Odważni żartowali po kryjomu, że skrót NKWD oznacza „Nie wiesz Kiedy Wrócisz do Domu". Tylko za pomocą czarnego humoru można było poruszać tematy, które były wszystkim znane, ale otwarte mówienie o nich groziło wysłaniem do więzienia z oskarżeniem o zdradę, kapitalistyczną agitację albo sabotaż.

Niedole życia wyrażały się najpowszechniej w Związku Radzieckim za pomocą ordynarnych przekleństw, na które pozwalali sobie zarówno mężczyźni, jak i kobiety. Najgorsze przekleństwa kierowano przeciwko czemu- lub komukolwiek, tylko nie przeciwko rzeczywistym celom nienawiści, czyli Józefowi Stalinowi, NKWD, partii komunistycznej czy ogólnie systemowi komunistycznemu.

Jedna z przyjaciółek siostry, Krystyna Ziemło, deportowana z rodziną w wieku dziewiętnastu lat, opowiedziała nam pikantną anegdotę związaną ze zwyczajem przeklinania. Jej ciocię wyznaczono do zwożenia drewna. Za wykonanie normy dostawała skromny przydział żywności. Niewykonanie normy groziło zmniejszeniem porcji i głodowaniem, ale koń, którego jej przydzielono, też zresztą niedożywiony i wycieńczony pracą ponad siły, nie chciał ciągnąć ładunku. Nie było sposobu, żeby go zmusić. Jej kłopot dostrzegł uprzejmy tuziemiec i wytłumaczył, że do konia trzeba mówić po rosyjsku. Wziął od niej lejce i zawołał: „Trogaj! Jebat' twoju mat'!" Co usłyszawszy, koń ruszył. Od tej chwili ciotka codziennie przeklinała po rosyjsku do konia, dziękując za każdym razem Panu za takie cudowne udogodnienia i już zawsze wyrabiając normę.

Na początku nie rozumiałem, o czym mowa. Nie w tym był problem, że dopiero uczyłem się języka, ale po prostu nigdy wcześniej nie słyszałem tego rodzaju wypowiedzi. Kiedy jednak z biegiem czasu mój rosyjski się poprawił, zaczynałem pojmować sens i zdumiewała mnie obserwacja, że wulgarnego języka używano nie tylko w chwili gniewu czy agresji.

W takich chwilach mama upominała mnie, abym nie słuchał

i się oddalił. Jednakże wszędzie dookoła nas radzieccy mężczyźni i kobiety mówili w taki sposób, jej taktyka więc była daremna. Nie mogłem, wychodząc z domu, ciągle zatykać sobie uszu. Zwykłe rozmowy ludzi pełne były wulgaryzmów; nawet kiedy witali się serdecznie, na porządku dziennym były zwroty typu: „Cześć, kurwa, jak się masz?" albo „Cześć, do chuja! Jak leci?" Wkrótce zrozumiałem, że masowość niewybrednych przekleństw wynikała stąd, iż stanowiły jedyną dostępną formę wolności słowa.

Od początku naszego pobytu w Związku Radzieckim zawsze zwracało moją uwagę coś, co na pierwszy rzut oka nie pasowało do panującego wszędzie bezbarwnego i prymitywnego otoczenia. Były to wielkie efektowne plakaty w żywych kolorach z przewagą czerwonego, widoczne, gdziekolwiek by się spojrzało w miasteczkach i wioskach, zarówno wewnątrz budynków, jak i na zewnątrz. Mama zapytana, dlaczego jest ich tak dużo, odpowiedziała, że za ich pomocą rząd przedstawia swoim obywatelom życie w Związku Radzieckim. Odpowiedź wydała mi się zagadkowa, ponieważ dziwiłem się, czy radzieccy obywatele nie widzą sami na własne oczy, jak żyją.

Chlubą rządu były najczęściej rozwieszane gigantyczne wizerunki przywódców Rady Najwyższej. Większość z nich ukazywała w ponadnaturalnej wielkości Lenina i Stalina, oswobodzicieli i obrońców ludu pracującego. Na innych plakatach widniały szczęśliwe i zdrowe małe dzieci, składające bukieciki na grobie Lenina albo wręczające wiązanki towarzyszowi Stalinowi, który zawsze miał na głowie czapkę z czerwoną gwiazdą pośrodku. Na jeszcze innych widać było radzieckich pilotów, marynarzy oraz żołnierzy, przedstawianych nie tylko jako najdzielniejsi na świecie, ale tacy, którzy nigdy nie przegrali żadnej bitwy ani wojny. Pomijając kwestię odwagi, nawet ja w wieku dziewięciu lat wiedziałem, że to wszystko jest wyssane z palca. Ojciec opowiadał mi, jak w wojnie 1920 roku bolszewicy zgodnie z planem zajęcia Europy i wprowadzenia w niej komunizmu zaatakowali Polskę. Dobrze pamiętałem, że przegrali nie tylko Bitwę Warszawską, ale i całą wojnę.

Niektóre plakaty pokazywały radzieckich lekarzy, inżynierów i naukowców i głosiły, że to oni wszystko na świecie wynaleźli. Tymczasem powszechnie znana w Polsce jeszcze przed wojną prawda była taka, że większość pomysłów oraz produktów została najpierw skopiowana z Zachodu, a dopiero potem ogłoszona jako rodzime radzieckie osiągnięcia. Była to najzwyklejsza kradzież. Zresztą jeżeli radziecka wynalazczość ponosiła porażkę, to plakaty i tak kłamliwie głosiły jej sukces. Albo przedstawiały po prostu wymyślne fikcje na temat sowieckiej nauki i badań naukowych. Jeden na przykład dumnie obwieszczał, że sowieccy inżynierowie rolnictwa wynaleźli metodę, jak uprawiać niektóre zboża podczas mroźnej i śnieżnej syberyjskiej zimy. Nie rozumieliśmy, na jakiej zasadzie rząd oczekuje, że ustawicznie zmagający się z głodem ludzie uwierzą w takie bajki.

Były też plakaty, które wychwalały ludzi pracy. W pamięć zapadł mi szczególnie jeden. Ukazywał rosłego mężczyznę dzierżącego sierp i młot i demonstrującego pod podwiniętymi rękawami koszuli naprężone muskuły. Pałające oczy wznosił ku niebu i patrzył w świetlaną przyszłość, ku której zaprowadzić mogli wyłącznie Lenin ze Stalinem. Nieco za nim stała równie tryskająca zdrowiem kobieta. Na włosach miała kolorową chusteczkę, jasne oczy rozświetlone zachwytem i okrągłą, różową uśmiechniętą buzię. Do dzisiaj pamiętam bijące od tej pary radosne zadowolenie z pełni szczęścia, jaką mogą osiągnąć w komunizmie. Zdrowi i szczęśliwi uosabiali proletariacką doskonałość. Patrząc na plakat, zastanawiałem się, gdzie jest miejsce w bezmiarze ZSRR, w którym można byłoby spotkać takich ludzi.

Duże wrażenie robił plakat przedstawiający kołchoźnika prowadzącego wielki nowoczesny traktor. Mężczyzna był schludnie ubrany, jego pięknie zbudowane ciało okrywała modna skórzana kurtka, a na głowie miał popularną czapeczkę z daszkiem. Na czapce połyskiwała w słońcu taka sama czerwona gwiazda jak u towarzysza Stalina. Tylko żyjący z dala od wsi mieszkańcy miast, których obowiązywał zakaz podróżowania, mogli być może brać taki obrazek ludzi i maszyn za typowy dla radzieckich kołchozów.

Część plakatów gloryfikowała kobiety. Ukazywane one były zawsze przy pracy wykonywanej z promiennym uśmiechem na twarzy. A przecież wszędzie dookoła było wyraźnie widać, że dola kobiet pogorszyła się znacznie, odkąd uzyskały „równouprawnienie" po rewolucji. Zmuszane były teraz do katorżniczej pracy przy wyrębie i zwózce drzewa, kopaniu rowów, załadunku na stacjach kolejowych i przy wielu innych ciężkich pracach wykonywanych dotychczas wyłącznie przez mężczyzn. Kobiety w ciąży zobowiązane były do pracy na rzecz wspólnego dobra aż do rozwiązania. Nie wierzyłem już wówczas w bociany i nawet ja zdawałem sobie sprawę, że jeśli oczekuje się od kobiety, że będzie miała wiele dzieci, a jednocześnie że zawsze powinna pracować do samego porodu, to nie może to wyjść nikomu na dobre. Moje dziecięce rozumowanie najbardziej wystawione było jednak na próbę, gdy starałem się pojąć, dlaczego rząd z jednej strony odznacza kobiety medalami za to, że mają bardzo dużo dzieci, a z drugiej skazuje na śmierć miliony własnych obywateli.

W owym czasie wiedziałem już, że w Związku Radzieckim „wspólne dobro" to dobro państwa i może oznaczać pozbawienie życia osoby fałszywie oskarżonej o przestępstwo. Często budziłem się w środku nocy, drżąc z przerażenia, ponieważ zdawało mi się, że słyszę pukanie do drzwi. Na samo wyobrażenie sobie tego dźwięku serca milionów ludzi, pozostających w zasięgu szerokiej jak całe ZSRR władzy NKWD, zamierały z trwogi.

Mnie wciąż prześladowało wspomnienie nocy, w której Czerwone Gwiazdy zapukały do drzwi naszego domu w Polsce. Minęły dwa lata, a ja nadal słyszałem krzyk kapitana NKWD, że Rosja jest wielkim krajem, w którym wszystko jest. „Wszystko! Nawet zapałki!" Od tamtej nocy tylko kilka razy zdarzyło mi się zobaczyć zapałkę.

Żeby mieć ogień, trzeba było stalowym prętem wykrzesać o gładki kamień iskrę na kępkę suchego mchu, bawełny albo wysuszonych trocin. Albo pożyczyć w glinianym garnku kilka płonących szczap od sąsiadów.

Pyszałkowaty Rosjanin okłamał mnie również co do zabawek, jakie są w tym jego wielkim kraju. Do zabawy miałem jedynie kamienie i patyki. A i tak musiałem uważać, żeby nie podnieść takiego, który posłużył już komuś za papier toaletowy.

Część IV

UCIECZKA NA WOLNOŚĆ

Uzbekowie i karawany wielbłądów, spotykane na trasie naszej wędrówki nad Morze Kaspijskie przez Uzbekistan i Turkmenistan, podczas ucieczki ze Związku Radzieckiego, ZSRR, sierpień 1942 rok

Rozdział 15

Plan ucieczki

Wiadomość o amnestii oraz informacja o mobilizacji oddziałów Wojska Polskiego w ZSRR rozchodziły się zimą 1941–1942 w żółwim tempie. Kiedy docierały do nas nowe wieści, najczęściej były już historią. Oficjalnym źródłem informacji w mieście było jedyne radio w Pałacu Kultury, biuro NKWD i sporadycznie dostępne gazety. Ponieważ jednak źródła te znajdowały się pod kontrolą rządu sowieckiego, nie można było na nich polegać. Do tego w wielu regionach biura NKWD nie realizowały rządowego polecenia, by informować Polaków o ogłoszeniu amnestii, wydawać im dokumenty i udzielać pomocy. Niektórym Polakom w ogóle o tym nie powiedziano, innym – że obejmuje tylko mężczyzn.

Mimo iż był już grudzień, większość wojska, które zgrupowało się w okolicach Buzułuku,Tatiszczewa i Tockoje, wciąż miała jedynie obdarte cywilne ubrania, nieodpowiednie na zimę, a ponad połowa – zaledwie onuce na nogach. Mieszkali w nieogrzewanych namiotach i z upływem czasu dostawali coraz mniejsze przydziały żywności. Mówiono, że obozy otaczają groby niedoszłych żołnierzy i wędrujących za nimi cywili, zmarłych z niedożywienia albo zimna. Do lutego ci, co przetrwali, przemieszczeni zostali do południowego Kazachstanu i Uzbekistanu. Wojsko było niewyszkolone i niedożywione, nie miało mundurów, sprzętu ani amunicji, a jednak radziecka władza oczekiwała od niego, że pójdzie na front walczyć z Niemcami. Dowództwo Armii Polskiej jednak odmówiło, widząc w tym celowe wysłanie ich na pewną śmierć. W tym momencie Brytyjczycy zaoferowali pomoc. Stalin nie chciał jednak mieć na swoim terytorium dobrze wyposażonego i dobrze wyszkolonego polskiego wojska, poparł więc porozumienie, na mocy którego połowa sił polskich miała udać się na Bliski Wschód. Tam miała przejść pod brytyjskie dowodzenie i wziąć udział w walce z Niemcami w północnej Afryce i południowej Europie. Stalin zgodził się też, aby razem z wojskowymi wyjechały na Bliski Wschód tysiące ich cywilnych krewnych, chociaż Brytyjczycy byli początkowo temu przeciwni, pierwotnie interesowało ich bowiem wyłącznie pozyskanie ludzi do walki. W końcu jednak dzięki uporowi generała Władysława Andersa, dowódcy Polskich Sił Zbrojnych, ludność cywilna uzyskała pozwolenie na wyjazd razem z armią.

Z początkiem kwietnia ruszyła pierwsza ewakuacja Polaków z ZSRR. Niestety, my dowiedzieliśmy się o niej zbyt późno, aby wziąć w niej udział. Przez krótką chwilę zazdrościliśmy innym odwagi czy też desperacji, dzięki której podążyli za wojskiem. Ale nasze nastawienie się zmieniło, kiedy dowiedzieliśmy się, jak wielu z nich zmarło od chorób i nędzy podczas przemierzania południowych republik.

Z nadejściem wiosny nasze życie stało się znośniejsze. Od kiedy stopniał śnieg, znowu można się było łatwo poruszać i handlować z Kazachami. W końcu stopniał też lód na jeziorze i nadeszły cieplejsze wiatry. Dzięki staraniom mamy udało nam się przeżyć kolejną zimę, a ja znowu mogłem łowić karpie z panem Pietrowiczem i wzbogacać w ten sposób nasz ubogi jadłospis.

Mama cały czas pilnowała każdej nowej wiadomości, która pojawiała się na horyzoncie, i w lipcu jej sumienna wytrwałość zaowocowała. Dowiedzieliśmy się, że pozostające nadal w ZSRR oddziały Armii Polskiej będą mogły wraz z rodzinami wyjechać do Persji. Nowinę przyniósł jeden ze stu trzydziestu sześciu pełnomocników rozesłanych przez polskie dowództwo, nie ufało ono bowiem, że

Sowieci przekażą informację do dwóch tysięcy sześciuset miejsc w ZSRR, do których byli deportowani Polacy. Wyjazd miał nastąpić z Krasnowodzka, portu nad Morzem Kaspijskim, odległego mniej więcej o cztery tysiące krętych kilometrów od nas pociągiem. Mama zdecydowana była wyjechać za wszelką cenę. Zaraz następnego dnia poszła do biura NKWD z wnioskiem o wydanie niezbędnych uzupełniających dokumentów podróżnych, ponieważ „papiery wolnościowe", które posiadaliśmy, przyznawały nam jako wolnym obywatelom prawo do poruszania się po Związku Radzieckim oraz do opuszczenia go, ale nie oznaczały zezwolenia na podjęcie podróży. Do tego potrzebna była nam jeszcze pisemna zgoda NKWD na zakup biletów kolejowych, pisemne poświadczenie celu podróży oraz zaświadczenie, że zostaliśmy poddani dezynsekcji.

Biura NKWD od dziewięciu miesięcy posiadały szczegółowe instrukcje odnoszące się do dokumentów, jakie należy wydawać polskim zesłańcom. Można było więc przypuszczać, że niezbędne formalności załatwiane będą od ręki, ale urzędnik NKWD kazał mamie przyjść za tydzień. Po tygodniu, zgodnie z naszymi przewidywaniami, dokumentów wciąż nie było. Enkawudzista kazał przyjść za kolejny tydzień. Mama wpadła w panikę, była bowiem głęboko przekonana, że to jest nasza ostatnia szansa, by się wydostać ze Związku Radzieckiego. Od progu rzuciła do Zosi, że komuniści są kłamcami i oszustami. Słysząc to, bałem się, że już nigdy nie uda nam się stąd wyjechać.

Od tego wieczoru przez kilka kolejnych dni mama z Zosią szeptały coś bezustannie. Czułem, że dojrzewa ważny plan, i ich tajemniczość tylko zaostrzała moją ciekawość. Niepostrzeżenie starałem się jak najwięcej podsłuchać i stopniowo zaczynałem się domyślać, o co chodzi. Kolejny raz nabierałem przeświadczenia, że nasza mama jest bystrą i dzielną kobietą.

Wyglądało na to, że wspólnie obmyślały plan ucieczki. Mama tłumaczyła Zosi, że ponieważ enkawudziści podejmują działania związane z prześladowaniami najczęściej w środku nocy, można się spodziewać, że w ciągu dnia są mniej podejrzliwi. Można także liczyć na bałagan spowodowany tym, że wszędzie po drodze będzie zarówno dużo polskich uchodźców starających się dotrzeć do Armii Polskiej, jak i sowieckich uciekinierów z frontu. W połączeniu z tymi spostrzeżeniami plan ucieczki zaczynał nabierać wyraźnego sensu.

Mama bowiem postanowiła wyruszyć, nawet jeśli w następnym wyznaczonym terminie nie otrzyma dokumentów, chociaż zdawała sobie sprawę, że podróż bez nich oznacza wielkie ryzyko. W Związku Radzieckim każdy człowiek musiał uzyskać zezwolenie tajnej policji nieomal na wszystko, cokolwiek by chciał zrobić, czy była to przeprowadzka z domu do domu, zmiana pracy czy zebranie się w miejscu publicznym, by choćby tylko rozmawiać, nie wspominając o wygłaszaniu przemówienia bądź pisaniu artykułów; a przede wszystkim musiał je uzyskać, kiedy chciał podróżować. Złapanie przez NKWD na którejkolwiek z tych czynności bez odpowiedniego zezwolenia mogło, szczególnie w czasie wojny, spowodować oskarżenie o szpiegostwo i w konsekwencji wiele kosztować, nawet życie. Ta świadomość była dla mamy wielkim obciążeniem. Jeśli zaś o mnie chodzi, nic nie robiłem sobie z niebezpieczeństwa oskarżenia; byłem gotowy na ekscytującą przygodę, szczególnie że miała oznaczać wyjazd stąd. Byłem całkowicie pewien, że NKWD nie zdołałoby zmusić mnie do wyjawienia żadnych informacji. Musiałem tylko udawać, że nic nie wiem, i czekać, aż się zmęczą i zostawią mnie w spokoju, tak jak to było z moim bratem.

Mama uważała, że nie otrzymaliśmy na czas niezbędnych dokumentów podróżnych z dwóch powodów. Po pierwsze, Jurek odmówił wstąpienia do Armii Czerwonej. Po drugie, komuniści mieli obsesję na punkcie „klasy wyższej" oraz pełną świadomość, że ojciec był polskim oficerem, który walczył z bolszewikami. NKWD wiedziało, że jeśli wstrzymają wydanie zezwolenia na podróż, najprawdopodobniej pozbawią nas ostatniej szansy wyjazdu ze Związku

Radzieckiego. Byłaby to według nich odpowiednia kara za nasze grzechy.

W następnym tygodniu mama znowu poszła po odbiór zezwoleń i po raz kolejny usłyszała, że nie są gotowe. Kości zostały rzucone. Jej plan wchodził w życie. Gdyby nas złapali, bałem się tylko o nią. W przeciwieństwie do nazistów, Sowieci z zasady nie rozstrzeliwali nieletnich. Ale było za to na porządku dziennym, że zsyłali kobiety na ciężkie roboty na Syberię, odbierając im najpierw ich dzieci.

Podróż w kierunku Morza Kaspijskiego, gdzie był punkt zborny Armii Polskiej przed odjazdem, miała sens jedynie koleją, a najbliższa stacja znajdowała się w pobliżu miasta Kustanaj, mniej więcej dzień marszu od nas. Wypożyczenie wozu nie wchodziło w rachubę i mama miała jedynie nadzieję, że ktoś podwiezie nas kawałek po drodze. Decyzja zapadła. By nie wzbudzać podejrzeń, wyjdziemy z chaty tak jak stoimy. Ażeby jednak matka opuszczająca miasteczko ze swymi dziećmi nie rzucała się w oczy, przezorność nakazywała dalej idące środki ostrożności. Drugi punkt jej planu mówił, że musimy się rozdzielić. Najpierw wyjdzie mama i zaczeka na nas w umówionym miejscu odległym mniej więcej o godzinę drogi, a po pewnym czasie my z Zosią dołączymy do niej.

Mama nie wyjawiła mi planu ucieczki, ale domyśliłem się go z podsłuchanych rozmów. W nocy przed wymarszem byłem zdenerwowany i niespokojny, i nie mogłem spać. Pan Pietrowicz też nie mógł z jakiegoś powodu. Za każdym razem, kiedy otwierałem oczy, widziałem go siedzącego na krześle. Cały czas kiwał się, jak gdyby coś go nurtowało. Czy mógł nas podsłuchać? Czy wiedział, że planujemy uciec? Czy myślał o tym, żeby porzucić swoją szaloną żonę i uciec z nami? To mogła być jego jedyna szansa na wolność, a ja przecież obiecałem mu, że może iść z nami, kiedy będziemy stąd odchodzić. Ale wtedy przypomniałem sobie, jak stary człowiek powiedział mi kiedyś, że każdy chce umrzeć w swoim kraju, nieważne jak złym. Mimo to chciałem móc zapytać go jeszcze raz, czy pójdzie z nami, ale wiedziałem, że nie wolno mi. W końcu zasnąłem, pełen wewnętrznego rozdarcia między przywiązaniem do pana Pietrowicza a troską o bezpieczeństwo naszej rodziny. Obudziłem się tuż po wschodzie słońca, ale starego nie było już w chacie. Dziwne. Przez całą zimę i wiosnę niedomagał i rzadko wstawał z łóżka przed południem.

Mama wyszła; przedtem powiedziała mi tylko, żebym nie odstępował siostry. Godzinę później Zosia poprosiła, bym poszedł z nią na spacer. Zgodziłem się, udając, że nie wiem, o co chodzi naprawdę. Nie odzywając się słowem do pani Pietrowiczowej, wyszliśmy z chaty. Na zewnątrz rozejrzałem się po raz ostatni dookoła lepianki, która z dala od domu stała się naszym domem. Nagle spostrzegłem, że stara szopa jest otwarta. Nie było w niej łódki. Dopiero po chwili dostrzegłem, jak kołysze się pośrodku jeziora, ale nikogo nie było w niej widać. Zatrzymałem się i z rosnącym niepokojem próbowałem dojrzeć jakiś ruch na łodzi. Wiedziałem, że to będzie ostatni raz, kiedy widzę pana Pietrowicza. Opromieniał mi moje samotne godziny. Był dobrym człowiekiem, i naraz poczułem się źle, tak go zostawiając. Chciałem przynajmniej pomachać mu, chociaż on jeszcze nie wie, że to pożegnanie.

Zosia wzięła mnie za rękę, ja jednak wciąż oglądałem się na łódź w nadziei, że pan Pietrowicz zaraz się podniesie. Gdy spojrzałem ostatni raz, w łodzi nadal nikogo nie było widać. Chciałem zaczekać jeszcze parę minut, ale Zosia przynaglała do drogi.

– Dziwnie się dzisiaj zachowujesz, Wiesiu – powiedziała.

Nic nie odrzekłem. Nie miałem ochoty rozmawiać. Obawiałem się o powodzenie naszej ucieczki, zastanawiałem się, jakie mamy szanse i czy nam się uda. Opuściło mnie poczucie bezpieczeństwa. Brak pana Pietrowicza w łodzi przejął mnie dreszczem strachu. Czułem bezsilność. Miałem wyrzuty sumienia, że nie jestem w stanie dotrzymać swojej dziecięcej obietnicy i zabrać go z żoną do Polski razem z nami. Nasza podróż właśnie się zaczynała, ale w głębi duszy czułem, że jego już się skończyła. Może jego serce w końcu się poddało, a może popełnił samobójstwo, wyskakując z łodzi. Taki był mój ostatni obraz Semiozierska – pusta łódź pośrodku jeziora, symbol pustego życia dobrej istoty ludzkiej, usidlonej przez komunistyczne państwo.

Powędrowaliśmy z Zosią gruntową wiejską drogą, pełną wybojów i kolein. Szło się trudno, ale nie przeszkadzało mi to. Z każdym męczącym krokiem przybliżaliśmy się bowiem do wolności. Nareszcie!

Kiedy spotkaliśmy się z mamą, objęła nas. Była spocona i niespokojna.

– Wiesiu, słuchaj uważnie, co ci powiem. Jeśli spotkamy jakichś ludzi na drodze, to kimkolwiek by byli i o cokolwiek by pytali, masz z nimi nie rozmawiać, nawet gdyby mówili po polsku. Rozumiesz?

– Tak, mamo. Rozumiem.

– Idziemy do miasta po ziemniaki.

Ponieważ nadal nie powiedziała nic o ucieczce, więc też pohamowałem się od mówienia na ten temat.

– Tak, mamo. Idziemy do miasta po ziemniaki.

Sprytnie, pomyślałem. Jak większość ludzi z Semiozierska, nie widzieliśmy nawet śladu ziemniaków od przynajmniej ośmiu miesięcy. Rzeczywiście trzeba by po nie daleko wędrować.

– W drogę, dzieci, nie traćmy czasu – ponagliła mama.

Złapaliśmy się za ręce, dla lepszej równowagi, i ruszyliśmy dalej. Wkrótce każdy kamień, każdy wybój, każdy dołek i każda szpara stały się torturą. Przez dziury w butach wpadały mi drobiny zaschłego błota i małe kamyki i na stopach zaczęły się robić pęcherze i otarcia. Po dwu godzinach marszu napotkaliśmy rosyjskiego chłopa na wozie zaprzężonym w konia, który jechał w tym samym kierunku. Mama przywitała go po rosyjsku, a chłop odpowiedział i zatrzymał się.

Mama zapytała, czy jedzie do najbliższego miasta, w którym odbywa się targ, i czy moglibyśmy się z nim zabrać.

– Tak. – Kiwnął, żebyśmy wsiedli.

Załadowaliśmy się, on szarpnął lejce i ruszyliśmy. Żałośnie wychudzony koń, skóra i kości, szedł nie szybciej od nas. Każdą koleinę czy dziurę pokonywał z wysiłkiem, szczególnie teraz, z dodatkowym obciążeniem, ale my mogliśmy trochę odetchnąć.

Nikt się nie odzywał. Jedynie końskie kopyta i koła wozu, skrzypiące na zaschłym błocie, wydawały jakiś dźwięk. Zmęczony koń od czasu do czasu zarżał. Siedziałem ze zwieszonymi nogami z tyłu podskakującego wozu. Myślami wciąż wracałem do pana Pietrowicza i cicho zmówiłem za niego modlitwę. Mama coś dosłyszała i zapytała, do kogo mówię. Do nikogo, odparłem.

Po wielu godzinach, robiąc po drodze postoje dla konia, przybyliśmy do Kustanaj. By nie wzbudzać podejrzeń woźnicy, wysiedliśmy nieopodal targu. Mama podziękowała chłopu i dała mu kilka monet, a on pożegnał nas i odjechał, nie oglądając się nawet.

Przysiedliśmy na chwilę obok targu. Mama postanowiła w końcu powiedzieć mi, że uciekamy z Semiozierska, żeby dołączyć nad Morzem Kaspijskim do Armii Polskiej. Zaskoczyłem ją odpowiedzią, że wiem o wszystkim. Mama wtedy przestrzegła mnie stanowczo, abym nie udzielał nikomu żadnych informacji. Obiecałem.

– Żadnych – powtórzyła z naciskiem. – Nieważne, kto pyta, zawsze odpowiadaj po prostu „nie wiem".

– Czemu mama tak się martwi? – zapytałem i dla żartu dodałem po rosyjsku: – *Ja niczewo nie znaju, grażdanka Adamczykowa.*

Mama otworzyła najpierw szeroko oczy, a potem obie z Zosią wybuchnęły śmiechem.

– Więc nawet ty się nauczyłeś, jak sowieccy ludzie muszą się do siebie zwracać! – zażartowała. – Mój własny synek nazywa mnie grażdanką. Czekaj, aż powiem ojcu i bratu o tym, jaki z ciebie żartowniś. Może pewnego dnia, zamiast poetą, zostaniesz komikiem, byśmy mogli kiedyś wszyscy się pośmiać ze wspomnień.

Udaliśmy się na dworzec i stanęliśmy w kolejce. Kiedy przyszła nasza kolej, kasjer, zgodnie z przewidywaniami mamy, oznajmił, że może nam sprzedać bilety tylko wtedy, gdy okażemy niezbędne dokumenty podróżne. Mama wtedy nachyliła się do niego, cicho coś powiedziała i wsunęła mu do ręki niewielką paczuszkę. Była przygotowana – miała gotową łapówkę z resztek biżuterii. Kasjer bez zmrużenia powiek podał jej trzy bilety. Szczęśliwi, że udała się nielegalna transakcja, ruszyliśmy w stronę peronu. Mama uprzedziła nas, że w kasie sprzedaje się zwykle dużo więcej biletów, niż jest miejsc w pociągu, w związku z tym trzeba znaleźć miejsce na peronie blisko torów, tak by być w pierwszym rzędzie, kiedy nadjedzie pociąg.

Na peronie najpierw rzuciła nam się w oczy ilość ekskrementów i uryny dookoła. Z powodu braku sprawnych ubikacji podróżni zmuszeni byli załatwiać swoje potrzeby, gdzie się dało. Musieliśmy uważać, gdzie stawiamy kroki. Nie dało się ujść nawet dwóch metrów bez wdepnięcia w coś, a wkoło wydzielał się potworny fetor.

Nikt nie wiedział, kiedy pociąg przyjedzie. Rozwieszone rozkłady jazdy były bezużyteczne. Nie pozostawało nam nic innego, jak zająć pozycję jak najbliżej torów na peronie pośród ludzkich odchodów i czekać. Nie ruszaliśmy się z naszego miejsca ze strachu, że moglibyśmy zostać gdzieś z tyłu, kiedy rozpocznie się szturm na drzwi wagonów. Musieliśmy dostać się do tego pociągu. Gdyby nam się to nie udało, skutki mogłyby być fatalne, istniało bowiem duże prawdopodobieństwo, że NKWD będzie nas poszukiwać.

Zdążający na południe pociąg przyjechał późnym wieczorem. Nie było wiadomo, jak daleko da się nim dojechać ani gdzie i kiedy trzeba będzie się przesiąść, zanim dotrzemy do portu w Krasnowodzku. Nie mając żadnej mapy, nie wiedzieliśmy, jak zaplanować podróż. Jedyne, co wiedzieliśmy na pewno, to że trzeba przejechać przez Kazachstan na południe do Uzbekistanu, a potem przez Turkmenistan do Morza Kaspijskiego. Kiedy już wcisnęliśmy się do wagonu, ledwo starczało stojących miejsc. Pociąg powoli ruszył. Tym razem cieszyłem się, słysząc, jak koła obracają się i turkoczą. Nie przeszkadzało nam, że od rana nic nie jedliśmy – pociąg coraz szybciej pędził ku wolności. Słowo to nabrało nagle nowego znaczenia i przestało być czymś, o czym się tylko mówi i marzy. Czułem je w sobie i serce biło mi z podekscytowania, że wkrótce być może będziemy wolni.

Ludzie jakoś się rozlokowali i wkoło nas wytworzyło się trochę wolnej przestrzeni. Położyliśmy się na gołej, zimnej podłodze i przytuliliśmy do siebie. Szkoda, że nie wzięliśmy grubszych ubrań, kiedy wychodziliśmy rano, pomyślałem. Chociaż za dnia panował upał, teraz trząsłem się z zimna, kaszlałem i wszystko mnie bolało. Stopy miałem całe we krwi zaschniętej razem z tym wszystkim, co dostało się przez dziury w butach. Przed położeniem się mama radziła nie ściągać obuwia, żeby nikt go nie ukradł. Ja jednak zdjąłem buty, by ulżyć trochę nogom, i wkrótce zasnąłem pomiędzy mamą i siostrą.

Kiedy się obudziłem, butów już nie było. Musiałem powiedzieć mamie, co się stało. Nie miało sensu tłumaczyć jej, że nie uwierzyłem, iż ktoś mógłby zdobyć się na tak niski uczynek i ukraść małemu chłopcu parę starych butów. W jej oczach pojawił się zawód i ból.

– Czy nie mówiłam ci, żebyś ich nie zdejmował? – powiedziała. – Wiedziałam, że ktoś je ukradnie. I co my teraz zrobimy?

Poczucie winy nie dawało mi podnieść na mamę oczu. Stałem nieszczęśliwy na bosych, spuchniętych, pokaleczonych i posiniaczonych nogach na zimnej podłodze. Wizja podróżowania na bosaka pogłębiała tylko moją rozpacz. Zdawałem sobie sprawę, że zdobycie teraz pary butów graniczyć będzie z cudem, a tymczasem czeka nas kilka tygodni podróży.

Rano pociąg zatrzymał się na trzy godziny na jakiejś stacji. Zosia została w wagonie, by pilnować naszego miejsca na podłodze, a my z mamą poszliśmy na poszukiwanie butów, gorącej wody i czegoś do jedzenia. Nie mieliśmy nic w ustach od dwudziestu czterech godzin. Mama zwracała się do ludzi z dziećmi w moim wieku i proponowała odkupienie pary butów. Ale wszyscy patrzyli na nią ze zdziwieniem i ignorowali ją. Po godzinie natknęliśmy się na żebrzącego, wygłodniałego rosyjskiego chłopca. Był starszy ode mnie i na nogach miał podarte buty znacznie większego rozmiaru niż mój.

Mama szepnęła mu coś na ucho. Chłopak bez wahania zdjął buty i oddał jej, a ona dyskretnie wsunęła mu coś do ręki. Potem podał jej jeszcze kawałek starej gazety, w której trzymał swój skromny dobytek. Mama wypchała buty gazetą, żeby mi nie spadały. Wzułem je, życzyliśmy chłopakowi szczęścia i ruszyliśmy na poszukiwanie wody i jedzenia.

Kiedy wreszcie znaleźliśmy budynek z kranami na ścianie, z których brało się gorącą wodę, powiedziano nam, że kotły są zepsute i gorącej wody nie będzie. Wewnątrz mieściła się stołówka, ale oprócz mącznej papki nie było w niej nic do jedzenia. Mama kupiła, płacąc gotówką, trzy porcje papki oraz trzy drewniane miski, a także bańkę na wodę. Z budynku poszliśmy ku nieco oddalonej zajezdni parowozów. Jeden z maszynistów nalał nam zaczerpniętej z lokomotywy gorącej wody, którą czuć było rdzą i smarami. Mogliśmy już wracać z wodą i jedzeniem do Zosi.

Mniej więcej w połowie drogi zobaczyłem w oddali kobietę leżącą na ławce, a obok niej dwóch małych chłopców, wyglądających, jakby się z nią bawili. Kiedy mijaliśmy ich, nagle uświadomiłem sobie, że kobieta nie żyje. Z przerażeniem zobaczyłem, jak chłopcy sypią jej piasek do ust, dłubią w oczach patykami i śmieją się. Obok przechodzili ludzie, nie zwracając uwagi. Mama zacisnęła mocniej rękę na mojej dłoni i przyspieszyła. Po raz drugi w ciągu dwóch dni ogarnęło mnie poczucie winy, tym razem nie z powodu tego, co zrobiłem, ale z powodu bezsilności wobec panującej wszędzie dookoła nędzy i obojętności.

– Mamo, czy nie powinniśmy czegoś zrobić? – zapytałem, czując, że mnie mdli.

– Synku, jeśli wywołam zamieszanie, interweniując w sprawie miejscowych dzieci, zjawi się NKWD i koniec z nami. Bardzo chciałabym coś z tym zrobić, ale nie wolno mi ryzykować naszej wolności.

Po kilku dniach i wielu niezapowiadanych postojach, czasem dłuższych, czasem krótszych, kazano nam się przesiąść do innego pociągu. W pobliżu nie było żadnej miejscowości i nie mieliśmy pojęcia, gdzie się znajdujemy. Jednakże szczęście nam sprzyjało. Nasz nowy pociąg był pasażerski i udało nam się zdobyć trzy siedzące miejsca na ławce oraz utrzymać je przez całą dalszą drogę. Pilnowaliśmy ich zawsze z Zosią, kiedy mama szła szukać jedzenia i wody podczas postojów. Wagony były przepełnione i nasza przestrzeń często bywała zagrożona podczas awantur ze zdesperowanymi ludźmi, szukającymi siedzących miejsc.

W miarę jak pociąg przemieszczał się na południe, rosła liczba Polaków wśród pasażerów. Wielu z nich tak jak my uciekało przed NKWD w nadziei wydostania się na wolność. Nie każdemu miało się to udać. Coraz częściej widywaliśmy, jak wozy zaprzęgnięte w woły ciągną sterty martwych ciał, zebranych wzdłuż dróg i na stacjach kolejowych. Ludzie umierali od chorób lub z głodu, często po wielomiesięcznym podróżowaniu bez celu.

Gdy pociągi zatrzymywały się w pustkowiach Kazachstanu czy Uzbekistanu, niektórzy, szczególnie kobiety i dziewczęta, powodowani wstydliwością, wczołgiwali się pod wagony, by załatwić się zasłonięci kołami. Mama nigdy nie pozwalała nam na to ze względu na bezpieczeństwo. Pociąg ruszał zazwyczaj bez ostrzeżenia i niejedna osoba zginęła, zmiażdżona na śmierć. Inni z kolei, którym wstydliwość kazała odejść na bok za potrzebą, zostawali, nie mogąc dogonić odjeżdżającego niespodziewanie pociągu. Wiele dzieci i matek rozdzieliło się w ten sposób na zawsze. Mówiono, że sowieccy maszyniści ruszają, nie dając sygnału, właśnie dlatego, by jeszcze bardziej pogorszyć niedolę podróżnych.

Na zachodzie nadal szalała wojna. Trwało oblężenie Leningradu i wielka liczba Rosjan, którym koneksje i pieniądze umożliwiały ucieczkę, próbowała się przedostać na południe, blokując ruch kolejowy. Naszą podróż opóźniało też przepuszczanie wojskowych transportów personelu i zaopatrzenia, jadących do strefy wojennej, oraz transportów powracających z rannymi. Na stacjach panował kompletny chaos. Rozdzielone przypadkowo rodziny nie mogły się odnaleźć w takich miejscach – nagle osamotnione małe dzieci płakały, a rodzice w popłochu szukali zagubionych pociech. Wszystkich jednak łączyło jedno dążenie. Rozpaczliwie próbowali wydostać się pociągiem na południe.

Mama liczyła właśnie na taki chaos; o podobnej sytuacji czytała niegdyś w relacjach z rewolucji październikowej. Na każdej stacji widzieliśmy mundury i NKWD, i miejscowej milicji, ale ani razu nie zatrzymano nas i nie zadano żadnych pytań. Tysiące podróżnych mogły się śmiało przesiadać z pociągu na pociąg bez dokumentów, a nawet biletów, niesamowity tłok bowiem uniemożliwiał jakąkolwiek kontrolę. Był to jedyny czas w trakcie naszego przymusowego pobytu w Związku Radzieckim, kiedy siejący postrach agenci NKWD nie śledzili każdego naszego kroku.

Przemierzaliśmy Kazachstan prosto na południe i z każdym dniem robiło się coraz goręcej. Z powodu braku jakiejkolwiek wentylacji w wagonach zalegał przykry, obezwładniający zapach brudnych, często nękanych biegunką i dyzenterią ciał. W warunkach takiego tłoku łatwo było o zakażenie i złapanie jakiejś choroby. Moje ciało dosyć szybko pokryło się czyrakami i ropniami. Czop, jaki wykwitł mi na lewym ramieniu, urósł do rozmiaru wielkiej fasoli i był bardzo bolesny w dotyku. Kiedy tylko zaczął mi dokuczać, mama chciała od razu go naciąć, ale nie pozwoliłem. Gdy jednak urósł jeszcze bardziej, kategorycznie zadecydowała, że trzeba go przebić i oczyścić, ale chciała poczekać na odpowiednie warunki sanitarne. Widywaliśmy czasami na stacjach pielęgniarki oferujące pomoc, musiałem więc wytrzymać, dopóki nie znajdziemy którejś z nich. Ich usługi rząd zapewniał za darmo.

Mieliśmy szczęście, gdyż po kilku godzinach pociąg zatrzymał się na peronie, a nie, jak zazwyczaj, poza stacją czy w szczerym polu. Wyszliśmy z mamą z wagonu, próbując wypatrzyć pielęgniarkę. Dwadzieścia minut później udało nam się przywołać jedną z nich i pokazaliśmy jej ropień. Kiedy ona oglądała moje ramię, ja nieufnie taksowałem ją wzrokiem. Była niska, przysadzista, zaokrąglona na twarzy. Skórę na dużych dłoniach miała popękaną, palce grube i brud za długimi paznokciami. Chłopski strój przykrywał biały fartuch, poplamiony zaschniętą krwią i jakimiś innymi wydzielinami. Jedyną czystą częścią jej garderoby był pielęgniarski czepek. Miała ze sobą prostokątny pojemnik ze środkami medycznymi: butelką ciemnego płynu, watą i używanymi poplamionymi bandażami. Pielęgniarka, obejrzawszy mój ropień, zaproponowała po rosyjsku, że go natnie.

Spojrzałem na mamę i powiedziałem po polsku, że się nie zgadzam.

Mama nalegała, żebym ustąpił, ale obstawałem twardo przy swoim, że się nie zgadzam, żeby dotykała mnie pielęgniarka z brudnymi rękami i paznokciami.

– Czy nie mogłaby mama tego zrobić, proszę? – zapytałem.

Wobec mojego zdeterminowania i widocznego cierpienia mama uległa. Po rosyjsku powiedziała pielęgniarce, że jestem nerwowy i woli sama przeciąć mi ropień, jeśli może użyć środków z jej apteczki. Kobieta skinęła głową na znak zgody. Mama przyniosła gorącą wodę, po czym zamoczyła watę w ciemnym płynie, chyba roztworze nadmanganianu potasu, i przemyła ropień. Była gotowa do zabiegu.

Zamknąłem oczy, zacisnąłem zęby i splotłem mocno ręce. Poczułem rozdzierający ból, w głowie mi się najpierw zakręciło, a potem pokazały się gwiazdy. Pielęgniarka polała ciepłą wodą otwartą ranę, żeby ją oczyścić, a mama przyłożyła wacik z piekącym płynem. Następnie oddarła kawałek swojej halki i owinęła nim moje ramię jak opatrunkiem. Byłem bliski płaczu, ale się powstrzymałem.

Podczas jednego z następnych postojów byłem świadkiem czegoś, co na zawsze pozostało w moim wspomnieniu jako wizja piekła. Tym razem pozostaliśmy w wagonie. Obok nas zatrzymał się inny pociąg, wiozący polskie dzieci, w większości sieroty. Niektóre pewno zgubiły się podczas podróży i musiały radzić sobie same przez wiele miesięcy, zanim zostały dołączone do innych dzieci. Innym umierające matki, zbyt chore i słabe na podróż, kazały samodzielnie jechać do obozów Armii Polskiej, dając im na drogę resztki dobytku, który można było wymienić na jedzenie. Jeszcze inne albo uciekły, albo zostały wyrzucone z rosyjskich ochronek, wsadzone do najbliższego pociągu i odesłane do polskich obozów. Dzieci te, najczęściej starsze ode mnie, znalazły się pośród wielu tysięcy Polaków z całego ZSRR i tygodniami, a czasem miesiącami podróżowały bez celu.

Patrzyłem przez okno, jak osierocone dzieci z pociągu obok nas wyprowadzono na palący upał, żeby zaczerpnęły chociaż trochę świeżego powietrza. Wszystkie miały ogolone głowy, zapadnięte policzki i klatki piersiowe oraz wytrzeszcz oczu. W większości miały powieki zapuchnięte z powodu infekcji do tego stopnia, że nie były w stanie ich otworzyć. Ropa ściekała im po buziach. Łaziły po nich muchy i wszelkie insekty. Wiele było zarobaczonych. Niektórym chłopcom z krótkich spodenek wystawały jądra spuchnięte do wielkości małych pomarańczy. Większość z nich nie miała siły utrzymać się na nogach. Widziałem, jak te nieszczęsne dzieci wstawały, załatwiały się, potem kładły z powrotem we własnych odchodach i zapadały ponownie w sen. Inne załatwiały się, leżąc, bo nie miały siły wstać.

Siedząc tak i patrząc na nie przez okno pociągu, zapytałem mamę, dlaczego nikt się nimi nie zajmuje. Wyjaśniła, że wyznaczono na pewno zaledwie kilka kobiet do opieki nad dziećmi. Owe opiekunki musiały być wyczerpane i potrzebowały chwili wytchnienia, dlatego zostawiały dzieci podczas postoju samym sobie. Mama przerwała z rozmysłem, potem zaś przestrzegła mnie, bym nie przypatrywał się tym biednym sierotom i, przede wszystkim, bym nie zbliżał się do nich. Wyjrzałem przez okno zakłopotany. Bardzo żal mi było tych dzieci. Nie mogłem przestać spoglądać w ich kierunku – nie z litości, ale z głębokiego, szczerego współczucia. A gdybym ja też leżał pośród nich? Gdybym to ja był sierotą? Kto by się mną wówczas opiekował?

– Mamo, jak długo jeszcze mam zamykać oczy i nie patrzeć na świat dookoła...? – zapytałem.

Wzięła moją dłoń w swoje ręce, ale nic nie odpowiedziała. Wciąż patrzyłem na zewnątrz i po kilku chwilach milczenia zadałem jeszcze jedno pytanie, takie, które zaprzątało moje myśli już od pewnego czasu.

– Mamo, czy Bóg także jest ślepy, tak jak te dzieci?

Pytanie wyraźnie mamę poruszyło.

– Wiesiu, mówić tak to bluźnierstwo – skarciła mnie.

Zamilkłem więc.

Nasza podróż trwała dalej. Na niektórych stacjach władze sowieckie sprzedawały racjonowane ilości jedzenia. Ci, którym dopisało szczęście, jedli zupę rybną lub mąkę zmieszaną z wodą. Tym, którzy mieli więcej szczęścia, to znaczy tym, którzy mieli pieniądze lub rzeczy osobiste, by handlować z miejscową ludnością, czasem powodziło się jeszcze lepiej. Natomiast ci, którym skończyły się towary na wymianę, głodowali i pozostało im tylko żebrać i liczyć na miłosierdzie innych.

Sowieci przyrządzali zupę rybną w najprostszy sposób, po prostu wrzucając małe rybki do gorącej wody. Zjadało się ją, nawet jeżeli czasem ryby wciąż jeszcze żyły. Na jednym z postojów widziałem mężczyznę z pięciorgiem dzieci, siedzących wokół wiadra z zupą, w której wciąż pływały i podskakiwały rybki, mniej więcej wielkości sardynek. Głodne dzieci wyłapywały ryby i zjadały je. Potem wszyscy wypili pozostały gorący płyn.

Nam przypadł w udziale los tych większych szczęśliwców. Mamie zawsze w jakiś sposób udawało się dowiedzieć zawczasu o dłuższych postojach. Wykorzystywała je na zdobywanie jedzenia. Handlowała z bardziej przedsiębiorczymi z miejscowych, którzy z kolei próbowali zarobić na bezradnych i znajdujących się w sytuacji bez wyjścia ofiarach nieszczęśliwych zbiegów wydarzeń. Czasem wracała ze zdobyczną miską czegoś, co wyglądało na papkę z mąki, którą polubiłem od pierwszego razu i wolałem od podskakujących rybek. Kiedy indziej przynosiła suszone pestki dyni albo słonecznika. Jeśli istniał jakiś sposób na przetrwanie, mama znajdywała go.

Zosia powiedziała, że aby przygotować się do tej podróży, mama przez kilka miesięcy zaszywała w zakładki ich sukienek i bielizny cenne drobiazgi – rosyjskie pieniądze, różne kosztowności i resztki biżuterii.

Dotarłszy do najdalej na południe wysuniętego punktu Kazachstanu i całego ZSRR, pociąg skręcił prosto na zachód, w kierunku Uzbekistanu. Minęliśmy Taszkient i Samarkandę. W pewnym momencie znajdowaliśmy się około dwustu kilometrów od Afganistanu i sześciuset od Chin. Trasa wiodła dalej przez Turkmenistan i miasto Aszchabad. Mniej więcej po trzech tygodniach od wyruszenia z Semiozierska dojechaliśmy do Krasnowodzka. Była już połowa sierpnia. Pociąg zatrzymał się w pobliżu dwóch polskich obozów tymczasowych, jednego dla armii, drugiego dla cywili. Ci, którzy tam dotarli, byli szczęśliwi, że jak na razie los im sprzyja w dążeniu ku wolności. Teraz czekali niecierpliwie na podróż przez Morze Kaspijskie i co najważniejsze – poza Związek Radziecki, niespokojni, czy rząd sowiecki nie zmieni nagle zdania i nie cofnie zezwolenia na wyjazd.

Wysiadając z pociągu, modliliśmy się w duszy, żeby ta udręka wreszcie się skończyła. Byliśmy co prawda blisko Armii Polskiej, co przynosiło nieopisaną ulgę, ale wciąż na sowieckiej ziemi. Przebywanie wśród innych Polaków podniosło nas jednak na duchu, choć euforia nie utrzymała się długo. Wszędzie panował bałagan i mówiło się o setkach żołnierzy i osób cywilnych cierpiących i umierających każdego dnia z niedożywienia i chorób, takich jak tyfus, dur brzuszny, dyzenteria, malaria, szkorbut, pelagra, szkarlatyna i kurza ślepota.

To, że mimo tak ciężkiej podróży dotarliśmy aż tutaj, znaczyło, że mamy wielkie szczęście. Przyjechaliśmy pod koniec drugiej tury ewakuacji. Byliśmy co prawda wyczerpani i głodni, ale znajdowaliśmy się w lepszej sytuacji zarówno od tych, którzy próbowali się wydostać w pierwszej turze, jak i tych, którzy przybyli kilka miesięcy przed drugą ewakuacją. Tysiące ludzi zmarło w styczniu i lutym, kiedy warunki podróży były o wiele trudniejsze. Ci, którzy przeżyli i dojechali, ale spóźnili się na pierwszą ewakuację, rozmieszczeni zostali w setkach kołchozów, w których musieli walczyć o przetrwanie. Innych odesłano z powrotem do miejsc w głębi Związku Radzieckiego, z których przybyli.

Rozdział 16

Jurek

W Krasnowodzku przydzielono nam niewielki namiot, akurat taki, byśmy mogli się w nim zmieścić we trójkę. Potem wpisaliśmy się na wojskową listę ewakuacyjną. Mama zaleciła mnie i Zosi, byśmy nigdzie nie odchodzili, co najwyżej po żywność i do latryny. Znajdowaliśmy się wśród tysięcy żołnierzy i cywili niecierpliwie czekających na zaokrętowanie na statek do wolności.

Mama od razu przystąpiła do poszukiwań ojca i Jurka. Zadanie było niełatwe. Tym razem chaos nie był jej sprzymierzeńcem. Prawie każdego dnia tysiące ludzi przybywały z całego ZSRR, a tysiące innych opuściło już Krasnowodzk przez Morze Kaspijskie do Pahlevi (obecnie Bandar-e Anzali) w Persji. Trudno było w takich warunkach o porządek w rejestrach, a do tego informacje między poszczególnymi obozami Armii Polskiej w ZSRR przepływały bardzo wolno. Tysiące osób poszukiwało członków swoich rodzin. Nie sposób było ustalić w krótkim czasie, gdzie stacjonuje dany żołnierz i czy w ogóle żyje. Czy jest w Uzbekistanie albo w Turkmenistanie, czy też już przekroczył Morze Kaspijskie. Można było jedynie szukać w istniejących rejestrach i chodzić od jednostki do jednostki. Mama wypytywała dowódców, czy jej mąż, kapitan Jan Adamczyk, lub syn Jerzy są w ich oddziale. Żaden z nich nie słyszał o Jerzym Adamczyku, choć niektórym wydawało się, że był w obozie jakiś sierżant Jan Adamczyk. Było też możliwe, że ani Jan, ani Jerzy nie dotarli jeszcze do Krasnowodzka. Kiedy odwiedziła już wszystkie jednostki i zasięgnęła, bez powodzenia, informacji u wszystkich dowódców, skierowała się do ostatniego miejsca, w którym mogli jeszcze się znajdować.

Niedaleko obozu znajdował się sowiecki szpital polowy, któremu narzucono obowiązek przyjmowania ciężko chorych Polaków. Mama udała się tam, ale pielęgniarki nie znały żadnego pacjenta o nazwisku Adamczyk. Personel zgodził się, acz niechętnie, dać jej do przejrzenia zeszyty przyjęć, by mogła sprawdzić, czy przypadkiem jej mąż lub syn nie byli na liście chorych. Mama wzięła zeszyty i przez wiele godzin ślęczała nad rejestrami, aż nagle, ku swej największej radości, natrafiła na imię Jurka. Jest, znalazła go! W pierwszej kolejności załatwiła z dowództwem Armii Polskiej przeniesienie go do szpitala polowego na terenie naszego obozu, gdzie będzie mogła sama go doglądać. A potem została przy Jurku, dopóki go nie przeniesiono.

Kiedy już umieszczono go w wojskowym szpitalu polowym niedaleko nas, mama wróciła na krótką chwilę do namiotu, by sprawdzić, co się z nami dzieje. Była zapłakana i zrozpaczona. Powiedziała tylko, że Jurek jest skrajnie niedożywiony i wyczerpany. Polski lekarz w szpitalu polowym poinformował ją, że jeśli syn nie dostanie szybko czegoś pożywnego do jedzenia, może umrzeć.

– Muszę go uratować – rzuciła, śpiesząc się z powrotem do szpitala.

Przed wyjściem zdążyła tylko zalecić Zosi, by opiekowała się mną, ponieważ nie wiedziała, kiedy będzie z powrotem, oraz przypomniała, żebyśmy się nigdzie nie oddalali. Po krótkiej pauzie dodała jeszcze, że gdzieś w obozie jest jakiś sierżant Jan Adamczyk.

– Najprawdopodobniej to nie jest ojciec, chyba że coś pomylili w dokumentach. Dowiem się, ale najpierw muszę się zająć Jurkiem.

Gdy mama wyszła do szpitala, zrozumieliśmy z Zosią, że jest zaledwie nikła iskierka nadziei, iż ów Jan Adamczyk to nasz tata. Ale jakaś szansa była! Pomimo wątpliwości, które miała mama, zaczęliśmy snuć domysły, dlaczego ojciec mógł chcieć się ukryć w szarży sierżanta. Szczególnie jeden z możliwych powodów wydawał nam się prawdopodobny. Kiedy Sowieci wkroczyli do Polski w 1939 roku, często na miejscu dokonywali egzekucji polskich oficerów. Dlatego też wielu z nich starało się ukryć swoją tożsamość, odrywając epolety i insygnia albo zamieniając mundury. Mieliśmy nadzieję, że nasz ojciec też tak zrobił. I przez następne trzy dni żyliśmy tą nadzieją.

Nadmierny napływ cywili spowodował poważny głód w obozie, nie było bowiem skąd brać dla nich dodatkowych racji żywności. Żeby zdobyć pożywienie dla Jurka, mama postanowiła więc udać się do jednej z pobliskich wiosek. Przedsięwzięcie należało do niebezpiecznych, ponieważ okolica pełna była głodujących ludzi, wszędzie też panoszyły się bandy rosyjskich opryszków. Dla samotnej kobiety nie było tutaj bezpiecznie ani szukać jedzenia, ani tym bardziej je nieść. Mama jednak się nie zrażała. Noc przesiedziała przy łóżku Jurka, a następnego dnia nakłoniła dwóch polskich żołnierzy, żeby jej towarzyszyli. Musieli wiele godzin maszerować, zanim wreszcie mama znalazła miejscowego chłopa, który zgodził się wymienić żywego kurczaka i pół bochenka chleba na złoty zegarek. Z drogocenności pozostała jej teraz już tylko para kolczyków i ślubna obrączka.

Do szpitala mama wróciła z kurczakiem, chlebem, starym garnkiem i wielbłądzim łajnem na podpałkę. Nagotowała bulionu i przez trzy dni pielęgnowała Jurka, który stopniowo zaczynał odzyskiwać siły. Lekarz uznał, że nie zagraża mu już bezpośrednie niebezpieczeństwo i jego stan jest na tyle stabilny, że można go odwiedzać, mama przyszła więc po mnie i Zosię. Przyniosła niestety również złą wiadomość, że sierżant Adamczyk to nie nasz ojciec. Nie udało się też zdobyć żadnej więcej informacji na jego temat.

Nie to jednak było najgorsze. W sztabie obozowym powiedziano jej, że doliczono się zaledwie kilkuset spośród tysięcy polskich oficerów, wziętych do niewoli przez Sowietów jesienią 1939 roku.

Generał Anders, dowódca Polskich Sił Zbrojnych, naciskał wraz ze swoim dowództwem na Sowietów, by wyjaśnili, co stało się z ponad piętnastoma tysiącami polskich jeńców wojennych. Amnestia dla Polaków ogłoszona została z rozkazu Stalina rok temu i w Armii Polskiej koniecznie potrzebni byli doświadczeni oficerowie. Stalin odpowiedział, że nie wie, co się z nimi stało. Dodał, że mogli uciec do Mandżurii. To wszystko nasuwało jednak straszne pytanie, czy to możliwe, by ze Związku Radzieckiego wymknęło się ponad piętnaście tysięcy jeńców wojennych z NKWD depczącym im po piętach. Większość z nas dochodziła do jednego, najstraszniejszego wniosku: że Sowieci ich wymordowali.

Byliśmy jak ogłuszeni, ponieważ wiedzieliśmy, co w Związku Radzieckim może oznaczać brak wiadomości o jeńcu. Mama nie zdołała powstrzymać płaczu i nie mogła się uspokoić po tym, jak opowiedziała nam o przypuszczeniach na temat prawdopodobnej masowej egzekucji polskich oficerów. Zrozpaczona poprosiła, abyśmy modlili się za ojca i jego powrót. Zmówiliśmy więc po raz tysięczny tak dobrze znaną modlitwę. Wieści pogrążyły jednak nasze serca w rozpaczy, tym większej że znajdowaliśmy się na progu wolności. Zapytałem mamę, czy Sowieci rzeczywiście byliby zdolni popełnić taką zbrodnię.

– Dziecko, modlę się do Boga, żeby okazało się, że ta zbrodnia nie została popełniona. Jeśli to zrobili, Bóg im odpłaci – odparła wymijająco.

Spotkanie z Jurkiem, mimo smutnych okoliczności, było radosne. Darem od niebios było znowu ujrzeć brata żywym, kiedy tak wielu umierało dookoła nas. Za radą mamy zrezygnowaliśmy z uścisków i pocałunków na powitanie, ponieważ w ostatnim czasie Jurek był narażony na kontakt z wieloma ludźmi umierającymi na zakaźne choroby, ale widok brata napełniał nas radością. Bardzo byliśmy ciekawi, co działo się z nim od chwili wyjazdu do wojska.

Z Semiozierska NKWD dowiozło go do stacji kolejowej. Potem brat musiał dawać sobie radę sam. Musiał zadbać o jedzenie i inne potrzeby. Podróż do obozu Armii Polskiej pod Tockoje zajęła mu ponad miesiąc, od 4 października do 11 listopada. Pociągi, którymi podróżował, często długo czekały na bocznicach, przepuszczając tabory z personelem i sprzętem wojennym. Przestoje powodowane były także przez setki tysięcy ludzi uciekających z frontu.

Jurek opowiadał nam, jak ze zdumieniem obserwował na stacjach kolejowych uderzający kontrast między komunistyczną elitą, ubraną w wytworne stroje i futra, a ich towarzyszami w zwykłych waciakach. Wszystkich jednak w równym stopniu pochłaniała chaotyczna pogoń za przeważnie niedostępną żywnością. Widział też sowieckich żołnierzy i oficerów powracających z linii frontu. Byli ranni i obszarpani, żebrali u przechodniów o jedzenie, wodę i papierosy. Pod koniec podróży, kiedy zrobiło się przenikliwie zimno i spadło mnóstwo śniegu, Jurek widział też pociągi z frontu, wiozące jeńców niemieckich. Sowieci ładowali ich do otwartych wagonów towarowych, na których sztywne, umundurowane ciała przymarzały do platform.

Po pięciotygodniowej podróży, głodny i zmarznięty, brat stawił się w obozie wojskowym, którego sytuacja okazała się potworna. Nowi rekruci przybywali często z warunków znacznie znośniejszych niż te, które tutaj zastali. Jurek potwierdził to, co słyszeliśmy o braku wyposażenia polskich oddziałów w odzież odpowiednią na ciężką syberyjską zimę. Dodał, że musieli ją przetrwać w zwykłych dwunastoosobowych namiotach, rozstawionych na zamarzniętej ziemi.

Często zdarzały się noce, podczas których budził się z włosami przymarzłymi do ziemi albo do plandeki namiotu. Aby nie zamarznąć na śmierć, żołnierze wykopali w każdym namiocie rów głęboki na metr, biegnący przez cały namiot od wejścia do jego tylnej ściany. Następnie wstawili do niego, przy końcu przeciwległym do wejścia, prowizoryczny piecyk z luźno ułożonych cegieł, w którym przez dwadzieścia cztery godziny na dobę palili drewno. Każdy z nich miał dwugodzinną wartę przy podtrzymywaniu ognia. Krawędź rowu służyła do siedzenia, gdyż w namiotach nie było krzeseł ani prycz. Sowieci pomimo obietnicy nie dostarczyli Polakom żadnych środków transportu, drzewo z odległego o prawie dziesięć kilometrów lasu trzeba było więc przynosić na własnych barkach.

Kiedy Jurek przybył do obozu, na dzienną rację pożywienia, dostarczanego przez Sowietów, składały się dwie kromki zmarzniętego chleba, dwie kostki cukru i kubek zupy, którą zwykle stanowiła gorąca woda z kaszą albo jakimś innym ziarnem pływającym w środku. Z upływem czasu Stalin zredukował przydziały. Do tego, kiedy zaczęły nadjeżdżać tysiące cywilnych zesłańców, żołnierze dobrowolnie dzielili się swoimi nędznymi porcjami, by pomóc wyżywić głodujących. Postawieni w tak trudnej sytuacji niektórzy śmiałkowie organizowali wielce ryzykowne nocne wypady do pobliskich kołchozów. Najpierw trzeba było szybko wyprowadzić z kołchozu krowę. Potem w bezpiecznej odległości trzeba ją było zarżnąć. Następnie ludzie zanosili mięso do namiotów, a wilki jeszcze przed świtem sprzątały wszelkie pozostałe ślady.

Jurek opowiadał, że kiedy zaczęto organizować armię, poinformowano ich, że będą walczyć z Niemcami na sowieckiej ziemi. Sowieci jednak od początku nie wywiązywali się z umów zawartych z brytyjskim i polskim rządem w kwestii dostaw żywności, odzieży, broni i amunicji. Oficjalnym powodem miał być brak tych rzeczy nawet dla ich własnego wojska. Według Jurka żołnierze w Armii Polskiej byli jednak przeświadczeni, iż Polaków nie uzbrojono, ponieważ Stalin obawiał się, że mogliby zwrócić się przeciw Armii Czerwonej. W każdym razie polskim oddziałom nie pozostawało nic innego, jak przeprowadzać szkolenia za pomocą drewnianych armat i drewnianych karabinów. Nieoficjalne zalecenie Stalina głosiło, że jeśli Polacy chcieliby iść na front, mogliby zebrać karabiny zabitych żołnierzy. Polskie dowództwo było jednak oburzone taką propozycją i stanowczo ją odrzuciło.

Bez żywności, bez wyposażenia wojskowego oraz podstawowych urządzeń sanitarnych szkolenie nowo powstającej armii było praktycznie niemożliwe, na dodatek panowała wyjątkowo ciężka zima.

Do lutego 1942 roku Armia Polska przeniosła się więc na południe, w największej części do Uzbekistanu. Klimat tutaj różnił się zdecydowanie, lecz nie zmieniły się warunki bytowe, a możliwości szkolenia nadal były opłakane. W kwietniu, gdy temperatura dochodziła do 35 stopni Celsjusza, zaczęły się szerzyć malaria, tyfus i dyzenteria.

Do armii przyłączały się masy zrozpaczonych polskich cywilnych zesłańców, gromadzące się wokół obozów wojskowych w poszukiwaniu pożywienia oraz podstawowego bezpieczeństwa. Najbardziej ze wszystkiego pragnęli oni, by Armia Polska wyprowadziła ich ze Związku Sowieckiego na wolność. Wiosną, a potem jeszcze bardziej podczas lata ludzie musieli znosić pustynny upał. Urządzeń sanitarnych brakowało, opieki medycznej w ogóle nie było, a racje żywnościowe niedostateczne. Zakaźne choroby zaczęły dziesiątkować ludzi tak bardzo, że trzeba było grzebać ich w zbiorowych mogiłach. Do przenoszenia ciał na miejsce pochówku używano wielokrotnie tych samych trumien, ponieważ nie można było nadążyć ze zbijaniem nowych.

Potem Jurek opowiedział, jak na początku 1942 roku zmniejszyło się zapotrzebowanie Stalina na pomoc ze strony polskich oddziałów, ponieważ w bitwie o Moskwę Rosjanie zdobyli przewagę nad Niemcami. Rząd sowiecki, Brytyjczycy i Polacy uzgodnili wtedy, że Armia Polska znacznie bardziej przyda się w walce z Niemcami w Afryce i południowej Europie. Dla Stalina oznaczało to pozbycie się niebezpiecznej obecności polskiej armii na sowieckiej ziemi. Dla Brytyjczyków powiększało liczbę ludzi do walki, którzy pod ich komendą mogli być rozmieszczeni na Bliskim Wschodzie i w Afryce. Generał Anders cieszył się z porozumienia, ponieważ dobrze wiedział, że tylko w ten sposób uda się wydostać dużą liczbę polskich cywili z ZSRR.

Taki splot okoliczności i wydarzeń otworzył drogę dla żołnierzy i ich rodzin, znajdujących się na miejscu w obozie. W marcu mogli opuścić Związek Radziecki i wyjechać do Persji. Jurek obawiał się, że może to być pierwszy i jedyny transport, i martwił się, że nas w nim nie ma. Wcześniej wysłał do nas dwa listy, zalecając przyjazd do Uzbekistanu, ale my ich w ogóle nie otrzymaliśmy. W lipcu 1942 roku Sowieci, Brytyjczycy i Polacy uzgodnili, że również pozostała część Armii Polskiej przeniesie się na Bliski Wschód, zostanie wyposażona i zaopatrzona przez Brytyjczyków i będzie służyć pod dowództwem brytyjskim. Ustalili też, że i tym razem rodziny żołnierzy będą mogły wyjechać razem z nimi.

Jurka ogarnęło zmęczenie po długim opowiadaniu. Czas było zbierać się do wyjścia.

– Mamo, dziękuję za modlitwy i za wszystko, co mama dla nas zrobiła – powiedział na koniec.

– Zrobiłam tylko to, co każda matka zrobiłaby dla swoich dzieci – odparła mama ze zwykłą skromnością.

Zosia i ja pożegnaliśmy go ze łzami, życząc szybkiego powrotu do zdrowia i błagając, by odszukał nas w Persji. Nasza trójka miała nazajutrz wejść na pokład rosyjskiego statku towarowego, płynącego przez Morze Kaspijskie. Nie wiedzieliśmy, kiedy wyruszy Jurek. O tym, że wniesiono go na noszach na ten sam statek, mieliśmy się dowiedzieć dopiero rok później, przy następnym spotkaniu.

Rozdział 17

Na pokładzie *Kaganowicza*

Tego dnia, kiedy wyjeżdżaliśmy, był piękny i jasny poranek. Sowiecki statek towarowy *Kaganowicz* stał w porcie gotowy na przyjęcie ludzi na pokład. Mama włożyła do niewielkiej torby z brązowego papieru kilka przedmiotów, zgromadzonych od wyjazdu z Semiozierska, oraz mały garnuszek, w którym gotowała dla mego brata ratujący życie bulion z kurczaka.

Przy trapach stali funkcjonariusze NKWD i przedstawiciele Armii Polskiej i sprawdzali listy nazwisk; wojskowi mieli rozkaz udzielania pierwszeństwa kobietom i dzieciom. Mama upewniła się, że jesteśmy na liście pasażerów *Kaganowicza*. Jak się okazało, mieliśmy być jednymi z ostatnich do zaokrętowania. Kiedy posuwaliśmy się naprzód centymetr za centymetrem, z tyłu wybuchło zamieszanie. Ludzie z końca zaniepokoili się, że pozostaną na brzegu. Zaczęli się przepychać i przeciskać do przodu. Mama złapała nas mocno za ręce, kazała trzymać się jak najbliżej siebie i niezależnie od wszystkiego cały czas posuwać się w stronę trapu. A potem pamiętam, jak wchodzimy do góry na statek. Kiedy stawiałem na nim pierwszy krok, obejrzałem się szybciutko i nie przystając, zmówiłem modlitwę za ojca, który wciąż przebywał gdzieś na terytorium Związku Radzieckiego.

Około południa gotowi byliśmy do odjazdu. *Kaganowicz* wziął na pokład ponad cztery i pół tysiąca polskich żołnierzy i cywili, niebezpiecznie przekraczając dopuszczalne obciążenie. Na wzburzonym morzu takie przeładowanie mogło spowodować zatonięcie statku, było więc ryzykowne, ale za to strategicznie uzasadnione. I dowództwo, i ewakuowani ludzie poważnie się obawiali, że Sowieci nagle wstrzymają kontrolowane przez siebie transporty. Z tego powodu wojskowi popierali okrętowanie jak największej liczby cywili. Było bardzo ważne, żeby wydostać z tej ziemi wszystkich, którym udało się dotrzeć do Krasnowodzka. Podobnie jak inni, baliśmy się z Zosią i mamą, że statek może zatonąć, ale tak samo jak inni chcieliśmy podjąć ryzyko. Ponad dwa długie lata żyliśmy w Związku Radzieckim w lęku o własne życie i strach przed zatonięciem na Morzu Kaspijskim wydawał się w tej chwili niską ceną za szansę na wolność.

Rozlokowaliśmy się na przednim pokładzie statku, tuż przy wysokim kominie, o który mogliśmy się oprzeć. Kilka godzin później po raz pierwszy w życiu oglądałem z płynącego statku piękno słońca zachodzącego nad otwartym morzem. Przestroga starego pana Pietrowicza: „Ze Związku Radzieckiego nikt się nie wydostaje. Nikt. Komuniści prędzej zabiją człowieka, niż dadzą mu wyjechać" – w końcu okazała się nieprawdziwa.

Statek miał na śródokręciu otwartą ładownię. Z obu jej stron znajdowały się schody prowadzące na dół, a także do góry, umożliwiając dostęp do wyższych pokładów na dziobie i na rufie. Toalety zarezerwowane były dla załogi, a dla pasażerów przeznaczono do tego celu odgrodzony fragment burty statku. Do relingów zamocowana była gruba lina do trzymania się podczas oddawania moczu lub wypróżniania się poza burtę. Było to szczególnie niebezpieczne dla osób starych, małych dzieci, dla chorych i dla setek ludzi osłabionych biegunką. Wiele osób wypadło za burtę i utonęło w morzu w ciągu kilku pierwszych godzin podróży. Statek jednak płynął dalej. Gdyby zaczął wytracać prędkość, mógłby się przewrócić przy takim przeładowaniu.

Mama była fizycznie i psychicznie wyczerpana tym wszystkim, przez co musieliśmy przejść, ale wciąż kręciła się wokół mnie i Zosi jak kwoka wokół swoich kurcząt. W pierwszej kolejności zelektryzowały ją informacje o utonięciach. Natychmiast zakazała mi załatwiać się w wydzielonym miejscu i wyjąwszy garnuszek, oznajmiła, że mam dwa wyjścia – albo używać garnka, albo moczyć spodnie. Skuliłem się. Przenigdy nie zmoczyłbym spodni, ale załatwiać się w obecności tylu ludzi, w tym kobiet i dziewcząt, też nie mogłem.

Kiedy nie mogłem już dłużej wytrzymać, poprosiłem mamę, żeby zaprowadziła mnie do wydzielonej strefy. Ale wtedy uświadomiłem sobie, że aby tam dojść, trzeba najpierw kluczyć między ludźmi, przeciskać się, przeskakiwać przez leżących, jednym słowem, mógłbym nie zdążyć. Nie było wyboru. Musiałem załatwić się do garnuszka, chowając się za mamę, zasłaniającą mnie przed tymi wszystkimi ludźmi. Zawartość garnuszka wylana została następnie za burtę.

Zbliżała się noc. Znowu musiałem się załatwić. Zauważyłem jednak, że mama z Zosią się zdrzemnęły. Ludzie, nie mając dość miejsca, żeby się położyć, najczęściej siedzieli i rozmawiali. Nie mogłem się zdecydować na powtórzenie tej samej procedury, więc ruszyłem w stronę wydzielonego miejsca po drugiej stronie statku, manewrując w tłumie, omijając i przestępując ludzi rozłożonych pokotem na podłodze. Zszedłem po schodach do ładowni i kiedy byłem w połowie drogi, poczułem, że nie dam rady już dłużej kontrolować pęcherza i muszę czym prędzej wrócić i skorzystać jednak z garnka. W desperacji cofnąłem się przez ładownię, ale doszedłem zaledwie do połowy schodów, kiedy poczułem, że spodnie robią mi się mokre. Strużki ściekające mi po nogach kapały wprost na żołnierzy siedzących i śpiących poniżej, którzy od razu poznali po zapachu i cieple, co pada na nich z góry, i zaczęli krzyczeć na mnie z oburzeniem. Upokorzony popędziłem z powrotem do komina, gdzie mama z Zosią nadal spały. Modliłem się, żeby spodnie wyschły do rana.

Następnego dnia zrozumiałem, że zachowałem się raczej nietypowo. W nocy ludzie podchodzili po prostu gdziekolwiek do relingu i załatwiali się, nie zwracając na nic uwagi. Burty statku pokryte zostały po obu stronach moczem, ekskrementami i krwią chorych na dyzenterię. Wkoło widać też było ludzi leżących we własnych odchodach, obsiadłych przez muchy. Byli zbyt chorzy, żeby wstać. Na dodatek na statku skończyła się woda pitna, a upał stawał się coraz nieznośniejszy, im dalej posuwaliśmy się na południe, ku portowi Pahlevi.

Płynęliśmy prawie dwa dni. Kiedy byliśmy na miejscu, Persowie nie wpuścili *Kaganowicza* do portu. Bali się wybuchu epidemii, ponieważ cały pokład statku oblepiony był odchodami pasażerów. Musieliśmy zakotwiczyć na morzu. Ostatni odcinek podróży pokonaliśmy w łodziach brytyjskiej marynarki wojennej. A potem nastąpiła chwila, w której polscy uchodźcy ze Związku Radzieckiego przeszli pod ochronę króla Anglii. Po raz pierwszy zobaczyłem brytyjski mundur i ogarnęły mnie podziw i wdzięczność.

Mama, Zosia i ja zeszliśmy na złote piaski plaży w Pahlevi. Ubrania, które mieliśmy na sobie od czasu wyruszenia z Semiozierska, były obdarte, bardzo brudne i cuchnące. Mama miała włosy w nieładzie, twarz pooraną zmarszczkami i postarzałą, ale wciąż kurczowo ściskała brązową papierową torbę i uniwersalny garnuszek. Z trudnością stawiała kroki z wyczerpania. Ale było w niej coś, co się nie zmieniło. Jej oczy płonęły miłością i nadzieją. Właśnie to trzymało nas wszystkich przy życiu.

Część V

GORZKI SMAK WOLNOŚCI

Ostateczna ofiara matki złożona za wolność dzieci. Anna Adamczyk zmarła 18 października 1942 roku i została pochowana na cmentarzu Dulab w Teheranie.

Rozdział 18

Plaża w Pahlevi

Miało minąć trochę czasu, zanim zobaczyliśmy prawdziwe życie w Persji. Ale od chwili, gdy zeszliśmy z brytyjskiej łodzi w ów gorący, słoneczny dzień późnego sierpnia 1942 roku, poczuliśmy się bezpieczni po raz pierwszy od czasu deportacji.

Nie mieliśmy ze sobą prawie nic oprócz zbytecznego bagażu wszy, pluskiew i trapiących nas chorób. Rozebrani do naga musieliśmy wejść pod prysznice ze środkami do dezynsekcji i odwszawiania. Tym, u których znaleziono wszy i gnidy, ogolono włosy. Spalono też wszystko, w co byliśmy ubrani, i otrzymaliśmy całkowicie nową odzież. Zarządzono co najmniej dwutygodniową kwarantannę dla każdego. Nie musieliśmy daleko podróżować do naszych tymczasowych kwater. Znajdowały się wprost na plaży, w odległości zaledwie kilkuset metrów. Czekały tam na nas posłania na piasku oraz maty z palmowych liści rozpięte na słupach, chroniące przed palącym słońcem. W każdej takiej wiacie znajdowało zakwaterowanie od pięćdziesięciu do sześćdziesięciu osób, które spały w dwóch rzędach, głową do głowy. Do snu kołysał nas szum fal omywających plażę, morze było bardzo blisko.

W odległości niecałych dwóch kilometrów leżało miasto Pahlevi. Gdy Persowie przywitali nas egzotycznym poczęstunkiem, z niedowierzaniem patrzyli na nasze wychudzone ciała i zadawali mnóstwo pytań. Dlaczego tysiące Polaków opuszcza Związek Radziecki i skąd się w ogóle tam wzięli? Dlaczego tylu umiera i tylu innych choruje? Dlaczego i jak wyjechaliśmy ze swojego kraju? Czemu jest tak wiele sierot? Persowie z przerażeniem słuchali o uwięzieniu i głodzie w ZSRR. Relacje potwierdzał nie tylko nasz wygląd i choroby, które przywieźliśmy ze sobą, ale także liczba ludzi zmarłych tuż po przybyciu. Sześćset pięćdziesiąt osób spośród uciekinierów nie zdołało zaznać wolności. Pochowano ich na polskim cmentarzu w Pahlevi.

Tymczasem rząd sowiecki zareagował na tę sytuację przebiegłą kampanią polityczną. Za stan, w jakim znajdują się ewakuowani, mieli według niego ponosić winę Niemcy. Sowieci jedynie przyjęli tych ludzi do siebie, aby im pomóc, z wielkim poświęceniem i ponosząc wielkie koszty, jak podawali. Niedorzeczność tych twierdzeń była oczywista i dziwiło nas, że przywódcy sowieccy uważają świat za aż tak łatwowierny.

Radosny nastrój wywołany odzyskaniem wolności wkrótce przyhamowały nieco deszcze. Palmowe liście nie wystarczały już jako ochrona przed gwałtownymi ulewami. Na dodatek warunki sprzyjały szerzeniu się dyzenterii, tyfusu, duru brzusznego oraz najróżniejszych wysypek. Wielu z nas było tak słabych, że nie miało siły dotrzeć do latryny i musiało załatwiać swe potrzeby w pobliżu obozu albo wręcz na jego terenie. Ci, którym zakończyła się kwarantanna, przesiedlani byli w pobliże Teheranu. Codziennie opuszczali ciężarówkami nasz obóz, a mimo to liczba ludzi na plaży zdawała się wciąż rosnąć.

Nie potrafię określić, ile dokładnie dni spędziliśmy na plaży, zanim mama się rozchorowała. Lekarz zbadał ją i powiedział, że musi się przenieść do oddziału dla zakaźnie chorych. Nie zapomnę popołudnia, kiedy wojskowe ciężarówki przyjechały zabrać pacjentów. Mama robiła wszystko, by wsiąść ostatnia, a gdy samochód ruszył, patrzyła na Zosię i na mnie i cały czas machała nam, dopóki ciężarówka nie zniknęła nam z oczu. Wiedziałem, dlaczego zwlekała z wsiadaniem na ciężarówkę. Chciała być pierwsza od brzegu, żeby móc jak najdłużej widzieć swoje dzieci. Auto powoli znikało w oddali, a my zanosiliśmy się płaczem, kurczowo ściskając się za ręce.

Po paru dniach i ja zapadłem na jakąś poważną chorobę i straciłem przytomność. Odesłano mnie na dziecięcy oddział prowizorycznego szpitala na plaży, oddalonego o kilka kilometrów, który prowadzili polscy lekarze i pielęgniarki. Gdy po tygodniu z okładem doszedłem trochę do siebie, zacząłem pytać, gdzie są mama i siostra. Żadna z pielęgniarek nic jednak nie umiała powiedzieć. Uświadomiłem sobie, że oto znajduję się na perskiej plaży pośród chorych dzieci, nie mając najmniejszego pojęcia, co się dzieje z moją rodziną. Gdy tylko nabrałem nieco sił, wymknąłem się z namiotu i ruszyłem w kierunku obozu, w którym byliśmy zakwaterowani. Na miejscu znalazłem resztki mat z liści palmowych, słupy i mokre ślady fal. W obozie nie było nikogo. Stałem samotnie na plaży, wpatrując się w jałowy piasek, bezkresne morze i niebo. Towarzyszyły mi tylko mewy. Najpierw zdusiłem łzy. A potem płakałem i płakałem, łzy wsiąkały w ziemię. Myślałem, jak to jest, że zaledwie kilka lat temu miałem wszystko, czego dziecko może chcieć i potrzebować. A teraz mojego ojca nie ma, a mama choruje i być może umiera. Nie wiadomo, gdzie są brat i siostra. Czułem się samotny i opuszczony tak bardzo, iż myślałem, że nawet Bóg o mnie zapomniał.

Nie pozostało mi nic innego, jak wrócić do szpitala. Na miejscu, zapuchnięty od płaczu, zapytałem, co się stało z ludźmi z obozu na plaży. Pielęgniarka wyjaśniła, że kwarantanna się zakończyła i ludzi przewieziono do obozów w Teheranie. Powiedziała też, że za kilka dni ewakuowany będzie również cały szpital dziecięcy. Byłem zdruzgotany. Co będzie ze mną? Czy kiedykolwiek jeszcze zobaczę swoją rodzinę?

Rozdział 19

Hangar

Gdy nadszedł czas wyjazdu do Teheranu, musiałem znowu stawić czoło podróży, tym razem bez mamy i bez siostry. Jechać mieliśmy ciężarówkami armii brytyjskiej, prowadzonymi przez Ormian lub Persów i osłanianymi przez polskich żołnierzy. Nasz kierowca wiózł nas przez góry Elburs, oddzielające Teheran od Morza Kaspijskiego.

W miarę jak ciężarówka wspinała się na coraz wyższe zbocza, pogłębiały się wąwozy i przepaście. Słynna droga do Hamadanu wykuta była w skale i tak wąska, że na wielu odcinkach miejsca starczało dla zaledwie jednego pojazdu. Patrząc w dół, widziało się roztrzaskane wraki i szczątki ludzkich szkieletów. Koła naszej ciężarówki często niebezpiecznie się zbliżały do samej krawędzi drogi, a na dodatek jechaliśmy zdecydowanie zbyt szybko. Wszyscy byliśmy przerażeni i niektórzy zaczęli prosić kierowcę, aby zwolnił. On jednak ignorował wszelkie prośby. W jego oddechu czuć było alkohol. Trzeba coś zrobić, pomyślałem, ale czy może cokolwiek zdziałać mały chłopiec, jeśli kierowca nie zareagował na uwagi dorosłych?

Wtedy przypomniałem sobie, w jaki sposób mama układała plan ucieczki. Żeby przechytrzyć NKWD, zaczęła najpierw analizować ich zachowanie. Pomyślałem, że gdyby kierowca obawiał się o własne życie, być może jechałby ostrożniej. Usiadłem tuż za metalową kratą, oddzielającą kabinę od przyczepy. Było mi jeszcze coś potrzebne. Rozejrzałem się dookoła i znalazłem mały kawałek blachy. Gdy przejeżdżaliśmy zbyt blisko urwiska, zacząłem drapać nim o kratę, co dało tępy odgłos, jakby coś się łamało. Kierowca zatrzymał silnik i wysiadł, by sprawdzić, co się dzieje. Nic nie znalazł, a ja odetchnąłem z ulgą. Powtarzałem skrobanie za każdym razem, gdy przejeżdżaliśmy nad niebezpiecznym wąwozem. Kierowca stawał się coraz bardziej podejrzliwy, wreszcie zaczął przepytywać wszystkich pasażerów.

Kiedy przyszła moja kolej, spojrzałem mężczyźnie prosto w oczy i powiedziałem, że nic nie wiem. Uważałem, że nie należy kłamać, ale tym razem trzeba było, żeby przeżyć. Ludzie, którzy przecież widzieli, co robię, także oznajmili, że nie wiedzą, skąd ten odgłos. Od tej chwili kierowca zaczął jechać ostrożniej, a w niebezpiecznych miejscach po prostu się wlókł.

Gdy przejechaliśmy przez góry, dorośli w ciężarówce podziękowali mi, że podstępem zmusiłem kierowcę do zwolnienia. Oni także bali się o swoje życie.

Dla polskich uchodźców przeznaczono pięć obozów na przedmieściach Teheranu. My byliśmy ostatnim transportem i po przybyciu na miejsce zostaliśmy zawiezieni najpierw do wielkiego hangaru perskich wojsk lotniczych, który służył jako tymczasowy punkt przesiedleńczy. Mieliśmy przeczekać tutaj, dopóki nie będziemy mogli zamieszkać w nowych barakach, które były jeszcze w budowie.

W hangarze znajdowały się już setki ludzi siedzących lub leżących na betonowej podłodze. Rozglądałem się dookoła i nie widziałem żadnego wolnego miejsca, które mógłbym zająć. Jakaś kobieta zauważyła moją bezradność i zainteresowała się, czy jestem sam. Usłyszałem, jak po raz pierwszy na głos potwierdzam swoje nieszczęście i osamotnienie.

– W takim razie przyłącz się do nas – zaproponowała. Miała troje własnych dzieci mniej więcej w moim wieku oraz dwa koce. Jeden rozłożyliśmy na betonowej posadzce, a drugi zostawiliśmy jako przykrycie.

Garkuchnia znajdowała się w pewnym oddaleniu, ale dochodził z niej tak mocny i ciężki zapach tłustej baraniny, gotowanej w wielkich polowych kotłach, że na myśl o jedzeniu dostawałem mdłości. Stanąłem jednak w kolejce po swoją porcję. Kiedy doszedłem do kotła, buchnęła na mnie para o ostrym zapachu roztopionego tłuszczu. Stara, postawna kobieta zaczerpnęła tłustą masę z kaszy i baraniny.

– Czy mógłbym dostać mniej baraniny, a więcej chleba? – zapytałem nieśmiało.

Popatrzyła zdziwiona, ale nałożyła pół przydziałowej porcji i dała w zamian trzy dodatkowe pajdy.

– Pamiętaj, chłopcze, po Związku Sowieckim trzeba jeść więcej mięsa niż chleba, by nabrać ciała i siły – poradziła.

Podziękowałem grzecznie. Znalazłem sobie jakieś miejsce do siedzenia, a kiedy skończyłem jeść, ustawiłem się przy beczce z wrzątkiem, by umyć miskę i sztućce. Wtedy podszedł sporo większy chłopiec i mocno mnie popchnął. Prawie bym upadł. Łapiąc równowagę, ochlapałem sobie rękę wrzątkiem.

– Z drogi, chudy – burknął. – Teraz ja tu myję.

Bolała mnie nie tylko ręka, ale też zranione uczucia. Chłopak mnie zaskoczył. Byłem zmieszany i przestraszony i nie wiedziałem, jak się zachować. Ludzie dookoła patrzyli, ale nie reagowali. Nie chcąc się wdawać z nim w bójkę, odszedłem.

Następnego dnia sytuacja się powtórzyła. Znowu ludzie patrzyli, ale nikt nic nie powiedział. Nikt nie stawał w mojej obronie. Miałem tego dosyć. Zapytałem drania:

– Czy matka nigdy nie uczyła cię grzeczności?

– Nie! Ale przynajmniej mnie nie porzuciła tak jak twoja ciebie – odpowiedział i zaczął się śmiać.

Wszystko się we mnie zagotowało z gniewu, ale i tym razem odszedłem. Następnego dnia rano zbudziłem się jednak z silnym postanowieniem, że muszę przejąć inicjatywę, cokolwiek by to miało oznaczać. Chociaż ze strachu ściskało mnie w dołku, tak czy inaczej musiałem położyć kres temu dokuczaniu. Kiedy nadszedł czas posiłku, byłem gotów. Skończyłem jeść i wstałem, trzymając przybory do jedzenia w lewej ręce. Łobuz jak zwykle skądś się wynurzył, zastępując mi drogę i obrzucając mnie wyzwiskami. Spojrzałem chłopakowi prosto w oczy, zaciskając prawą pięść. Podskoczyła mi adrenalina. Przyłożyłem mu z całej siły, prosto w usta i nos. Pękła mu warga. Z nosa na twarz i ubranie polała się krew. Chłopak zakrył usta ręką, potem spojrzał na zakrwawioną dłoń i uciekł.

Ludzie wokół zaczęli bić brawo – ci sami ludzie, którzy nie zrobili nic, kiedy potrzebowałem pomocy. Po raz drugi w ciągu trzech dni stałem między nimi, nie wiedząc, co powiedzieć. Zastanawiałem się, jak zareagowaliby rodzice, widząc, że zachowanie tak sprzeczne z wpajanymi nam zasadami wywołuje tak głośny aplauz. Ale od tej chwili stałem się innym człowiekiem. Otrzymałem pierwszą prawdziwą lekcję przetrwania. A chłopak przestał mnie w końcu zaczepiać.

Miła dyżurna pielęgniarka opatrzyła mi ręce. Stłuczenie na prawej było gorsze niż kilka niewielkich pęcherzy na lewej. Na współczujące pytanie, co się stało, odpowiedziałem, że miałem wypadek.

– Na obu rękach jednocześnie? – zapytała, spoglądając na mnie. Oczy zaszły mi łzami i nie wiedziałem, co odpowiedzieć. Po chwili pielęgniarka mówiła dalej: – Teraz możesz już iść, ale przyjdź pokazać się za dwa dni. Na pewno będziesz lepiej się czuł i może zechcesz opowiedzieć, co się stało.

Więcej do niej nie poszedłem.

Około tygodnia po moim przyjeździe do Teheranu władze obozu zorganizowały dla uchodźców ognisko z programem artystycznym dla uczczenia odzyskania wolności. Postanowiłem pójść, ponieważ stwarzało to dobrą okazję do poszukiwania mamy i siostry. Ludzie siedzieli w czterech rzędach dookoła ogniska. Chodziłem wzdłuż rzędów, próbując w ciemności rozpoznać siedzących. Poszukiwanie dwóch osób, kiedy wszyscy siedzą tyłem do ciebie, a dookoła jest ciemno, szybko wydało mi się skazane na porażkę, ale nie dawałem za wygraną.

Zrobiło się późno. Zakończyło się śpiewanie, ognisko dogasało, a ja byłem coraz bardziej zmęczony. Kiedy ludzie zaczęli się rozchodzić, podszedłem bliżej do ognia, podziwiając resztki wspaniałych, roztańczonych płomieni. Miałem właśnie usiąść, by dać chwilę odpocząć nogom, gdy nagle usłyszałem znajomy głos. Gwałtownie się obróciłem i przysłuchiwałem przez chwilę.

– Zosia?!!

Siostra zerwała się i zachłysnęła z niedowierzania.

– Mój Boże! To naprawdę ty, Wiesiu?! – krzyknęła.

Zanim cokolwiek zdążyłem odpowiedzieć, ściskaliśmy się z wielkiej radości. Przez wszystkie te godziny, gdy ja szukałem jej i mamy, Zosia tak samo poszukiwała mnie. Opowiadała, jak codziennie próbowała ustalić, czy nadal jesteśmy w którymś ze szpitali w Pahlevi czy już w Teheranie, i jak trudno znaleźć człowieka w takiej ustawicznie przemieszczającej się ciżbie. W ciągu trzech tygodni ponad siedemdziesiąt tysięcy ludzi przekroczyło Morze Kaspijskie i urzędnicy nie nadążali z rejestracją. W obozie były dostępne pewne – ograniczone – środki transportu, ale poszukiwania w szpitalach i rozrzuconych obozach Zosia prowadziła najczęściej piechotą. Była to bardzo powolna metoda i siostra ogromnie się ucieszyła, że wreszcie się znaleźliśmy i dalej będziemy mogli szukać mamy wspólnie.

Było coraz później. Uznaliśmy, że najlepiej dla mnie będzie wrócić do hangaru jeszcze na tę jedną noc. Następnego dnia siostra załatwiła z polską administracją obozu niezbędne formalności i mogłem się przenieść do jej baraku.

Baraki pośrodku przedzielone były wzdłuż cienką ścianką, po której obu stronach biegły rzędy desek służących jako miejsca do spania. Przydzielono nam wąską przestrzeń, tyle tylko, ile potrzeba było, żeby się położyć. Pod deskami można było trzymać swoje rzeczy. Wzdłuż ścian zewnętrznych biegły wąskie przejścia. Nie było żadnych dodatkowych ścianek działowych. Po obu stronach spali obok nas obcy ludzie. Nieznani sobie mężczyźni, kobiety i dzieci żyli i spali jedno obok drugiego. Każdej osobie przysługiwały dwa koce, jeden do posłania na spód, a drugi jako przykrycie.

Kobietom było znacznie trudniej, ponieważ wstydliwość nakazywała im przebierać się pod kocem. Dla mężczyzn i chłopców stanowiło to czasami przedmiot żartu i śmiechu. Od czasu do czasu skrępowanej kobiecie zsuwał się koc podczas zmiany bielizny, odsłaniając nagie ciało i wywołując niedyskretny śmiech płci przeciwnej. Ja też się śmiałem przy takich okazjach. Natura jednakże dbała o równowagę. Rano oznaki niejednej męskiej erekcji pod kocem wywoływały chichot dziewcząt i kobiet.

Nieopodal baraków w wielkich kotłach polowych gotowano dla nas tłustą baraninę i kaszę. To było danie, które wraz z chlebem stanowiło naszą dzienną rację żywnościową. Wielu ludzi, pozbawionych z górą dwa lata w Związku Radzieckim jakichkolwiek owoców, nie mogło jednak odmówić sobie sięgania także po morwy, figi, daktyle i granaty, które bujnie obradzały w perskim klimacie. Zosia jednak przestrzegła mnie, że jeśli ktoś cierpiał głód, to najgorszym, co może uczynić, jest jeść i pić takie rzeczy, do których nie jest przyzwyczajony, ponieważ może to spowodować poważne dolegliwości żołądka, ze śmiercią włącznie. Postępowałem więc tak jak ona, i nie jadłem nic oprócz chleba i gotowanej kaszy, a piłem tylko przegotowaną wodę.

Minął tydzień, odkąd przeprowadziłem się do Zosi. W obozie zorganizowano lekcje dla dzieci wszystkich grup wiekowych. Polski zarząd obozu chciał za wszelką cenę stworzyć dla umysłowo i fizycznie zaniedbanych dzieci choćby pozory normalnego życia. Nie było problemu z kadrą nauczycielską, ponieważ pracownicy szkolnictwa stanowili jedną z pierwszych grup polskiego społeczeństwa, wytypowaną do deportacji. W takich to okolicznościach, w wieku dziewięciu i pół roku, rozpocząłem pierwszą regularną naukę szkolną. Większość dzieci w mojej klasie, tak jak ja, straciło około dwóch lat szkoły, ale ich doświadczenia były często inne od moich. Wiele z nich deportowano z rodzicami lub jednym z rodziców, na północ Związku Radzieckiego albo do łagrów na Syberii, gdzie szkół w ogóle nie było.

Nauczyciele na początku zadawali mnóstwo pytań na różne tematy. Chcieli sprawdzić, w jakim stopniu mamy opanowaną wiedzę elementarną, aby zadecydować, czego i w jaki sposób mamy być nauczani. Okazało się, ku memu zaskoczeniu oraz radości, że w przeciwieństwie do większości dzieci w mojej klasie podnosiłem rękę przy prawie każdym pytaniu. Dopiero po pewnym czasie zrozumiałem, że wielu kolegów w klasie cechuje skrytość i izolacja, spowodowane ciężkimi przeżyciami. Cechy te ujawniały się szczególnie w obecności dorosłych. W ich zachowaniu wyraźnie było widać skutki pozbawienia domu oraz wielu tragedii doświadczonych w Związku Radzieckim: siedzieli w klasie nieruchomo, unikali rozmów i nauki oraz jakiegokolwiek uczestnictwa w grupowych zajęciach; niektórzy stronili nawet od jakichkolwiek zabaw po lekcjach.

Oprócz klas powołano do życia drużyny harcerskie dla chłopców i dziewcząt, do których przynależność była obowiązkowa. Zadbano także o dostęp do praktyk religijnych, zakazanych w ZSRR. Zosia zachęcała mnie do uczestnictwa w niedzielnych mszach, odprawianych pod gołym niebem. Ja jednak zacząłem się w duchu buntować. Nie chcąc rozczarować siostry, poszedłem raz na nabożeństwo, ale nie zostałem nawet do końca. Stałem z tyłu za wielkim tłumem wiernych i patrzyłem, jak na perskim piasku tłum klęka, wznosząc w modlitwie ręce i wzrok ku niebiosom. Nie umiałem jednak pojąć, dlaczego wychwalają Pana ludzie, którzy potracili domy i ojczyznę, a często także swoich najbliższych, ukochanych, bestialsko zabitych albo zabranych przez chorobę. Od tego tylko wzrastał chaos i zamęt w mojej duszy co do spraw między ludźmi i Bogiem.

Uchodźcy w dużej liczbie zapadali na dyzenterię, powodującą utratę krwi i innych płynów fizjologicznych i często kończącą się śmiercią. Niedożywienie i niehigieniczne warunki sprzyjały zarażeniu się bakteriami wywołującymi tę chorobę. Korzystając z wielkich publicznych latryn, mogłem zobaczyć na własne oczy, czym jest dyzenteria. Pierwsze objawy choroby to silny ból żołądka, gorączka i nieustanna potrzeba wypróżnienia. Podczas męczarni zaawansowanych stadiów ofiara wydala krwiste odchody. Ponieważ nie ma już czego wydalać, oddaje, zmuszona nieustannym parciem, krwisty śluz albo żółć, które wydzielają straszny zapach. W obozie widok cierpiących ludzi różnił się od tego, co można było zobaczyć na statku, gdzie odchody znikały za burtą. Widziałem raz, jak biedni, dotknięci chorobą ludzie dosłownie czołgali się do latryn. Nie starczało im sił i wydalali pod siebie, brudząc się odchodami. Muchy roiły się dookoła. Kilka dni takich widoków i miałem dość korzystania z publicznych latryn. By się załatwić, szedłem spory kawałek poza obóz. Przeżyłem niewolę w Związku Radzieckim i nie zamierzałem się rozstawać z tym światem za sprawą dyzenterii albo innej zakaźnej choroby. Jednakże najbardziej się obawiałem nie tego, że się śmiertelnie zarażę, ile tego, że stanie się to, zanim odnajdziemy mamę.

Rozdział 20

Najczarniejsza godzina

Każdego dnia od wczesnego rana do późnego popołudnia Zosia wytrwale próbowała odnaleźć mamę, jednak bez powodzenia. Poszukiwania pochłonęły ją całkowicie. Żaden z urzędników nie był w stanie określić, czy mama jest wciąż w szpitalu w Pahlevi, czy też może przeniesiono ją do Teheranu – do któregoś z obozów albo do któregoś ze zlokalizowanych w sąsiedztwie obozów szpitali.

Zosia nie zabierała mnie ze sobą, chociaż zawsze ją o to prosiłem. Odmawiała nie dlatego, że zacząłem uczęszczać do obozowej szkoły. Chodziło raczej o to, jak wyjaśniła, że wielu uchodźców codziennie umiera na zakaźne choroby i lepiej nie narażać mnie na dodatkowy kontakt z nimi.

– Wystarczy, że jedno z nas szuka mamy – zadecydowała.

Skoro nie mogłem jej towarzyszyć, dokładałem starań, by codziennie witać ją, kiedy wracała, i czekałem, pełen niepokoju modląc się o pomyślne wieści. Pewnego popołudnia, jak zazwyczaj, wyszedłem z baraku, żeby wyglądać powrotu Zosi. Słońce ścinało z nóg, a gorące powietrze parzyło płuca. Wybiła druga godzina i minęła, potem trzecia i czwarta. Zosi nie było wciąż widać. Co pewien czas chroniłem się przed palącymi promieniami słońca wewnątrz baraku, gdzie też było gorąco, ale przynajmniej panował cień. Co zatrzymało Zosię tak długo?

Jej opóźnienie może oznaczać dobrą wiadomość, pomyślałem. Co, jeśli nie odnalezienie mamy, mogłoby ją tak długo zatrzymać?

W miarę jak upływał czas, mój niepokój się zmieniał w oczekiwanie. Kolejny raz wyszedłem na zewnątrz i nagle zobaczyłem siostrę z daleka. Szła powoli, niosąc coś w prawej ręce. Złaknioný dobrych wiadomości wybiegłem jej naprzeciw. Siostra musiała mnie dostrzec, ale nie uczyniła nic i nie przyśpieszyła kroku. Poczułem niepokój i lęk. Kiedy zmniejszyła się odległość między nami, zdołałem rozpoznać, co niesie. Była to para butów, butów naszej mamy. Dobrze je znałem. Były to jedyne buty, jakie jej zostały. W jednej chwili zrozumiałem, co się stało, i gwałtownie się zatrzymałem. Wieczność minęła, zanim Zosia do mnie w końcu doszła. Czarne włosy, takie same jak mamy, miała potargane, oczy spuchnięte od łez. Chrapliwym, ledwie słyszalnym głosem powiedziała:

– Wiesiu, nasza mama umarła.

Był 18 października 1942 roku. Mama miała czterdzieści pięć lat.

Z kieszeni bluzki Zosia wyciągnęła kolczyki mamy oraz jej złotą ślubną obrączkę i powiedziała poprzez łzy:

– Razem ze znoszonymi butami to jest cały ziemski dobytek mamy, jaki miała w chwili śmierci. Przechowam go dla nas. – Zrobiła przerwę. Miała zaledwie piętnaście lat, ale oznajmiła: – Teraz ja będę twoją przybraną matką.

Jej słowa wirowały mi w głowie. Byłem zagubiony i oniemiały. Kiedy Zosia wzięła mnie za rękę, zdołałem jedynie szepnąć: „Dziękuję ci, Zosiu".

Weszliśmy do baraku i usiedliśmy obok siebie na drewnianej pryczy, która była naszym przydziałowym kawałkiem świata. Przez długi czas płakaliśmy. W końcu zdobyłem się na odwagę, by zadać pytania, które musiałem zadać.

– Zosiu – zacząłem – czy mogłaś porozmawiać z mamą i dodać jej otuchy przed śmiercią?

– Nie, Wiesiu. Mama umarła mniej więcej godzinę przedtem, zanim ją znalazłam. Tak mi smutno – załkała.

– Na co mama zmarła?

– Lekarz powiedział, że to była dyzenteria, malaria, osłabione serce i ogólne wycieńczenie.

Dopadły ją skutki walki o nasze przeżycie i wyprowadzenie nas na wolność. Poświęciła życie, żeby nas ratować, a my nie mogliśmy w żaden sposób jej tego wynagrodzić. Żebym chociaż mógł być przy niej w chwili śmierci...

– Zosiu, czy dusza mamy poszła prosto do nieba?

Zosia ujęła moje dłonie w swoje ręce i spojrzała na mnie z wielką czułością. Jej oczy były tak bardzo mamine...

– Kochany Wiesiulku – szepnęła, przełykając łzy. – Znasz odpowiedź. Dusza mamy już jest w niebie. Zawsze pamiętaj, że nasza mama będzie czuwać z góry nad nami, tak jak to robiła tutaj, na ziemi. Będzie nas prowadzić przez resztę życia.

Westchnąłem głęboko.

– Dziękuję, Zosiu. I ja w to wierzę, ale chciałem usłyszeć to od ciebie.

Mama została pochowana następnego dnia. Ani Zosia, ani ja nie mieliśmy odświętnego ubrania. Nosiliśmy cały czas odzież, którą dano nam po odwszeniu. Ja chodziłem w wymiętych krótkich spodenkach koloru khaki, koszulce z krótkimi rękawami i zdezelowanych sandałach, a Zosia nie wyglądała wcale lepiej. Było nam smutno i wstyd iść jak żebracy na pogrzeb mamy, ale nie mieliśmy wyboru. Nie mieliśmy też złamanego grosza, żeby kupić choćby najmniejszy bukiecik kwiatów. Mama zrozumiałaby. W kieszeniach było pusto, ale serca przepełniały nam po brzegi ból, smutek i miłość.

Na cmentarz pojechaliśmy ciężarówką. Był to niedawno otwarty polski cmentarz, wydzielony na terenie perskiej nekropolii Dulab we wschodniej części Teheranu, na peryferiach miasta. Niewiele pamiętam z tej podróży. Jedyne, o czym mogłem myśleć, to o mamie, zmarłej i chowanej na perskiej ziemi. Staliśmy na cmentarzu już około półgodziny, kiedy ciężarówki przywiozły drewniane trumny. Zapytałem człowieka, który wydawał się za wszystko odpowiedzialny, czy mogę spojrzeć ostatni raz na mamę, nie widziałem jej bowiem od dwóch miesięcy. Ale on powiedział, że trumny zabite są gwoździami i nie można ich otwierać z obawy przed rozprzestrzenianiem się chorób. Załamany i bezsilny zebrałem się do odejścia. Po kilku krokach jednak się zatrzymałem i postanowiłem zawrócić. Może on mnie nie zrozumiał. To moją własną matkę chcę ujrzeć ostatni raz i jest mi wszystko jedno, czy się zarażę czy nie.

– Proszę pana, tak bardzo pana proszę – błagałem. – Proszę zrobić to dla mnie, na króciutką chwilę, tylko żebym mógł się pożegnać z mamą. Może mama jeszcze słyszy.

Przez moment się zawahał.

– Bardzo mi przykro, chłopcze, ale taki mam rozkaz – odparł.

Otarłem łzy wierzchem dłoni i poszedłem z powrotem do siostry, stojącej przy grobie. Nie powiedziałem nic. Patrzyliśmy w milczeniu, jak trumna mamy wkładana jest do ziemi. Myślałem nad tym, jak wygląda umieranie, ostatnie godziny, ostatnie minuty i ostatnie sekundy. Co się dzieje z człowiekiem? Czy mama do końca pamiętała, że ją kochamy? Czy umarła spokojnie? Czy jej dusza jest wciąż z nią? Czy słyszy nas? Uklękliśmy do modlitwy. Dziękowałem mamie za jej dobroć i miłość. Dziękowałem za wyprowadzenie nas na wolność. Wycierając łzy, pomyślałem o ojcu i bracie. Przynajmniej im los oszczędził cierpień tego najsmutniejszego dnia. Rozmyślałem, jak ciężko będzie mi powiedzieć im, że mama umarła, a nam się nie udało odnaleźć jej na czas i być z nią w tej strasznej godzinie. Tylko jedno będziemy mieć wytłumaczenie: że się staraliśmy. Czułem się winny, że żyję.

Zakończyło się grzebanie zmarłych i ludzie wracali do ciężarówek. Ja jednak chciałem zostać. Było to dla mnie, jakbym miał opuścić mamę w najtrudniejszej chwili. Zosia otoczyła mnie ramionami, tak samo jak dawno temu w Polsce, kiedy przyszli po nas sowieccy żołnierze.

– Chodź, Wiesiu. Nie możesz tu zostać na zawsze.

Wstałem z kolan, wciąż patrząc na grób. Zosia wzięła mnie za rękę. Poszukałem wzrokiem jej oczu, nasze spojrzenia się spotkały. Poszliśmy razem, mijając dziesiątki żałobników, klęczących z rękoma wyrzuconymi w niebo w modlitwie za swoich najbliższych. Wyszliśmy z cmentarza i skierowaliśmy się ku jednej z czekających ciężarówek, by zacząć nową podróż, samotnie. Niebo pociemniało już, gdy jechaliśmy, by samodzielnie stawić czoło nowemu światu.

Niedługo po śmierci mamy powzięliśmy z Zosią ważną decyzję. Panowała zasada, że osierocone dzieci albo wysyłano do sierocińców, albo umożliwiano im przystąpienie do kadetów, których oddziały, dla chłopców oraz dziewcząt, Armia Polska organizowała w Palestynie. Obie możliwości oznaczałyby dla nas rozdzielenie, którego chcieliśmy uniknąć. Zosia dużo czasu spędzała na staraniach, by administracja obozu pozwoliła nam jak najdłużej zatrzymać się w Persji. Chcieliśmy być bliżej Polski oraz bliżej Jurka, który stacjonował w Iraku.

Uchodźcy bez ustanku rozmawiali o możliwych docelowych miejsca pobytu. Od kilku miesięcy wyjeżdżano do wschodniej i południowej Afryki oraz do Indii. Ci, którzy mieli nadzieję na ostateczną repatriację, pozostawali na miejscu, ponieważ Teheran znajdował się bliżej domu niż jakakolwiek proponowana lokalizacja. Okazało się jednak, że pozostanie może się wiązać z ryzykiem. Władze polskie otrzymały informację od brytyjskiego wywiadu, że istnieje duże prawdopodobieństwo sowieckiej okupacji północnej Persji. Ponieważ postawiłoby to Polaków w niebezpiecznej sytuacji, zintensyfikowano wysiłki, by szybko wywieźć poza ten obszar jak największą liczbę ludzi. Naradzaliśmy się z Zosią przez wiele dni, ale ostatecznie zadecydowaliśmy pozostać. Żadne z nas nie chciało się znaleźć w jakiejś odległej dżungli pełnej węży i dzikich zwierząt. Liczyliśmy na to, że wobec obecności brytyjskiej i polskiej armii Sowieci nie ośmielą się nic nam zrobić.

Wkrótce po śmierci mamy Zosia nabawiła się zakaźnej choroby, ale nie chciała powiedzieć mi, co jej jest. Skierowana została do szpitala, a ja zostałem w obozie sam, czekając wśród obcych na jej powrót. Bolesna była nauka przetrwania, kiedy się było sierotą. Od tamtego dnia na plaży w Pahlevi codziennie musiałem się sam troszczyć o siebie, nie licząc na nikogo. Poczucie dumy kształtowało we mnie charakter samotnika. Starałem się być użyteczny dla innych i rozpaczliwie próbowałem być samowystarczalny. W ten sposób ukrywałem osamotnienie. Zosia wróciła po kilku tygodniach. Krępowała ją ogolona głowa i to, że musi nosić chustkę przez kolejne trzy miesiące, ale całą swoją energię skupiła na podnoszeniu mnie na duchu.

Rozdział 21

Niespodziewana wizyta

Pewnego kwietniowego dnia 1943 roku Zosię i mnie wywołał z lekcji sam komendant polskiego obozu, który przyjechał po nas z powodu niespodziewanej wizyty wyjątkowego gościa. Najpierw jednak musieliśmy wrócić do baraku, by się umyć i odświętnie ubrać w nasze nowe harcerskie mundury. Błagaliśmy go, by wyjawił, kto jest tym gościem, ale odmawiał. Obiecał jednak, że będziemy mile zaskoczeni.

Modliliśmy się, żeby to był ojciec, któremu się udało uciec z więzienia i odnaleźć nas. Czułem, że ma się właśnie wydarzyć cud. Nie znaliśmy przecież w Persji żadnej osobistości, wokół której robiono by tyle zamieszania. To nie mógł być nasz brat, ponieważ polscy żołnierze regularnie przyjeżdżali do rodzin na przepustki. Nie mógł to być nikt inny, jak tylko nasz ojciec.

Szykowaliśmy się z wielką niecierpliwością. Zosia nawet przygładziła mi włosy łojem i zrobiła równiutki przedziałek z lewej strony, bardzo dumna z mojego wyglądu. Czułem przypływ nadziei na spotkanie z ojcem, pierwsze od ponad trzech lat. W kwaterze otoczony adiutantami komendant przyjął nas w niewielkiej poczekalni z prawdziwą pompą. Wszystko to coraz bardziej utwierdzało mnie w przekonaniu, że gościem musi być nasz zaginiony tata. Jeden z adiutantów poszedł, by go przyprowadzić. Krótkie oczekiwanie trwało wieczność i serce wyrywało mi się z piersi. Drzwi się otworzyły. Zachłysnąłem się z niedowierzania. To nie ojciec, lecz ktoś całkowicie obcy. Moje nadzieje legły w gruzach.

W progu stała wysoka i piękna kobieta, ubrana w elegancki mundur porucznika służb sanitarnych Armii Stanów Zjednoczonych. Byliśmy zdziwieni, że tak wygląda gość, który przyjechał specjalnie do nas, i całkowicie zdumieni, gdy usłyszeliśmy z jej ust płynną polszczyznę. Kobieta przedstawiła się jako Jean Siepak, kuzynka ze Stanów Zjednoczonych, córka Marii, siostry ojca. Na widok naszego wielkiego zaskoczenia postanowiła pobudzić nam pamięć.

– Może przypominacie sobie moją siostrę Władzię, która odwiedziła was w Polsce przed wojną?

Oszołomiony nie potrafiłem przypomnieć sobie spotkania sprzed ponad pięciu lat, kiedy sam nie byłem jeszcze nawet w pełni sześciolatkiem. Ale nie miało to znaczenia. Zosia padła jej w ramiona. Obejmowały się długo, a w końcu wybuchnęły płaczem.

– Ciocia Janka z Ameryki! – zawołała Zosia i znowu rzuciła się jej w ramiona. I usłyszałem, jak natychmiast dodała: – Proszę, zabierz nas do Ameryki. Nie możemy już tutaj wytrzymać.

– Zrobię, co tylko się da, obiecuję – przyrzekła Janka. Łzy płynęły jej po policzkach. Odwróciła się do mnie, przytuliła mnie i pocałowała, a ja przywarłem do niej mocno, nie znajdując słów i szukając ukojenia.

Wydawało się, że to sama Opatrzność przyprowadziła kuzynkę Jankę do nas. Wśród tysięcy uchodźców, z których większość kierowano do Afryki, Indii, Australii i gdzie indziej, my znajdowaliśmy się w tej niewielkiej grupie, która została na miejscu. Porucznik Siepak mogła otrzymać skierowanie do każdego innego szpitala w strefie wojennej. To zdumiewające, że nas odnalazła! Nawet po tym wszystkim, przez co musieliśmy przejść, stwierdziłem, że i tak mamy wielkie szczęście, szczególnie w porównaniu z rzeszami uchodźców potrzebujących pomocy i wsparcia. Być może jednak cuda się zdarzają. Otrzymaliśmy z Zosią pozwolenie na opuszczenie obozu na kilka dni, w czasie których miała się nami zająć Janka. Przebywała właśnie szczęśliwie na urlopie, co prawda krótkim, z powodu stałego napływu wracających z frontów rannych żołnierzy.

Kuzynka pracowała jako sanitariuszka w amerykańskim szpitalu wojskowym, usytuowanym na pustyni nieopodal Ahwazu. Przed kwaterą komendy obozu czekał na nas samochód amerykańskiego Czerwonego Krzyża z przedstawicielem oraz dwoma amerykańskimi żołnierzami. Wszystko, co się działo, było takie nieoczekiwane. Żołnierze zrobili nam zdjęcie z Janką, poprosiliśmy też przygodnego przechodnia, by sfotografował nas wszystkich przy aucie. A potem pojechaliśmy do Teheranu, gdzie Janka zatrzymała się w luksusowym hotelu.

W mieście kierowca zawiózł nas najpierw prosto do dzielnicy handlowej. Podczas drogi podziwialiśmy nowoczesną architekturę, wystawy eleganckich sklepów oraz dobrze ubranych ludzi na ulicach. Mężczyźni chodzili w europejskich garniturach, białych koszulach i krawatach; większość kobiet nosiła czadory. Kierowca zatrzymał się przed sklepem, w którym Janka wyposażyła nas w nowe ubrania. Traktowani byliśmy po królewsku. Poczęstowano nas kawą w malutkich filiżankach oraz wykwintnymi perskimi ciasteczkami. Oszołomieni nowymi doświadczeniami, przebrani w nowe rzeczy, poszliśmy coś zjeść w hotelowej restauracji. Posiłek wydał się nam ucztą. Dwa lata głodowałem w robotniczym raju, tu, w Persji, żywiłem się wyłącznie tłustą baraniną z kaszą, nie mogłem więc teraz zaspokoić apetytu i trzy razy musiałem rozluźniać nowy pasek. Janka napisała później w liście do swojej mamy, że nie dawała wiary, jak wiele zdołał pochłonąć taki mały chłopiec.

W czasie obiadu kuzynka opowiadała nam o 113. amerykańskim szpitalu wojskowym, wchodzącym w skład V Armii, w którym pracowała jako instrumentariuszka. Opowiadała o tysiącach rannych amerykańskich żołnierzy, którzy z różnych stref działań wojennych przyjeżdżali do szpitala na leczenie i rekonwalescencję. Miała też nieskończenie wiele pytań na temat naszej deportacji z Polski, na temat życia w Związku Radzieckim, ucieczki oraz na temat ojca, mamy i Jurka. My z kolei pytaliśmy ją o Amerykę i krewnych. Zosię i mnie bardzo ciekawiło, w jaki sposób nas odnalazła.

Według relacji Janki, rodzina zaczęła nas szukać niemal natychmiast po deportacji. Siostra ojca, Stasia, która mieszkała pod Krakowem, napisała o tym, co się wydarzyło, do ich siostry Marii, mieszkającej w Chicago. Maria od razu rozpoczęła poszukiwania przez amerykański Czerwony Krzyż i polski konsulat. Pisała nawet do Związku Radzieckiego i do rządu polskiego na uchodźstwie w Londynie. Pod koniec lata 1942 roku Maria otrzymała wiadomość, że w marcu odbyła się ewakuacja Polaków ze Związku Radzieckiego do Persji, ale naszego nazwiska nie było na liście ewakuowanych. Kilka miesięcy później dowiedziała się o drugiej, znacznie większej ewakuacji, także na te tereny. Gdy jej córka Janka wstąpiła do służb sanitarnych Armii USA i wyjechała właśnie do Persji, Maria cały czas nie miała potwierdzonej informacji, czy znajdujemy się wśród uchodźców. Od razu po przyjeździe do Ahwazu Janka skontaktowała się z amerykańskim Czerwonym Krzyżem. Znaleźli nas szybko i kuzynka przyjechała natychmiast, gdy tylko zdołała uzyskać urlop. Najbardziej zaskoczyła nas informacją, że podjęła już starania u władz polskich, by umieścić nas na liście pasażerów transportowca na rejs do Meksyku pod koniec kwietnia. Skakaliśmy z radości, słysząc takie nowiny.

W ciągu kilku następnych dni staraliśmy się lepiej wzajemnie poznać. W końcu jednak Janka musiała wracać do Ahwazu. Odwiozła nas z powrotem do obozu i kolejny raz obiecała zrobić, co tylko się da, żeby nam pomóc. Zostawiła trochę pieniędzy, dała nam swój adres oraz adres i numer telefonu jej rodziców. Trudno było się rozstać. Adres matki i ojca Janki – 1906 North Kedzie Boulevard, Chicago, Illinois – stał się dla nas źródłem nadziei, która zagościła w naszych sercach. Marzyliśmy, żeby pojechać do wspaniałego świata, o którym opowiadała kuzynka Janka, ale jednocześnie zdawaliśmy sobie sprawę, że dopóki w Afryce i w Europie będzie wciąż szalała wojna, nie zdołamy tak szybko postawić pierwszego kroku na amerykańskiej ziemi.

Rozdział 22

Rozwiane nadzieje

Po wyjeździe Janki do Ahwazu nasze życie wróciło do dawnej obozowej rutyny. Za dnia byłem w szkole. Wieczorami się uczyłem. Karmiono nas niezmiennie baraniną, kaszą i chlebem. Nocą dużo czasu spędzaliśmy na walce z pluskwami. Pogrążony byłem w rozpaczy po stracie mamy, ale starałem się zachować to dla siebie.

Wkrótce po wyjeździe Janki władze obozowe powiadomiły nas, że pierwszy rejs dla uchodźców do Meksyku przewidziany jest na 30 kwietnia 1943 roku i, dzięki wstawiennictwu kuzynki, czeka na nas miejsce na pokładzie statku. To była bardzo dobra wiadomość, ponieważ z Meksyku łatwo mogliśmy się dostać do ciotki Marii, do Stanów Zjednoczonych.

Los jednak zadrwił sobie z nas. Kiedy mieliśmy wyruszyć w podróż do Zatoki Perskiej, by się zaokrętować, zachorowałem. Miałem wysoką gorączkę i rozpalone policzki. Lekarz, do którego zaprowadziła mnie Zosia, zobaczył czerwone plamy w gardle i na języku i odesłał mnie prosto do szpitala. Potwierdzono szkarlatynę. Pierwszy tydzień majaczyłem w gorączce i nie pamiętam prawie nic prócz tego, że miałem wysypkę na całym ciele, po której się łuszczyła skóra. Później, razem z innymi dziećmi, musiałem odbyć miesięczną kwarantannę.

Kolejny statek odpływał do Meksyku 27 czerwca 1943 roku, ale tym razem zachorowałem na malarię. Mimo że w szpitalu było niezwykle gorąco, trząsłem się z zimna pod stertą koców. I tym razem nie mogliśmy wyjechać. Dopiero znacznie później się dowiedzieliśmy, że był to ostatni statek, jaki w ogóle popłynął do Meksyku z polskimi dziećmi na pokładzie. Kolejne obiecane rejsy już nigdy po 27 czerwca się nie odbyły.

Przebyłem nie tylko szkarlatynę i malarię. Rzadko komu podczas pobytu na Bliskim Wschodzie udało się nie paść ofiarą którejś z poważnych chorób. Ja miałem szczęście. Podczas trzech lat w Persji tylko dwa razy zapadłem na malarię, raz na szkarlatynę, świnkę oraz odrę, a na plaży w Pahlevi na jakąś chorobę, której nazwy nie zapamiętałem. Malaria była z tych wszystkich chorób najbardziej uciążliwa, a szkarlatyna najbardziej niebezpieczna.

Byłem w stanie unikać publicznych latryn, aby się nie zarazić jakąś śmiertelną chorobą, ale nie miałem jak uciec przed roznoszącymi malarię komarami. Choroba zaczynała się od utraty energii oraz bólu głowy i żołądka. Potem pojawiały się dreszcze nie do opanowania, które narastały aż do wstrząsów całego ciała i szczękania zębami. Gdy po raz pierwszy się znalazłem w szpitalu z malarią, leżałem zwinięty jak embrion pod stertą koców, nie mogąc się rozgrzać i straszliwie tęskniąc do mamy. Kiedy nie miałem ataków dreszczy i gorączki, pogrążałem się we śnie i nie potrafię określić, jak wiele dni przebywałem w szpitalu. Pamiętam natomiast okropny smak chininy, którą mi podawano i którą musiałem jeszcze przez długi czas potem zażywać.

W połowie lata 1943 Zosia otrzymała list od Jurka, stacjonującego w Iraku. Zapowiedział, że przyjedzie w odwiedziny na przepustkę. Bardzo chcieliśmy się z nim spotkać. Czekałem na brata z niecierpliwością, ale byłem też w rozterce. Wciąż słyszałem pożegnalne słowa ojca i Jurka, kiedy szli do wojska: „Opiekuj się mamą". Jak ja mu powiem, że nic nie zrobiłem dla niej, zanim umarła? Byłem przekonany, że mimo swoich dziewięciu lat mogłem bardziej się o nią zatroszczyć. Takie myśli prześladowały mnie i trochę studziły nadzieję na radość ze spotkania.

Kiedy Jurek przyjechał, wyglądał sto razy lepiej, niż gdy widzieliśmy go ostatni raz w Krasnowodzku. Prezentował się przystojnie w brytyjskim mundurze z polskimi insygniami na rękawie i w czarnym berecie. Przypominał tego brata, którego znaliśmy w Polsce. Spotkanie było pełne emocji. Na początku dobieraliśmy słowa, ale było widać, że wyraźnie wszyscy unikamy tematu najdroższego sercu i najbardziej bolesnego. Jurek zabrał nas do Teheranu, żeby zmienić otoczenie i móc porozmawiać na osobności. Do późnego wieczora nie poruszyliśmy tematu ojca, który zaginął, ani mamy, która zmarła. Aż wreszcie Zosia opowiedziała mu o wszystkim, co się wydarzyło od czasu, gdy zeszliśmy na plażę w Pahlevi, do dnia, w którym znalazła mamę w szpitalu, martwą. Jurek był na wskroś wstrząśnięty i bez słów. Połykając łzy, starał się nie okazywać emocji i jakoś nas pocieszyć, ale mówienie sprawiało mu trudność. Siostra, zazwyczaj wygadana, nie potrafiła złożyć całego zdania, a ja czułem, że jeśli tylko spróbuję się odezwać, wybuchnę płaczem. Oprócz tego jednego wieczoru nigdy więcej nie wróciliśmy do tematu śmierci naszej mamy.

Czas do wyjazdu Jurka spędziliśmy, opowiadając mu o naszych zajęciach i rozmawiając o tym, co będziemy robić, jak się skończy wojna. On mówił o swoich dziejach od wyjazdu z Krasnowodzka i o szkoleniu na kierowcę czołgu, jakie przeszedł w Iraku w dywizji pancernej. Opowiedzieliśmy mu też o wizycie kuzynki Janki i utraconej okazji wyjazdu do Meksyku. Ostatnie dni przed wyjazdem Jurka były dla mnie wyjątkowo trudne. Bałem się myśleć o dniu rozstania i pragnąłem, żeby nie wyjeżdżał. Wydawało się, że ojciec się pożegnał z nami nie dalej jak wczoraj, ale nie zobaczyłem go już więcej. Czy z Jurkiem też tak będzie? A jeśli brat nigdy nie wróci? Kiedy odprowadzaliśmy go, powiedziałem mu, że go kocham. Życzyliśmy mu z Zosią szczęścia na wojnie i wszyscy przyrzekliśmy sobie niedługo znowu się spotkać. Ale w głębi duszy wiedziałem, że takie obietnice są niczym więcej jak tylko pobożnymi życzeniami. Brat poszedł na wojnę, a my zostaliśmy z nadzieją, że życzenia się spełnią.

Mniej więcej w tym samym czasie po wszystkich polskich obozach rozeszła się wiadomość, że w Lesie Katyńskim, niedaleko Smoleńska, Niemcy znaleźli masowy grób ponad czterech tysięcy polskich oficerów i ogłosili światu, że Sowieci wymordowali polskich jeńców wojennych. Powołali też natychmiast międzynarodowych obserwatorów oraz biegłych sądowych do zbadania zbrodni. Były to przytłaczające wiadomości i napawały nas paraliżującym lękiem, że ojciec mógł zostać zamordowany. Z dalszych informacji wynikało, że w Katyniu odkryto ciała oficerów więzionych w obozie w Kozielsku. Ojciec nasz więziony był w Starobielsku, więc informacja ta dawała nam nadzieję, że może wciąż pozostaje przy życiu. Nadal brakowało informacji na temat jedenastu tysięcy pozostałych polskich jeńców wojennych, uwięzionych przez sowieckich komunistów, a Sowieci w udawanym oburzeniu wciąż milczeli na temat ich losu. Z niecierpliwością chwytaliśmy każde najmniejsze doniesienie, z którego dałoby się wywnioskować, że przynajmniej część zaginionych mężczyzn żyje.

Niespodziewanie zdobyliśmy wiarygodne źródło najnowszych i niestety ponurych informacji na temat tej zbrodni oraz innych zaginionych oficerów. Zosia kolegowała się z Iwoną Gronkowską, dziewczynką z tej samej klasy, która dopiero co uciekła z rodzicami ze Związku Radzieckiego. Ojciec Iwony, Leon Gronkowski, był jednym z pełnomocników ambasady polskiej w ZSRR powiadamiających rozrzuconych po całej Rosji zesłanych Polaków o „amnestii", ogłoszonej w 1942 roku, i służących im pomocą. Kiedy Sowieci zabronili takiej działalności, ambasada przydzieliła panu Gronkowskiemu nowe zadanie. Miał służyć wszelkiego rodzaju pomocą ludziom, którym się nie udało wyjechać, a była to sytuacja, w jakiej się znalazło bardzo wielu deportowanych. Za sprawą tych dwóch zleceń oraz dzięki kontaktom z ambasadą polską i przedstawicielami polskiego rządu na uchodźstwie w Londynie zdołał zebrać mnóstwo informacji i chętnie się dzielił z nami wszystkim, co mogło nas zainteresować. Dowiedzieliśmy się od niego, że po ewakuacji Armii Polskiej i ludności cywilnej z ZSRR w sierpniu 1942 roku stosunki między rządem radzieckim a polskim rządem na uchodźstwie gwałtownie się pogorszyły. Głównym powodem było uporczywe żądanie polskiego rządu, by Sowieci wyjaśnili, co się stało z tysiącami polskich oficerów wziętych do niewoli jesienią 1939 roku. Po ogłoszeniu amnestii powinni wyjść na wolność i zgłosić się do nowo tworzonej Armii Polskiej.

Sytuacja się pogorszyła, gdy Niemcy odkryli rzeź w Lesie Katyńskim. Kiedy po wstępnym dochodzeniu biegli orzekli, że ponad wszelką wątpliwość mord popełniono wiosną 1940 roku, czyli gdy polscy oficerowie znajdowali się w sowieckich rękach, rząd polski zażądał, aby Międzynarodowy Czerwony Krzyż dokonał własnej, niezależnej ekspertyzy. Sowieci nie wyrazili jednak zgody, oskarżając Polaków, że są na usługach nazistów i zachodnich kapitalistów, pragnących splamić dobre imię sowieckiego państwa, i zbrodnię przypisali Niemcom. Na dodatek, by podkreślić oburzenie oskarżeniem o masakrę, zerwali stosunki z Polską, mimo że oba państwa należały do aliantów. Pracownicy ambasady polskiej w Kujbyszewie dostali trzy dni na opuszczenie placówki. Taki ciąg wypadków nie wróżył dobrze nie tylko zesłańcom, którzy wciąż pozostawali w ZSRR; drastycznie zmalały również szanse na odkrycie losu zaginionych jedenastu tysięcy jeńców wojennych.

Przez wiele miesięcy nie nadeszła żadna nowa wiadomość o masakrze. Pod koniec roku się dowiedzieliśmy, że Armia Czerwona zepchnęła Niemców i zajęła tereny, na których się znajduje Las Katyński. Po pewnym czasie Sowieci powołali własny zespół ekspertów i zaczęli od nowa otwierać masowe groby. Ogłosili, że znajdują się w posiadaniu dowodów na niemiecką odpowiedzialność za zbrodnię. Nikt z nas w to nie wierzył; wiedzieliśmy, że wszystkie dowody wskazują na nich. Przez cały ten czas próbowaliśmy się z Zosią doszukać w każdej informacji jakiejkolwiek iskierki nadziei na to, że nasz ojciec nadal żyje. Nadszedł dzień wyjazdu z Teheranu. Kolejny raz wsiedliśmy do kolejnej ciężarówki, tym razem by się przenieść o prawie sześćset kilometrów, do następnego obozu dla uchodźców.

Rozdział 23

Ahwaz

W grudniu 1943 roku przetransportowano nas z Zosią do obozu przejściowego, niecałe trzy kilometry od Ahwazu. Obóz został założony w 1942 roku przez Brytyjczyków. Służył do przerzucania Armii Polskiej do Iraku oraz polskich uchodźców, przybyłych ze Związku Radzieckiego, do rozrzuconych po całym świecie miejsc docelowego pobytu. W obozie przebywano zazwyczaj od kilku dni do kilku miesięcy, w zależności od możliwości zaokrętowania się na statek wypływający z Zatoki Perskiej. W odległości około stu czterdziestu oraz stu sześćdziesięciu kilometrów położone były dwa duże porty: Choramszar oraz Basra, lokalizacja obozu umożliwiała uchodźcom zaokrętowanie niemal w każdej chwili.

Ahwaz jest stolicą prowincji Chuzestan, obszaru nizinnego i w dużej mierze pustynnego. Jest starożytnym miastem, od wieków stanowiącym ważny ośrodek handlowy i rolniczy, rozłożonym na obu brzegach wielkiej, uchodzącej do Zatoki Perskiej błotnistej rzeki Karun. Na ludność Ahwazu od dawna składają się różnorodne nacje: między innymi Arabowie, Persowie, Kurdowie, Turcy, a także sporo Bachtiarów, chociaż ów koczowniczy lud zamieszkuje głównie góry na północny wschód od Ahwazu. My na ulicach widywaliśmy najczęściej Arabów. Miasto składało się z dwóch części: nowsza, europejska w stylu, charakteryzowała się szerokimi ulicami wysadzanymi palmami, przy których się mieściły hotele, sklepy, restauracje i kawiarnie; starsza była uboższa, odrapana i raczej nieodwiedzana przez Europejczyków.

Po naszym przyjeździe do mieszkania przydzielono nam miejsce w dawnej stajni wielbłądów, wystawionej dla arabskiej jazdy mniej więcej za czasów pierwszej wojny światowej. Każda rodzina miała do dyspozycji drewniane prycze oraz wydzieloną przestrzeń dookoła, którą mogła odgrodzić, rozwieszając dostarczone z obozu koce. Nie było jednak materacy ani poduszek. Prycze ustawiono wzdłuż ścian pod starymi, wielbłądzimi żłobami. Warunki sanitarne nie były najlepsze, ale mieliśmy dostęp do pryszniców. Obóz urządzony został tak, by pomieścić dwa tysiące ludzi latem oraz trzy tysiące zimą, ale czasami dawał schronienie większej liczbie ludzi.

Natychmiast po rozlokowaniu się zawiadomiliśmy kuzynkę Jankę, stacjonującą w pobliskim amerykańskim szpitalu wojennym. Przez najbliższy rok, do końca jej służby, mieliśmy odtąd często się nawzajem odwiedzać, zarówno w obozie, jak i w szpitalu oraz w kwaterach sanitariuszek. Janka często zamawiała wojskowego jeepa, który nas zabierał i przywoził z powrotem. Amerykańscy żołnierze byli zachwyceni, że mogą służyć pomocą dwójce uciekinierów z sowieckiej niewoli, a w szczególności Zosi. Ale mnie również darzyli sympatią, a ja oczywiście ich. Dostawałem od nich drobne pieniądze oraz cukierki i gumę do żucia. Uczyli mnie też brzydkich słów po angielsku. Gdy Janka przedstawiła mnie swoim koleżankom, chciałem się popisać znajomością angielskiego i nie rozumiałem, czemu wszystkie wybuchnęły śmiechem.

W obozie zazdroszczono nam tych wizyt. Łagodziłem sytuację, dzieląc się cukierkami i wszystkim, co dostawałem. Tylko ubrania szyte z amerykańskich mundurów wprawiały mnie w zakłopotanie.

Kiedy po raz pierwszy poszliśmy do szpitala, zobaczyliśmy żołnierzy bez rąk, bez nóg, oślepłych, ze zniekształconymi twarzami albo odstrzelonymi genitaliami – leżeli bezradni i bezbronni. Zosia wybuchnęła płaczem na ten widok, a ja dostałem mdłości. Mieliśmy dosyć na ten dzień i zapragnęliśmy wcześniej wrócić do obozu. Kiedy następny raz zobaczyliśmy się z kuzynką, opowiedziała nam, że żołnierze, których wówczas widzieliśmy, wypytywali potem o nas. „Kiedy znowu przyjadą sieroty?"– nagabywali sanitariuszki. Najpewniej przypominaliśmy im własne rodzeństwo i dom, mówiła Janka.

Później często wracaliśmy do rannych i kalekich amerykańskich żołnierzy. Zawsze się modliłem, żeby taki los nie spotkał naszego brata. Żołnierze uśmiechali się z wdzięczności na nasz widok. Nawet ciężko ranni się cieszyli, że przychodzimy. Ci, którzy byli w stanie, ściskali nam ręce.

Wielu rannych Amerykanów miało polskie pochodzenie i mówiło płynnie po polsku. Pytali, dlaczego jesteśmy w Persji, tak daleko od domu. Przy ich łóżkach zatrzymywaliśmy się na dłużej i rozmawialiśmy o Ameryce i o wolności, co wszystkich nas podnosiło na duchu. Zaręczali, że Niemcy zostaną niedługo pokonane i będziemy mogli bezpiecznie wracać do domu. Jeśli ktoś się dowiadywał, że jesteśmy z Zosią sierotami, pytał, co mógłby dla nas uczynić. Nam nie mieściło się w głowach, jak ktoś, kto stracił kończynę albo wzrok, może tak się przejąć losem innego, żeby proponować pomoc.

Gdy składaliśmy drugą wizytę w szpitalu, nasza porucznik przedstawiła nas swojemu ulubionemu pacjentowi, majorowi. Do dziś we wspomnieniach nazywam go Panem Majorem. Było to duże, masywne chłopisko, powracające do zdrowia po operacji (odniósł wiele ran na całym ciele). Janka musiała być naszym tłumaczem, ale też jego poczucie humoru i życzliwość uzupełniały braki znajomości polskiego i wynagradzały trudności we wzajemnym porozumiewaniu. Od razu się polubiliśmy. Od Janki się dowiedzieliśmy, że Pan Major już niedługo wraca na rodzinne ranczo na Zachodnim Wybrzeżu. Pierwsze spotkanie było krótkie, bo kuzynka musiała wrócić do reszty pacjentów. Major podziękował za wizytę i poczęstował amerykańskimi słodyczami oraz gumą do żucia Wrigley, której, odkąd ją odkryłem, w żaden sposób nie byłem się w stanie oprzeć. Przy pożegnaniu Major domagał się kolejnej wizyty, którą ochoczo obiecaliśmy.

Około pięciu dni później przed naszą wielbłądzią stajnię zajechał szpitalny jeep. Mówiący po polsku amerykański żołnierz przekazał nam zaproszenie od Majora na lunch w szpitalnej kantynie w najbliższą sobotę w południe, a od siebie obiecał, że przyjedzie po nas kwadrans po jedenastej. Następne pół godziny zeszło mu na przekomarzaniu się z Zosią, a ja w tym czasie wygodnie się usadowiłem na miejscu kierowcy i sprawdzałem wszystkie możliwe przyciski i pokrętła na tablicy rozdzielczej. Ponieważ dostałem właśnie od żołnierza wielką paczkę gumy do żucia, także wyprodukowanej przez pana Wrigleya, wpakowałem sobie z ukontentowaniem do ust aż pięć kawałków naraz. Rozparłem się na siedzeniu i naśladując amerykańskich żołnierzy, lewą stopę wystawiłem na zewnątrz, opierając na drzwiczkach jeepa, po czym obserwowałem, jak dookoła gromadzą się grupki zaciekawionych chłopaków. Stałem się bohaterem, i to wyłącznie dlatego, że siedziałem za kierownicą. Ależ byłem dumny! Jak dla mnie, kierowca o wiele za wcześnie oznajmił, że musi wracać do bazy. Chłopcy zaczęli natychmiast błagać go o przejażdżkę.

– Dobrze, ale tylko pięć minut. Na więcej nie mam czasu – odpowiedział.

Wszyscy błyskawicznie zapakowaliśmy się do środka i cały czas piszczeliśmy i wybuchaliśmy śmiechem, kiedy obwoził nas dookoła obozu, wprawiając w zdumienie przypadkowych widzów. Po skończonej przejażdżce ciasno otoczyliśmy kierowcę, błagając, by do nas szybko powrócił.

– Zgoda, ale tylko pod warunkiem że pomożecie mi się podszkolić w języku polskim – odrzekł, machając do Zosi i szeroko się do niej uśmiechając. Zosia oblała się rumieńcem i odmachała. Żołnierz, ku naszemu zachwytowi, ruszył z rykiem silnika i sypnął piachem spod kół, obsypując nim, jak śrutem, wszystkich od stóp do głów. Staliśmy w nabożnym olśnieniu i z całych sił machaliśmy mu, kiedy odjeżdżał. Chłopcy byli szczęśliwi i pełni podziwu dla umiejętności amerykańskich kierowców.

W sobotę siostra od rana była wyraźnie niespokojna. Nie po-

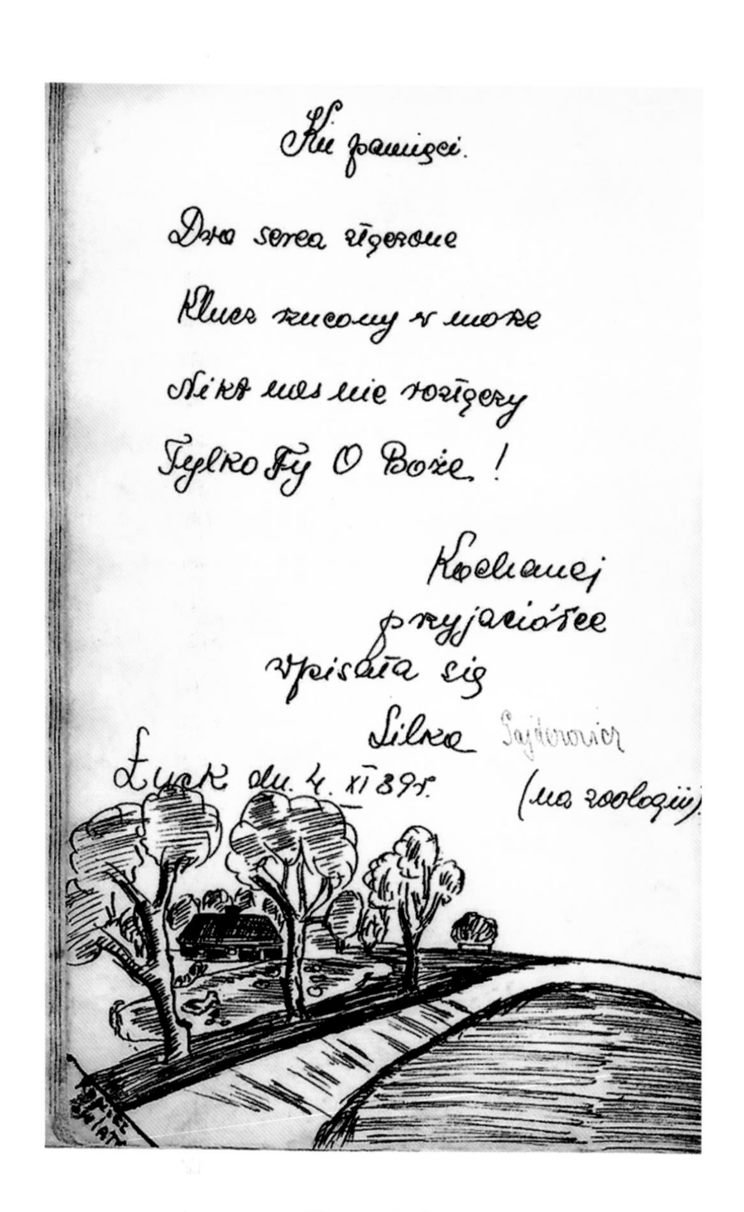

Ku pamięci.

Dwa serca złączone
Klucz rzucony w morze
Nikt nas nie rozłączy
Tylko Ty o Boże!

Kochanej przyjaciółce [Zosi Adamczyk]
wpisała się Lilka Gajdarowicz
Łuck [Polska], 4. 11. 1939 r. (na zoologii)

Do wieńca wspomnień!!!

W żartach zawsze bądź ostrożna, bo nie każdy pozna żart.
W żartach serce stracić można, a nie każdy serca wart.

Na pamiątkę milutkiej Sabci [Sołtysiak] wpisała się Renia Kozłowska.

Teheran [Iran], 18. 2. 1943 r.

Z pamiętnika Sabiny Sołtysiak,
Teheran [Iran], 15. 2. 1943 r.

Na pamiątkę mile spędzonego wieczoru Krysi [Ziemło] – Jurek Zauk [Liban], 30. 7. 1947 r.

Przypomnij sobie Zosieńko czasami taką Zośkę i jej „bratki"
Zocha (Pi-Pi) [dla Zosi Adamczyk]
Ahwaz [Iran], 24. 1. 1945 r.

Walka – to życie;
Młodość – to wiara;
Zaś walka o wolność –
To chwała!

Słodziutkiej Zosieńce
[Adamczyk]
Dziunek

[Łuck, Polska], 5. 9. 1939 r.

Rysunek E. Kobyrówny w pamiętniku Stanisława Harasymowa,
Valivade [Indie], 26. 9. 1944 r.

Wpis Stanisława Frenkla
w pamiętniku
Adama Czarneckiego

Teheran [Iran], 1943 r.

27 kwietnia 2009 – poniedziałek – Las Katyński

Fot. Tomasz Chwałek

Cisza... Towarzyszył Im tylko szum drzew,
Ziemia ukryła morze polskich łez...
Pod osłoną nocy i leśnego cienia
Pozbawiono tysięcy ludzi ostatniego tchnienia.

Tu za Ojczyznę, Wiarę i Prawdę Bohaterowie umarli.
Tu naszych żołnierzy z godności odarli.
Każdy z nich wojnę z najeźdźcą zaczynał,
A gorycz historii położyła ich w ciemnych mogiłach.

Zakneblowano usta, związano ramiona,
Ale prawda tajemna została ujawniona.
Tylko drzewa szumiące nad ogromnym grobem
Znają tamtej wiosny prawdziwą żałobę.

Fot. Tomasz Chwałek

Nie ma większego dowodu złości i wroga podłości
Niż owe mogiły pełne prochów i kości
Bohaterów, co to w ojczyzny potrzebie
Legli tu, a zasługi Ich w niebie.

W tamtym lesie
Umarła Wolność, Prawda i Sprawiedliwość
Została tylko Pamięć...
Ta nigdy nie przeminie.

Złóżmy hołd w ciszy, w milczeniu
Zaufajmy, że ta zbrodnia nie ulegnie zapomnieniu,
Głośmy chwałę polskich żołnierzy
Piszących krwią własną historię Macierzy.

Anna Schmidt
II Liceum Ogólnokształcące
w Poznaniu

29 kwietnia 2009 – środa – III Marsz Pamięci

Fot. Tomasz Chwałek

III Marsz Pamięci, odbywający się jeszcze w Europie, ale jednak już tak egzotycznej, był dla mnie niezapomnianym przeżyciem. Możliwość nawiedzenia mogił Polaków pomordowanych w Związku Radzieckim sprawiła, że zacząłem postrzegać tę hekatombę w inny sposób. Zbrodnia katyńska z ponurej statystyki stała się dla mnie tragedią poszczególnych jednostek, a przy tym namacalnym niemal dowodem, jak strasznych i nieludzkich czynów może dopuścić się bezduszny totalitaryzm, aby poprzez brutalne usunięcie całej elity inteligencji zapanować nad społeczeństwem. Ważne jednak, że mimo historycznych waśni i zawirowań możemy podać sobie ręce z obecnymi tam młodymi Rosjanami, naszymi rówieśnikami. Spojrzawszy sobie w oczy, nie staniemy w przyszłości po przeciwnych stronach barykady; mam przynajmniej taką nadzieję.

Tomek Chwałek
XI Liceum Ogólnokształcące w Poznaniu

Fot. Tomasz Chwałek

Fot. Tomasz Chwałek

zwoliła mi wyjść do kolegów, tylko kazała wziąć prysznic, porządnie się umyć i siedzieć w naszym boksie aż do wizyty u Majora. Sama w tym czasie wkładała i zdejmowała tych kilka sukienek, które miała, mimo skromnego wyboru nie mogąc się zdecydować. O jedenastej była gotowa. Wyszliśmy na zewnątrz i czekaliśmy przy ogromnych stajennych wrotach. Punktualnie zajechał jeep z tym samym kierowcą oraz z porucznik Jean. Przywitaliśmy się z nią serdecznie. Natychmiast się zaroiło wkoło nas od kobiet, które błagały Jankę o jakiekolwiek informacje na temat rodzin zostawionych w Polsce oraz dzieci, które zaginęły podczas ewakuacji z ZSRR. Jak zwykle, zapisała sobie ich nazwiska i obiecała zrobić co w jej mocy, uprzedzając oczywiście, że podczas wojny nie wszystko jest możliwe. Najbardziej wzruszające były zapłakane matki, które chciały odnaleźć dzieci zagubione gdzieś w Rosji. Klękały przed Janką na ziemi i całowały jej ręce, jakby posiadała cudowną moc wybawienia ich dzieci od niechybnej śmierci. Janka nie udawała, że taką moc posiada, ale też nie czyniła żadnego gestu, który mógłby odebrać tym kobietom nadzieję.

Zrobiło się nam ciężko na duszy, gdy wsiedliśmy do jeepa, i tym razem nie było ruszania z kopyta. Już poza obozem Janka wyznała, że serce jej pęka, kiedy widzi matki w takiej rozpaczy. Nie może im przecież powiedzieć potwornej prawdy, że wstrzymany został ruch Polaków z ZSRR i Sowieci nie chcą pomagać przy poszukiwaniu tych, którzy u nich pozostali.

Podjechaliśmy pod główne wejście amerykańskiego szpitala polowego, który znajdował się stosunkowo niedaleko od naszego obozu. Kierowca pomógł Zosi wysiąść z jeepa i zasalutował kuzynce, która poprosiła, by czekał na nas w tym samym miejscu za dwie godziny. W kantynie zarezerwowany był dla nas narożny stolik. Od progu zaopiekował się nami sanitariusz, który przydzielony został nam do obsługi na czas lunchu. Parę minut później pojawił się na wózku inwalidzkim Major. Na kolanach trzymał dwie paczuszki. Przywitaliśmy się w obu językach. Widać było, że zwracamy na siebie uwagę ludzi dookoła, raczej nieprzyzwyczajonych do widoku cywili, szczególnie dzieci, w szpitalu polowym. Gdy zajęliśmy miejsca i Major się wygodnie rozlokował, położył mniejszą paczkę przed moją siostrą, a większą przede mną, szeroko się przy tym uśmiechając. Janka zaczęła tłumaczyć jego słowa. Major cieszył się bardzo, że nas poznał, a paczuszki były małymi podarunkami dla upamiętnienia tej okazji. Zosia dostała srebrną perską bransoletkę i parę kolczyków do kompletu, a ja wielki klaser z tysiącami perskich, amerykańskich i brytyjskich znaczków. Byliśmy zachwyceni i podekscytowani wspaniałymi i niespodziewanymi podarunkami i wstaliśmy, żeby mu podziękować – ja uścisnąłem jego dłoń, a siostra z dziewczęcym wdziękiem pocałowała go w policzek. Zaciekawieni ludzie podchodzili do naszego stolika. Po kilu wymianach zdań zabraliśmy się wreszcie do jedzenia. Lunch był tysiąc razy lepszy od naszych codziennych posiłków. Mieliśmy do wyboru różnego rodzaju naleśniki, pieczone ziemniaki, konserwową mielonkę, gulasz z peklowanej wołowiny, jajka, bułeczki, masło, mleko, sok pomarańczowy, banany, figi, pomarańcze, galaretkę w różnych smakach, kawę, herbatę i ciasteczka. Skosztowaliśmy prawie wszystkiego. Zachwycałem się tym, jak Amerykanie dają radę dostarczać i przygotowywać całe to jedzenie dla swoich żołnierzy w samym środku pustyni.

W czasie posiłku Major opowiadał o życiu w Ameryce, a głównie na swojej farmie hodowlanej w stanie o tak dziwnie brzmiącej angielskiej nazwie, że nie zdołałem jej zapamiętać. Opowiadał, jak funkcjonuje nowoczesne ranczo, wyposażone w najnowsze zdobycze techniki. Są na nim wielkie stada bydła, a nieopodal pasą się dzikie mustangi. Opowiadał, jak z przyjacielem poszli w góry zapolować na jelenie i wapiti oraz nałapać łososi. Zapytał, czy chciałbym mieszkać w takim miejscu. Czy chciałbym...? Po tym, przez co przeszliśmy, istniała jedna odpowiedź. Byłoby cudownie choćby tylko ujrzeć takie miejsce, a móc tam mieszkać przekraczało moją wyobraźnię.

A potem wybuchła sensacja. Janka wyjaśniła, że Major chciałby porozmawiać o adopcji. O adopcji?! Nawet w najśmielszych snach nie przypuszczałbym, że usłyszymy dzisiaj z Zosią o adopcji, i to z ust prawie całkowicie nieznanego nam człowieka, mówiącego obcym językiem. Ogromnie się zmieszałem i doświadczałem samych sprzecznych uczuć.

Major mówił dalej. O dobrych szkołach i uniwersytetach, o stylu życia, o popularnych wśród młodych ludzi sportach. Stopniowo przechodził do innego tematu. Wyjaśnił, że chociaż zawsze tego bardzo pragnęli, nigdy nie mogli mieć z żoną dzieci. Rozważali adopcję, ale wojna przerwała im te plany. Dalej powiedział, że bardzo pragnąłby zaadoptować nas obydwoje, ale uważa, że chyba nie byłoby to najkorzystniejsze dla Zosi. Wojna powinna się skończyć niedługo i przypuszcza, że Zosia, która wkrótce skończy osiemnaście lat, zechce zapewne, tak jak i starszy brat, wrócić do kraju i poślubić tam jakiegoś polskiego chłopca. Ja natomiast, ponieważ mam dopiero jedenaście lat, wciąż będę potrzebował opieki oraz jeszcze wielu lat edukacji, którą Pan Major i jego żona z największą radością chcieliby mi zapewnić. Jego zdaniem taki plan był najlepszy dla wszystkich.

Oniemiałem. Co ja mam teraz powiedzieć? Jak ja mam wyrazić wdzięczność wobec Majora, nie raniąc przy tym siostry? Major dodał jeszcze, że wraca do Stanów za dwa miesiące i musi poznać moją decyzję nie dalej niż w ciągu trzech tygodni, aby zdążyć załatwić wszelkie formalności. Był przeświadczony, że jeśli się zgodzę, zdołamy wyjechać stąd razem. Zakończył poradą, żebym wszystko dokładnie przemyślał i żebyśmy odwiedzali go, ile razy mamy na to ochotę, i zadawali mu tyle pytań, ile tylko przyjdzie nam do głowy. Zosia serdecznie podziękowała mu za jego dobroć. Ja uścisnąłem jego dłoń. Chciałem, nieporadnie, znaleźć w głowie jakieś odpowiednie słowo, ale bezskutecznie. Powiedziałem więc tylko:

– Dziękujemy panu, sir. Do zobaczenie niedługo. – Po czym we trójkę odprowadziliśmy go na szpitalny oddział.

Samochód już czekał. Janka śpieszyła się z powrotem do swoich obowiązków, uściskała nas i zachęciła, abyśmy dobrze przemyśleli propozycję Majora. Wdrapaliśmy się na jeepa. Nie miałem ochoty na rozmowę, więc się nie sprzeciwiłem, kiedy siostra usiadła obok kierowcy. Nic dziwnego, że droga powrotna do obozu zajęła mu dwa razy dłużej niż zazwyczaj. Dało mi to czas na rozmyślania o tym wszystkim, co powiedział Major. W stajni poszliśmy z Zosią natychmiast do naszego boksu. Położyłem się, nawet nie spoglądając w stronę siostry, przybity i zmieszany. Zosia usiadła obok i kładąc mi rękę na ramieniu, zapytała, o co chodzi. Odpowiedziałem, że chociaż na początku bardzo ucieszyła mnie propozycja Majora, teraz jest wprost przeciwnie.

Zosia zaczęła myśleć na głos. Zwróciła uwagę, że gdybym wyjechał do Ameryki, zrobiłbym to dla własnego dobra. Była to prawda. Zgadzałem się z nią, ale nie zgadzałem się zostawić siostry. Kiedy mama umarła, czyż nie obiecaliśmy sobie się nie rozdzielać, przynajmniej do końca wojny? Nie miałem zamiaru łamać danego słowa, na dobre czy na złe.

– Czy choć przez sekundę pomyślałaś, że mógłbym zostawić cię samą na perskiej pustyni, nie wiedząc, do jakiego obozu czy obcego kraju cię przenoszą, kiedy ja jadę sobie do szczęśliwego życia w Ameryce? Naprawdę tak pomyślałaś? – zapytałem.

– Jesteś bardzo stanowczy. Naprawdę, Wiesiu, nie ma żadnych innych powodów?

Gdyby nawet był inny powód, nie było i tak sensu o nim rozmawiać. Powtórzyłem, że zamierzam dotrzymać obietnicy, którą sobie daliśmy. Zosia się pochyliła, by mnie przytulić i pocałować.

– Dziękuję, braciszku. Będziemy musieli jeszcze o tym porozmawiać.

Nie okłamałem siostry, ale też nie powiedziałem całej prawdy. Czułem, że godząc się na adopcję, zdradziłbym rodziców, którzy od mojego pierwszego oddechu okazywali mi miłość. Czy poprawa warunków materialnych mogłaby to usprawiedliwić? Mama uratowała życie mnie, mojej siostrze i mojemu bratu. Czy mógłbym z własnej woli nazywać inną kobietę Mamą, niezależnie od tego, jak bardzo byłaby wobec mnie dobra i kochająca? Nigdy. A co z ojcem? Wciąż nie wiemy, czy żyje czy nie. Jeśli nagle się zjawi w obozie dzień po moim odjeździe do Ameryki i zapyta Zosię: „Gdzie jest Wiesiu?" Czy będzie mogła mu odpowiedzieć: „Taty syn, sądząc, że tato został zamordowany, wybrał lepsze życie w Ameryce z innym ojcem?" Przecież to złamałoby mu serce. Nie mogłem tak zrobić. Jeszcze jedna kwestia związana z adopcją mnie nurtowała. Tym razem była to sprawa dumy. Dać się zaadoptować znaczyłoby porzucić własne nazwisko. Pamiętam, jak ojciec uczył mnie być dumnym z przodków i z tego, kim jestem. Któregoś dnia, myślałem, jeśli będę tego chciał, pojadę do Ameryki w poszukiwaniu lepszego życia, ale zachowując własne dziedzictwo oraz własne nazwisko.

W następnych tygodniach Zosia i Janka próbowały przekonać mnie, że przyjęcie propozycji Majora dałoby mi w życiu dobry start. Czułem pokusę, ale nie dałem się namówić. Z przerażeniem myślałem o tym, że będę musiał stanąć przed Majorem i poinformować go o mojej decyzji. Kiedy w końcu nadszedł ten moment, poszliśmy do niego we trójkę. Poprosiliśmy Jankę, by zakomunikowała mu, że choć odczuwamy wdzięczność za dobroć, którą nam okazał, jednak zgodnie z obietnicą, którą daliśmy sobie, gdy umarła nasza mama, zdecydowaliśmy się nie rozłączać. Życzyliśmy mu pomyślności i przyrzekliśmy, że jeśli kiedykolwiek znajdziemy się w Ameryce, na pewno go odwiedzimy. Major przyjął naszą decyzję spokojnie, ale jego wzrok wyrażał rozczarowanie. Jedyne, o co poprosił, to abyśmy do jego wyjazdu nadal odwiedzali go w szpitalu. Tak też czyniliśmy.

Często odwiedzaliśmy Jankę w kwaterach dla sanitariuszek. Pokój, w którym mieszkała, znajdował się na terenie zamkniętym. Prowadziło do niego jedno wejście, na którym wisiał całkowity zakaz wstępu dla mężczyzn. Byłem zaledwie chłopcem, zrobiły więc dla mnie wyjątek. Kuzynka jednak ostrzegła mnie, że ponieważ panuje upał, mogę się natknąć na jakieś mieszkanki wędrujące nago pod prysznic. Nie dodała jednak, jak się należy zachować, widząc kobietę bez ubrania, a mnie nie przyszło do głowy o to zapytać. Kiedy pierwszy raz coś takiego się zdarzyło, byłem bezgranicznie zmieszany. Drogę przecięła mi młoda kobieta. W jednej ręce trzymała ręcznik, w drugiej mydło, na stopach miała sandały, a na ciele jedynie promienie słońca. Z wdziękiem i bez pośpiechu przeszła obok, spojrzała na mnie, powiedziała *hello* i poszła dalej. Po raz pierwszy w życiu zobaczyłem całkowicie nagą kobietę. Z trudem wydobywając głos, zdołałem odpowiedzieć po polsku: „Dzień dobry pani". Oczu nie mogłem oderwać od jej piersi, dopóki się nie minęliśmy, kiedy to spuściłem wzrok, próbując być dżentelmenem.

Znacznie później, po wielu takich spotkaniach, dziwiło mnie, dlaczego żadna z tych kobiet nie próbowała chociaż trochę się zasłonić. Częstotliwość moich odwiedzin u kuzynki Janki wzrosła, chociaż jeszcze wówczas nie rozumiałem dlaczego. Wzrosło też moje uznanie dla kobiet. Ich ciała uważałem za piękne i ekscytujące. Po raz pierwszy od dawna zacząłem z radością oczekiwać następnego dnia.

Życie w wielbłądziej stajni, usytuowanej na pustyni, nie było łatwe. W obozie panowały ciężkie warunki. Cuchnące latryny oblepiały roje much, a nocą nachodziły nas krwiożercze pluskwy. To były jednak najlżejsze niedogodności. W porze deszczowej w powietrzu było tak gęsto od komarów, przenoszących malarię, że nie sposób było nie połykać ich podczas rozmowy. W nocy chroniły nas przed nimi siatki, a do snu kołysało nas wycie szakali. Ustawicznie zagrażały nam jadowite węże i śmiercionośne skorpiony. Aby uniknąć ukąszenia przez skorpiony, trzeba było wytrząsać ubranie i buty przed włożeniem. Szczytową część naszej stajni zamieszkiwały w szparach i szczelinach tysiące nietoperzy. Nocami latały nisko w poszukiwaniu pożywienia, wydając świszczące dźwięki. Kiedy tak fruwały między nami w odległości zaledwie kilku centymetrów, ich wygląd wywoływał przyprawiające o gęsią skórkę poczucie przebywania wśród złych duchów.

Upały panujące latem podczas dnia łatwo mogły spowodować udar słoneczny. Jajko rozbite na nasłoneczniony beton usmażyłoby się w sekundę. Podczas gorących i suchych miesięcy konieczne było codzienne przyjmowanie tabletek soli. Ale też bywało tak, że silne wiatry przynosiły znad Zatoki Perskiej tyle soli w powietrzu, że musieliśmy wielokrotnie w ciągu dnia spłukiwać z niej ciało pod prysznicami. By odetchnąć trochę od upału, z kilkoma kolegami wymykaliśmy się często z obozu do starej dzielnicy arabskiej, nad brzeg zakazanej błotnistej rzeki Karun. Baliśmy się rekinów i mieczników, które wpływały do rzeki z Zatoki, kąpaliśmy się więc tylko wtedy, kiedy robili to Arabowie. Zakładaliśmy, że oni muszą jakoś wiedzieć, kiedy jest bezpiecznie.

Kilka razy podczas naszego pobytu w Ahwazie przeszły burze piaskowe. Arabowie opowiadali, że jeśli kogoś zaskoczy burza na pustyni, daleko od schronienia, piasek dusi i grzebie żywcem. Natychmiast po naszym przyjeździe ostrzeżono nas i pouczono, jak należy się zachować podczas takiej burzy. Ze Związku Radzieckiego znaliśmy z Zosią zamiecie i śnieżyce i byliśmy ciekawi, jak wygląda pustynia podczas burzy piaskowej. Pewnego dnia, kiedy niebo było, jak zwykle, bezchmurne i słońce w zenicie paliło niemiłosiernie, bawiliśmy się z przyjaciółmi przed stajnią. Mieliśmy właśnie skończyć z powodu lejącego się z nieba żaru, kiedy zauważyłem na horyzoncie szybko nadciągające czarne chmury.

– Idzie burza piaskowa! – krzyknąłem.

Pędem pobiegliśmy do stajni. Włożyliśmy watę do uszu i nosa i owinęliśmy się w prześcieradła, zostawiając tylko małą szparkę na oczy. Wyszliśmy na zewnątrz. Daleko przed nami niebo było bardzo ciemne, prawie czarne. W miarę zbliżania się burzy wiatr wzbijał przed nią piasek i chmury zmieniały się z bardzo ciemnych na szare, potem szaroczerwone, aż wreszcie przybrały jasnoczerwoną barwę. Kiedy burza piaskowa spadła prosto na nas, niebo nad nami stało się pomarańczowoczerwone, od refleksów promieni słońca odbitych w złotych ziarenkach unoszonego w powietrzu piasku. Miało się wrażenie, że cała ziemia zmieniła się w kulę ognia. Tumany piasku wirowały wściekle dookoła, chłoszcząc nas i przeciskając się przez prześcieradła. Piasek mieliśmy w ustach, w nosie, w uszach i w bieliźnie. Z trudem torując sobie drogę w pomarańczowoczerwonym pyle, rzuciliśmy się z Zosią z powrotem do stajni w obawie, że najgorsze dopiero nadchodzi. Po pewnym czasie znowu wyjrzeliśmy, by jeszcze raz spojrzeć na szalejącą naturę, ale kolor pomarańczowoczerwony zmieniał się już w czerwony, potem w czerwonoszary, szary, aż wreszcie się stał ciemnoszary i prawie czarny. A potem niebo się wypogodziło i przejaśniło, i promienie słoneczne znowu runęły na ziemię jak przedtem. Jakkolwiek byśmy się starali, nie udawało nam się pozbyć piasku ani z ubrań, ani ze stajni jeszcze przez wiele dni.

Rozdział 24

Pustynne zabawy

Niedaleko naszego obozu tymczasowo stacjonowały oddziały brytyjskie oraz innych narodowości. Anglicy byli najbardziej ze wszystkich zimni i wyniośli. Najsympatyczniejsi i najbardziej żywiołowi byli żołnierze z Indii i Nepalu. Niedługo po przyjeździe do Ahwazu zawarliśmy znajomość z kilkoma z ich korpusu – ze słynnymi na cały świat Gurkhami. Znani oni byli z doskonałej techniki walki wręcz przy użyciu wielkich noży o drewnianej rękojeści i tnącym jak brzytwa ostrzu. W szeregach wrogów siali zawsze postrach, bo sławna była ich umiejętność bezszelestnego podchodzenia nocą na pozycje przeciwnika i podrzynania gardeł bez jednego dźwięku. Potrafili też zabijać nożami na odległość, i robili to z zadziwiającą precyzją.

Niektórzy z nich odwiedzali nas w stajni kilka razy na tydzień, by się z nami bawić. Zawsze przynosili cukierki i gumę do żucia. Dokładnie ich pamiętam – czarne włosy, czarne oczy i śniada cera oraz nieskazitelnie wyprasowane zielone polowe mundury. Elegancja i uprzejmość tych żołnierzy zdawały się przeczyć naturze ich pracy.

Z tych wizyt najbardziej lubiłem naukę posługiwania się nożem. Rysowaliśmy kółko wielkości monety na drewnianym słupie i Gurkhowie posyłali noże wirującym ruchem w powietrze, zawsze trafiając ostrym końcem w sam środek. Fascynujące widowisko. Też chcieliśmy tak umieć, więc Gurkhowie cierpliwie, raz po raz, pokazywali nam, jak się rzuca. Pewnego razu po nieskończonej liczbie prób w końcu wbiłem nóż w drewniany słup jednym rzutem. Była to radosna chwila i dla mnie, i dla nauczycieli. Lekcje jednak gwałtownie się zakończyły z chwilą, w której dowiedziała się o nich siostra. Zresztą tydzień potem zostali przerzuceni do Włoch. Nasi nowi przyjaciele przynieśli dla wszystkich na pożegnanie małe upominki. My mogliśmy tylko po polsku życzyć im szczęścia, mając nadzieję, że zrozumieją. Po uściśnięciu wszystkim nam rąk wykonali energicznie w tył zwrot i poszli.

Nasz obóz służył jako baza przejściowa, więc właściwie nie istniała w nim żadna zbiorowa organizacja czasu. Od przybycia do Ahwazu Zosia miała na mnie czujne oko, bardziej nawet niż niegdyś mama, i ku mojemu niezadowoleniu ograniczała moją swobodę, z odpowiedzialnością podchodząc do obowiązków przybranej matki.

Czasami kuzynka Janka zapraszała mnie z kolegami do przyszpitalnego kina na amerykańskie filmy o kowbojach i Indianach albo na sfilmowane *Baśnie z tysiąca i jednej nocy*, które czytano mi, kiedy byłem małym chłopcem. Na ekranie ożywali tajemniczy sułtani i szejkowie oraz ich przepiękne kobiety, fruwały ich latające dywany, galopowały ogniste rumaki, lśniły klejnoty i pokonywały wszystko ich miecze, tak jak we wspomnieniach z lektur dzieciństwa rozpalając pragnienie ujrzenia ich na żywo. Muszą być gdzieś niedaleko takie egzotyczne miejsca i ludzie. Po projekcji szliśmy z kolegami do zakazanej arabskiej dzielnicy Ahwazu, by zaspokoić ciekawość i znaleźć potwierdzenie naszych fantazji. Odnajdywaliśmy jednak prawdziwy obraz arabskich nocy i dni, zanurzonych w skrajnej nędzy.

Zwykle o zachodzie słońca przysiadaliśmy się z siostrą do grupek polskich uchodźców, którzy godzinami obserwowali konwoje wojsk amerykańskich, przemieszczające się z Zatoki Perskiej w kierunku Związku Radzieckiego. Sznur ciężarówek wił się jak wąż od jednego krańca horyzontu po drugi. Według tego, co mówili amerykańscy żołnierze, ciężarówki wyładowane były olbrzymimi ilościami sprzętu wojskowego, który w ramach wspólnych działań wojennych wspomóc miał Armię Czerwoną.

Nie mając nic innego do roboty, czasami się wdawałem w długie rozmowy z dorosłymi na temat wojny. Rozmawialiśmy o rodakach pozostawionych w Związku Radzieckim i ich szansach na wydostanie się na wolność. Rozważaliśmy, jaki wpływ na przyszłość Polski może mieć agresja Niemiec, czy Sowieci przejmą władzę w Polsce i czy kiedykolwiek zobaczymy ponownie własną ojczyznę.

Był to okres, kiedy dla urozmaicenia czasu zacząłem wymyślać wojenne zabawy. Pierwsza z nich polegała na polowaniu na sępy, które miały być sowieckimi i niemieckimi samolotami wojskowymi. W tym celu należało najpierw dokładnie zaplanować, jak je zestrzelić, czyli jak zaprojektować i skonstruować broń oraz skąd wziąć proch i amunicję. Musiałem też zwerbować żołnierzy do mojej armii i wybrać takie miejsce do budowy i testowania broni, którego nie wytropiliby dorośli.

Pistolety robiliśmy z kawałków drewna oraz miedzianej rurki, mniej więcej grubości papierosa. Urządziliśmy się w ustronnym miejscu, czyli w pustym, walącym się budynku poza obozem. Trzymaliśmy tam wszystkie materiały, konstruowaliśmy i ukrywaliśmy tam naszą broń oraz amunicję. Za pomocą małych pił i scyzoryków wystrugaliśmy każdy kawałek drewna na kształt rękojeści rewolweru. Potem cięliśmy na odpowiednią długość miedzianą rurkę, zaciskaliśmy ją z jednego końca, uderzając młotkiem, przyginaliśmy, by pasowała do rękojeści, i mocowaliśmy drutem do kolby. Na rurce, czyli lufie, robiliśmy małe nacięcie w miejscu, w którym proch podpalało się zapałką. Od żołnierzy amerykańskich udawało nam się zawsze uzyskać trochę prochu strzelniczego. Jako amunicję zbieraliśmy drobne kawałki metalu.

Pewnego sobotniego popołudnia sześciu chłopców, ze mną na czele, w wieku od dziewięciu do dwunastu lat, spotkało się potajemnie w miejscu, gdzie przechowywaliśmy broń. Naładowaliśmy strzelby prochem i pociskami i z zapałkami w rękach ruszyliśmy na pustynię. Zawsze gdzieś w pobliżu obozu było widać, jak sępy gromadzą się nad padliną, ale odlatywały za każdym razem, gdy podchodziliśmy zbyt blisko. Mieliśmy dosyć gonienia za nimi z miejsca na miejsce i postanowiliśmy sprawdzić, jak działa nasza broń na odległość. Wszyscy razem na komendę przyłożyliśmy zapalone zapałki do nacięcia w miedzianych rurkach. Strzelby prawie równocześnie wypaliły z hukiem. Sępy się wystraszyły. Do obozu wracaliśmy w wyśmienitych humorach, dumni z udanego wynalazku, nawet jeśli nie z samego polowania. Wydawało się, że następna sobota tak wolno nadchodzi! Znowu pomaszerowaliśmy na pustynię, by pogonić wyimaginowanych Sowietów i Niemców. Tym razem jednak dwie z obluzowanych miedzianych luf wypaliły do tyłu i odłamki pokaleczyły chłopcom ręce.

Niewiele czasu minęło, a cały obóz wiedział już, co się stało. Z przygody wyszedłem zdrowy i cały, ale za to po raz pierwszy i jedyny dostałem od siostry prawdziwe lanie. Moje postępowanie rozwścieczyło ją i musiałem wysłuchać surowego kazania o tym, jaką głupotą jest bawić się w tak niebezpieczne gry, które mogą okaleczyć człowieka na całe życie. Przypomniała mi, że był to mój pomysł i że jeśli coś stałoby się pozostałym chłopcom, byłbym za to odpowiedzialny. W ten to sposób główny dowódca został uziemiony i nasze wyprawy na pole bitwy się skończyły.

Przez kilka następnych tygodni z całych sił się starałem nie urazić siostry i nie popaść w nowe tarapaty. Mając jednakże w pamięci radę mamy, by zawsze poszerzać swoją wiedzę, wymyśliłem inną wojenną zabawę. Miałem nadzieję, że nawet jeśli się okaże nie mniej niebezpieczna, to chociaż trudniejsza do wykrycia przez dorosłych oraz mniej bolesna, gdyby się jednak wydała. Tym razem miało nie być żadnej broni domowej roboty. Przerzuciliśmy się na łapanie śmiercionośnych skorpionów, co było o niebo niebezpieczniejsze. Znowu stanąłem dumnie na czele przedsięwzięcia. Panowanie nad niebezpieczną sytuacją dostarczało mi znacznie więcej satysfakcji niż podporządkowywanie się kaprysom dorosłych i nieprzewidzianym okolicznościom. To był praktyczny kurs kierowania innymi oraz sobą.

Gra w skorpiony była całkowicie innym wyzwaniem niż gra w sępy. Te ptaszyska żyjące na perskiej pustyni wyglądają groźnie nawet z daleka, ponieważ są wielkie, ale wiedzieliśmy, że nie są drapieżne, jedynie objadają kości padliny. Skorpiony są natomiast małe, a więc trudniej je zauważyć, i zabijają, wstrzykując truciznę. Choć była to tylko zabawa, że skorpiony to Hitler i Niemcy albo Stalin i Sowieci, gra jednak była naprawdę niebezpieczna. Gdyby któryś z nas został ukąszony, prawdopodobnie nie przeżyłby, ponieważ znajdowaliśmy się zbyt daleko od obozu, by sprowadzić natychmiast pomoc lekarską.

Obserwując skorpiony na pustyni, spostrzegłem, że boją się wody i ognia. Mając to na uwadze, zaczęliśmy gromadzić potrzebne przybory – puszkę z wodą, małą puszkę benzyny, zapałki oraz dwie puste puszki do łapania i trzymania skorpionów. Benzynę i zapałki zdobyłem od zaprzyjaźnionych amerykańskich żołnierzy. Nie wiedziałem tylko, gdzie i jak ukryć nasz ekwipunek przed siostrą i tymi wszystkimi, którzy mogliby jej o nim donieść. W stajni było zawsze pełno ludzi, więc stajnia nie wchodziła w rachubę. Postanowiliśmy schować puszki w publicznej latrynie, gdzie nikomu nie przyjdzie do głowy szukać.

Wojenna zabawa w skorpiony miała dwie wersje. Jedna to chwytanie niemieckich i sowieckich zwykłych żołnierzy. Druga to łapanie Hitlera i Stalina, jadowitych przywódców. Każda z gier miała inne zasady. Na pustyni łatwo było złapać skorpiony, jeśli się wiedziało jak, a my szybko się uczyliśmy. Płaska powierzchnia pustyni jest dosyć gładka, wobec czego dziurki, szerokości mniej więcej ludzkiego palca, wykopywane przez skorpiony, są wyraźnie widoczne. Zadanie polegało na tym, by znaleźć dziurkę w piasku i wlać do niej trochę wody, a potem poczekać kilka sekund, aż pojawi się skorpion.

Gdy łapaliśmy tylko żołnierzy, udawało nam się schwytać do sześciu jadowitych stworzeń na godzinę. Ostrożnie wsuwaliśmy je do puszki dla więźniów, uważając, by nie wypadło żadne ze złapanych wcześniej, i maszerowaliśmy z naszymi jeńcami z powrotem. Tuż przed obozem puszczaliśmy je luzem i pędem uciekaliśmy, nigdy nie zabijając żadnego.

Łapanie Hitlera i Stalina wyglądało inaczej. Tym pozwalaliśmy decydować o własnym losie, tak jak oni decydowali o losach innych. Wkoło jamki skorpiona rozlewaliśmy benzynę po okręgu o średnicy około metra i przykładaliśmy zapaloną zapałkę. Okrąg był na tyle duży, że ogień nie mógł sparzyć skorpiona, jeśli pozostawał on blisko środka. Potem wlewaliśmy wodę do jamki i skorpion wybiegał. Obserwowaliśmy, jak odchodzi najpierw na mniej więcej dziesięć centymetrów od swojej jamki, a potem zaczyna badać ognisty krąg w poszukiwaniu drogi ucieczki. Do jamki nigdy nie wracał, ponieważ bał się utonięcia. Za każdym razem, szukając przerwy w ścianie ognia, skorpion robił tylko jedno pełne okrążenie, nigdy więcej; potem się zatrzymywał, podnosił ogon, wbijał sobie żądło w grzbiet i ginął od własnego jadu.

Wiele razy obserwowaliśmy ten niezwykły rytuał, ale nie mogliśmy rozgryźć, skąd skorpion wie, kiedy wykonał pełne okrążenie w poszukiwaniu drogi ucieczki, by dopiero wtedy uznać, że wszystko stracone, i skierować własne żądło przeciw sobie. Wyraźnie było widać, że w przeciwieństwie do innych zwierząt skorpion nie walczy aż do śmierci ani się nie wycofuje w bezpieczne miejsce. Kiedy jest owładnięty strachem, wypełnia natomiast jakiś zaprogramowany nakaz i po prostu zabija sam siebie.

Kiedy my prowadziliśmy nasze pustynne wojenne gry przeciw skorpionom, alianci maszerowali ku zwycięstwu. Każdego dnia czekaliśmy na nowe wiadomości, ponieważ Armia Czerwona wtargnęła do Polski. Słyszeliśmy o ruchu de Gaulle'a we Francji, który się przyłączył do posuwających się naprzód aliantów przeciw Niemcom, i mieliśmy nadzieję, że tak samo się stanie z polskim podziemiem.

Serca nam rosły, kiedy się dowiedzieliśmy na początku sierpnia 1944 roku, że polska konspiracja, zachęcona do walki radiowymi apelami ze Związku Radzieckiego, rozpoczęła powstanie przeciw wojskom niemieckim, od pięciu lat okupującym stolicę. Potem byliśmy zdruzgotani na wieść, że wojska sowieckie się zatrzymały na wschodnim brzegu Wisły i czekały, aż powstańcy w Warszawie zostaną bezlitośnie pokonani przez wycofujących się Niemców. Stalin wydał rozkaz swoim oddziałom, by czekały, aż Niemcy stłumią do końca polski opór, a następnie zajęły to, co zostało z Warszawy, wypędziły resztki Niemców i proklamowały własne wyzwolenie miasta i całego kraju. Stawało się dla nas jasne, że zwycięstwo aliantów nastąpi na warunkach sowieckich i kosztem Polski. Coraz mniej prawdopodobne zaczynało nam się wydawać, że kiedykolwiek dane nam będzie wrócić do wolnej Polski.

Pod koniec 1944 roku, kiedy prawie całkiem wyludnił się obóz w Ahwazie, Zosia załatwiła nam przeniesienie z wielbłądziej stajni do baraków, gdzie otrzymaliśmy pokój do swojej dyspozycji, wyposażony w dwa wojskowe łóżka polowe, biurko oraz dwa krzesła. Pokój pomalowany był na biało i oświetlała go zwisająca z sufitu żarówka. Było to najlepsze z wszystkich dotychczasowych miejsc, w których mieszkaliśmy od deportacji. Cieszyłem się, że będę mógł korzystać z zacisza osobnego pokoju oraz wygody spania na czymś innym niż drewniane deski. Dzięki perspektywie spokojnego snu, nieprzerywanego rozmowami obcych ludzi albo ukąszeniami pluskiew, patrzyłem z większym niż kiedykolwiek dotychczas optymizmem na nasze położenie.

Przenosiny nie wymagały wiele wysiłku. Wzięliśmy swoje koce, poduszki i dwie walizki i dziesięć minut później było po przeprowadzce. Wyobrażaliśmy sobie z Zosią, jak byłoby miło zamiast tego wrócić do naszych dawnych domowych wygód. Choć i tak cieszył nas bardzo własny pokój.

Nowe otoczenie długo nie pozwalało mi zasnąć tego wieczoru.

Myśli tłukły mi się po głowie bez celu. Kiedy wreszcie zacząłem zapadać w sen, poczułem mrowienie na szyi i wzdłuż kręgosłupa. Uczucie przeniosło się po chwili na ramiona, nogi i pachwiny i po kolejnej chwili tak się wzmogło, że całe ciało ogarnęły trudne do powstrzymania drgawki. W pierwszej chwili nie byłem pewien, czy to senne majaczenie czy jawa. W półśnie wyszedłem z łóżka i potykając się, ruszyłem w stronę kontaktu. To nie żadne majaki. Po prześcieradłach, po ścianach i po całym moim ciele pełzały setki pluskiew. Przebudzona światłem Zosia wyskoczyła z łóżka, nie rozumiejąc, co się dzieje. Stała w białej koszuli, kropkowanej w czerwone ruchome punkciki.

– Pluskwy! – wrzasnąłem. Zaczęliśmy w szale strząsać z siebie obrzydliwe robactwo, patrząc, jak znika w szczelinach łóżek oraz ścian, czmychając do bezpiecznego azylu ciemności. Nawet w wielbłądziej stajni nie było ich choćby w przybliżeniu tyle co tutaj.

Nazajutrz za dnia wyparzyliśmy łóżka. Następnie każdą nogę łóżka wstawiliśmy do puszki z wodą, w nadziei że pluskwy nie potrafią pływać. Dalej pozatykaliśmy gumą do żucia ile się dało szczelin w ścianach. Przez kilka nocy myśleliśmy, że nasze wysiłki dają rezultaty. Strach przed krwiopijcami jednak wciąż nie pozwalał nam na spokojny sen.

Sukces w powstrzymaniu nocnych najeźdźców okazał się krótkotrwały. Pluskwy przechytrzyły nas. Którejś nocy znowu obudziło mnie mrowienie na całym ciele. Błyskawicznie wyskoczyłem z łóżka i zapaliłem światło, żeby zobaczyć, skąd tym razem wyłażą. Siedziały na suficie wprost nad naszymi łóżkami i z tego to dogodnego punktu spadały prosto na nas. Wydawało się, że nie ma od nich ucieczki. Za dnia nigdy nie wychodziły. Bały się światła i tego, że zobaczone, mogą zostać zabite. W niektóre noce próbowałem spać przy włączonym świetle, mając nadzieję, że w ten sposób je oszukam. Ale każdy sen zawsze zakłócały podejrzenia, że pluskwy spokojnie się przygotowują do rozpoczęcia kolejnego ataku.

Kiedy próbowałem zasnąć, leżałem czasem w nocy bez ruchu, nasłuchując odgłosu tysięcy małych nóżek maszerujących po ścianach, po podłodze, po suficie, po łóżku, po pościeli. Wyobrażałem je sobie, jak mnie obłażą, i pewien, że właśnie się szykują do ataku, wyskakiwałem z łóżka, by jednym przyciśnięciem palca zmienić ciemność w jasność i patrzeć, jak nocni intruzi panicznie uciekają przed światłem. Rozpaczliwie pragnąłem móc się ukryć przed nimi – znaleźć jakiekolwiek miejsce i wczołgać się tam, żeby mnie nie widziały i nie mogły znaleźć. Ale nie było gdzie się schować. Noc w noc pluskwy przystępowały do ataku. Pozostało nam jedynie rozważyć powrót do prawie całkiem opustoszałej stajni. Tam przynajmniej pluskwy nie spadałyby na nas z sufitu.

Pewnego wieczoru, zanim poszedłem spać, powiedziałem siostrze, że moja cierpliwość się skończyła i że nadszedł czas zemsty. Postanowiłem wybić je. Zosia nie była zachwycona perspektywą rozbryzgania ich krwi, która była naszą krwią, po całym pokoju. Mnie jednak tak wyczerpały bezsenne noce, że było mi już wszystko jedno. Łaknąłem zemsty. Zosia nie dała rady nic mi wyperswadować, w końcu więc przystała, rozumiejąc, że to jedyna metoda, żeby mnie uspokoić.

Gotowy do akcji, spać poszedłem w butach, a obok łóżka postawiłem sandały. Zbudzony w środku nocy przez krwiopijców obudziłem Zosię i włączyłem światło. Setki obrzydliwych potworków rozbiegły się we wszystkich kierunkach, a ja siałem z furią spustoszenie, depcząc je butami i miażdżąc sandałami na ścianach i łóżkach. Zosia w szoku stała jak sparaliżowana.

– Morduj! – wrzasnąłem do niej.

Zanim jednak zdołała uczynić jakikolwiek gest, niedobitki mej zemsty uciekły. Podłoga, łóżka, białe ściany, moje buty i nogi pomazane były oślizgłą czerwoną mazią rozkładającej się krwi. Pokój wypełniał cuchnący odór. Otworzyliśmy drzwi, żeby wywietrzyć, i wzięliśmy się do makabrycznego sprzątania. Kiedy skończyliśmy, Zosia zapytała, czy chcę wrócić do stajni.

– Nie, ale jutro rano wstępuję do Armii Polskiej i idę walczyć z Niemcami. Jeśli ma mnie ktoś dostać, to nie będą to pluskwy!

Roześmiała się, ale nic nie odrzekła.

Na początku 1945 roku zakończył się okres służby kuzynki Janki. Żegnaliśmy się we łzach, ale z nadzieją na szybkie spotkanie w Ameryce. Wyjeżdżało coraz więcej uchodźców. Stopniowo obóz zaczął wyglądać jak wymarłe miasto, ale mnie to nie przeszkadzało. Czułem ulgę, że nie otaczają mnie na każdym kroku tysiące ludzi, pierwszy raz od ucieczki ze Związku Radzieckiego. Wkrótce pozostała nas tylko garstka; z wyjątkiem administracji, oprócz mnie i Zosi nie było prawie nikogo, ale nie miało to trwać długo.

Rozdział 25

Sierociniec

Janka odjechała, a liczba uchodźców w Ahwazie drastycznie się zmniejszyła. Czas było zdać sobie sprawę, że najprawdopodobniej nie będzie już żadnego statku do Meksyku. Znaleźliśmy się z Zosią w stanie zawieszenia. Pozostając w Ahwazie, nie mogliśmy liczyć na żadną edukację prócz tej, jaką wzajemnie zdołamy sobie zapewnić. Co robić? Zosia ustaliła, że kwalifikuje się na szkolenie pielęgniarskie, złożyła więc podanie. Ze względu na jej kurs zostaliśmy przeniesieni do namiotowego obozu na północ od Teheranu, gdzie mieszkaliśmy już przedtem. Teraz zastaliśmy w nim zaledwie garstkę Polaków. Liczba dzieci w moim wieku była niewystarczająca, by utworzyć klasę. Powstał więc problem, co ze mną zrobić. Zosia znalazła w Teheranie sierociniec dla polskich dzieci i zaproponowała, abym w nim zamieszkał. Nie szedłem tam jednak z ochotą, ponieważ sierociniec stanowił nie tyle miejsce dla osieroconych dzieci, ile, w moim odczuciu, dom dla dzieci, które się stały „odpryskami" wojny. A ja nie uważałem, żeby było to odpowiednie dla mnie miano. Cały czas ufałem, że ojciec i brat powrócą i znowu będziemy rodziną. Zosia zdołała mnie jednak przekonać, że jako chwilowe rozwiązanie jest to najlepsze, co możemy zrobić.

Teren sierocińca wyglądał niedostępnie. Otaczał go wysoki mur i nawet okienko w wejściowej furcie było zamknięte. Ogromna, zamykana na klucz brama była prawie tak wysoka jak wrota do naszej stajni w Ahwazie. Bez problemów mógłby wejść przez nią wielbłąd. Pomyślałem sobie, że zanim dom zamieniono na sierociniec, musiał kiedyś mieszkać w nim bogaty Pers. Wchodziłem do środka z trwogą, nie wiedząc, czego mam się spodziewać.

Murowany dom był blisko trzy razy większy niż przeciętne domy w Teheranie. Okalający mur z cegieł od wewnętrznej strony wydawał się znacznie wyższy, nie było bowiem widać spoza niego ani jednego budynku czy choćby tylko szczytu jakiegoś dachu. W dużym ogrodzie rosły wysokie drzewa, a wzdłuż domu biegła długa, brukowana alejka, prowadząca do bramy i furtki. Od pierwszej chwili, zanim jeszcze dostałem swoje łóżko do spania, poczułem się instynktownie więźniem. Podobnie się czułem, gdy Sowieci uwięzili nas w Równem. Wówczas jednak otuchy dodawała mi rodzina, która była razem ze mną. Teraz byłem sam.

Przywitały mnie dwie uprzejme Polki, schludnie ubrane w niebieskie bluzki i białe spódnice, przewiązane dodatkowo białymi fartuszkami, po czym pokazały drogę do łóżka, które przydzielono mi na parterze, przy największym oknie, wychodzącym prosto na ogród. Rzędy łóżek dochodziły do przeciwległej ściany sali, przy której, obok dwóch opiekunek, spały mniejsze dzieci. W tamtej części pomieszczenia nie było okien i panował w niej półmrok. Często słyszałem dochodzący stamtąd płacz z tęsknoty za mamą lub tatą i bardziej wzbierał mi w sercu żal nad tymi dziećmi niż nad samym sobą.

Przez okno mogłem się przyglądać wysokim drzewom – i obmyślać sposób wykorzystania jednego z nich do ucieczki przez mur. Chciałem być wolny. Jeżeli mamie udało się wyprowadzić nas na wolność ze Związku Radzieckiego, mnie musi się udać znaleźć drogę wyrwania się z tego miejsca.

Co jeszcze było w sierocińcu? Wszystkie wspomnienia gdzieś się ukryły w zakamarkach mojej pamięci. Czy była tam jadalnia, świetlica, łazienka? Nie pamiętam. Do dzisiaj pozostały mi jedynie dwie blizny – niepotrzebne pamiątki po zahaczeniu o zardzewiałe gwoździe w wysokiej bramie, kiedy goniłem innego chłopca podczas jednej z zabaw w ogrodzie, w którym spędzałem najwięcej czasu.

Zosia często mnie odwiedzała. Na początku 1945 roku wybrała się do brytyjskiej ambasady, by sprawdzić, czy nie ma nowych wiadomości o ojcu. Przyszła potem prosto do mnie przygnębiona i pełna bólu. Bez przywitania, od progu oznajmiła, że ojca zamordowali Sowieci i pochowany jest w masowej mogile. Zacząłem płakać. Do tej pory nie osłabła dla mnie groza tych słów.

Zosia nie chciała rozmawiać o makabrycznych szczegółach ludobójstwa, potwierdziła tylko, że większość z tego, o czym słyszeliśmy przed dwoma laty, okazała się prawdą. Ambasada brytyjska poinformowała ją, że nazwisko naszego ojca znajduje się na liście ponad piętnastu tysięcy zamordowanych polskich jeńców wojennych, przetrzymywanych w obozach w Kozielsku, Ostaszkowie i Starobielsku. W Lesie Katyńskim zidentyfikowano blisko cztery tysiące dwieście ofiar, prawie samych oficerów. Około jedenastu tysięcy jeńców uważa się wciąż za zaginionych, ich grobów jeszcze nie odnaleziono. Skąd w takim razie pewność Brytyjczyków, że nasz ojciec jest jedną z ofiar? Czy wiedzą jeszcze o czymś, czego inni nie znają albo o czym nie chcą mówić?

– Jest więc wciąż jakaś nadzieja, że tata żyje? – zapytałem.

– Jakaś nadzieja, choćby niewielka, jest zawsze – odpowiedziała niezbyt przekonująco. Dodała, że po wiośnie 1940 roku otrzymano wieści tylko od kilkuset jeńców przetrzymywanych w obozach.

Byłem rozdarty pomiędzy tęsknotą za ojcem a wymową przyniesionych przez Zosię informacji.

Zacząłem złorzeczyć nieludzkiemu losowi.

– Bóg nie jest miłosierny! – wyrwało mi się.

– Wiesiu! – skarciła mnie tak jak kiedyś mama. – Takie mówienie jest bluźnierstwem. Nie wolno ci zapomnieć, że pochodzisz z porządnej polskiej rodziny. Nie chcę więcej słyszeć takich rzeczy.

Ale ja nie zamierzałem milczeć. Musiałem wytłumaczyć siostrze, że gdyby Bóg miał miłosierdzie, nie dopuściłby do okropności, które się wydarzały przez ostatnie pięć lat. Ona jednak odparła, że to nie Boga, lecz ludzi trzeba winić.

Dość już miałem tego typu argumentów, słyszanych od dorosłych. Teraz postanowiłem wypowiedzieć swoje. Kiedy ludziom dobrze się dzieje, padają na kolana i wznoszą z wdzięcznością ręce do nieba, dziękując Bogu za dobroć i łaskę. Ale kiedy dzieją się rzeczy straszne, okrutne i nieludzkie, winę ponoszą ludzie, nie Bóg.

– Ale ludzie obdarzeni są wolną wolą i nie muszą czynić zła – przypomniała mi w odpowiedzi Zosia.

– Tak samo Bóg – zauważyłem. – On także mógł na początku dokonać wyboru, czy stworzyć samych dobrych ludzi czy samych złych, czy jednych i drugich, a także czy z wolną wolą czy bez. Mógł zezwolić na nędzę i nieszczęście na świecie albo nie. Co Bóg zrobił? Stworzył złych ludzi i zgodził się na nieszczęście i cierpienie. Dlaczego? Pytam się, w jakim celu? W domu uczono nas jeszcze czegoś – kontynuowałem, nie zostawiając siostrze czasu na odpowiedź. – Tego mianowicie, że Bóg stworzył ludzi na swoje podobieństwo. To dotyczy wszystkich ludzi, prawda? A więc także złych. Jeżeli mamy w to wierzyć, to trzeba uwierzyć też i w to, że jeśli Bóg istnieje, nie jest wyłącznie samym dobrem.

– Wiesiu, skończmy lepiej tę rozmowę, bo dzisiaj najwyraźniej nie zmienię twojego zdania – odpowiedziała Zosia gniewnie i rozpłakała się.

Siostra nie zdawała sobie sprawy, że nie jest w stanie zmienić mego zdania nie tylko tego jednego dnia, ale w ogóle. Niemniej mnie samego również zaskoczyła ostrość własnych słów.

– Nie jesteśmy w stanie pojąć Boskiego zamiaru – szepnęła, przytulając mnie do siebie. – Wojna zabrała nam obydwoje rodziców i nic więcej nam nie pozostaje, jak ufać, że są teraz razem. Mamy wciąż brata, za co winniśmy być wdzięczni Bogu. Powinniśmy modlić się o jego bezpieczeństwo i o szybki koniec wojny.

Spędziliśmy wspólnie resztę popołudnia. Żegnaliśmy się z wielkim smutkiem w sercach. Kiedy Zosia uznała, że czas wracać do obozu, zatrzasnęła się za nią ogromna drewniana brama, a ja wróciłem na swoje łóżko w sali pełnej sierot. A więc stałem się naprawdę jedną z nich. Ukryłem twarz pod prześcieradłem, żeby nie widać było płynących łez. Miałem nadzieję, że nikt, zwłaszcza spośród najmłodszych dzieci, nie zada mi teraz pytania, co się stało.

Popadałem w coraz większe przygnębienie. Wielki mur otaczający sierociniec i zatrzaśnięta brama w przytłaczający sposób przypominały mi o moim położeniu. Całymi dniami rozmyślałem o tym, co straciłem, o rodzicach i o szczęśliwym życiu w domu w Polsce. Trzymany w sierocińcu pośród smutnych, opuszczonych dzieci jeszcze mocniej i głębiej odczuwałem własną niedolę.

Wiedziałem, że koniecznie muszę powiedzieć siostrze, iż nie mogę dłużej tutaj zostać. Ale też zrozumiałem, że nie ma potrzeby czekać z tym do jej następnej wizyty. Kiedy wielka brama się otworzyła, by wpuścić dostawców żywności, po prostu wyszedłem.

Rozdział 26

Srebrna puderniczka

Humor od razu mi się poprawił, gdy tylko się znalazłem poza murami. W butach ukryty miałem cały swój ziemski dobytek, czyli to, co zostało z pieniędzy, jakie kuzynka Janka podarowała mi tuż przed wyjazdem z Ahwazu. Nie znałem perskiego, ale Teheran wcale mnie nie przerażał. Pocieszałem się, że Persowie to życzliwi ludzie. Nie wiedziałem, czy i jakim autobusem można się dostać do obozu, postanowiłem więc wypożyczyć rower i samemu pojechać drogą, którą miałem w pamięci. Nigdy dotąd jeszcze nie pedałowałem, więc nie wiedziałem, jak mi będzie szło, i na wszelki wypadek wynająłem rower na cały dzień. Kierując się na słynne budowle w mieście oraz według położenia słońca, ruszyłem przez miasto w stronę obozu.

Dopóki się znajdowałem w obrębie zabudowań, prowadziłem rower, by nie przysporzyć sobie przypadkiem wstydu jakąś wywrotką. Mogłem dzięki temu do woli przypatrywać się pięknym towarom na wystawach egzotycznych sklepów. Były tam perskie dywany, ceramika, misterne wyroby z miedzi oraz przedmioty z Indii i Afryki. Ale najbardziej zapierały dech w piersiach liczne sklepy jubilerskie, pełne najpiękniejszych bransolet i kolczyków, jakie kiedykolwiek widziałem. Przywoływały na pamięć wiele opowieści z *Baśni z tysiąca i jednej nocy*, których tak bardzo lubiłem słuchać, kiedy byłem mały.

Gdy widziałem takie cuda, myślałem, że byłoby wspaniale móc kupić któreś z nich dla Zosi, coś ślicznego i kobiecego, co przechowywałaby jak skarb. Coś, co stanowiłoby pamiątkę po wsze czasy tego, jak dobrą jest dla mnie przybraną matką. Myśl ta całkowicie zaprzątnęła moją uwagę. Po kilku kilometrach marszu natknąłem się na sklep ze srebrem i przystanąłem zachwycony. Nie mogłem się nadziwić bogactwu i różnorodności ślicznych przedmiotów na wystawie. Wyróżniało się wśród nich małe puzderko, srebrna puderniczka. Przez dobrą chwilę nie odrywałem od niej wzroku, wreszcie na uboczu przełożyłem połowę pieniędzy z buta do kieszeni spodni i wkroczyłem do sklepu. Onieśmielony wypowiedziałem kilka słów po polsku i pokazałem palcem szkatułkę. Mężczyzna wyjął ją i położył pieczołowicie na ladzie. Musiał być zdziwiony, czemu mały, wychudzony chłopiec, posługujący się niezrozumiałym językiem, pragnie obejrzeć damską puderniczkę.

Chciałem bardzo mieć to puzderko dla Zosi, choć na pewno nie było na moją kieszeń. W Persji jednak nikt nie płaci nigdy pierwszej zażądanej ceny. Wyciągnąłem z kieszeni to, co wcześniej tam włożyłem, i podałem mężczyźnie. On natomiast wyjął kartkę i ołówek. Napisał na niej sumę dwa razy wyższą niż wszystko, co posiadałem. Zzułem but, wysypałem pozostałe pieniądze na ladę i przesunąłem w jego stronę. Powtórnie pokazał mi kartkę z ceną. Nie wiedziałem, co począć. W końcu zrobiłem, jak uczyła mnie mama, czyli powiedziałem mu prawdę.

– Nie mam więcej pieniędzy, ale bardzo chciałbym kupić to dla siostry – odezwałem się po polsku.

Mężczyzna dziwnie na mnie popatrzył, zawinął srebrne puzderko, zebrał pieniądze z lady i na koniec się uśmiechnął, wręczając mi paczuszkę. Podziękowałem po polsku i powiedziałem do widzenia bardzo przejęty, że mam piękny prezent dla siostry.

– Czekaj! – zawołał mężczyzna.

Odwróciłem się. Musiał powiedzieć coś do mnie po persku, ale zabrzmiało prawie jak po polsku... Mężczyzna wyszedł zza lady, sięgnął do kieszeni i wręczył mi połowę pieniędzy, które zapłaciłem. Nie pojmowałem, o co chodzi, ale byłem mu niezmiernie wdzięczny.

– Idź z Bogiem – powiedział.

Nie miałem wątpliwości, powiedział to po polsku.

– Bóg panu wynagrodzi – wykrztusiłem, nie mogąc uwierzyć w to, co się wydarzyło.

Wyszedłem oszołomiony jego dobrocią. A więc są jeszcze dobrzy ludzie na tym świecie. Ten człowiek musiał rozumieć, co mówię, ale wcale się z tym nie zdradził na początku. Persowie są uzdolnieni językowo i wielu kupców całkiem nieźle nauczyło się polskiego, odkąd tylu Polaków się u nich pojawiło.

Znalazłem drogę prowadzącą do obozu i kiedy wyszedłem poza miasto, po raz pierwszy w życiu wsiadłem na rower. Był chwiejny i zdezelowany, ale nie miało to znaczenia. Srebrna puderniczka tkwiła w kieszeni, przyciśnięta do ciała. Czułem się szczęśliwy. Zosia, taka dla mnie troskliwa, będzie miała miłą niespodziankę. Przecież ona też jest sierotą, pomyślałem.

Do obozu wiodła droga z kocich łbów. Nie było to wygodne do jazdy rowerem, szczególnie gdy brakowało mi umiejętności. Dojeżdżałem już prawie na miejsce, gdy minęła mnie niespodziewanie z impetem ciężarówka. Próbowałem zjechać jej z drogi, ale pchnięty podmuchem przewróciłem się prosto na twarz. Złamał mi się przedni ząb, krwawiła rozcięta warga, ale nie pozostawało nic innego, jak sprawdzić, czy puderniczka jest cała, i jechać dalej. W obozie krążyłem między namiotami, wyglądając Zosi, ale to ona dostrzegła mnie pierwsza spod poły pałatki. Wybiegła na przywitanie. Patrzyła na mnie przestraszona, nie tyle tym, że mnie tu widzi, ile moim wyglądem.

– Dobry Boże! Cały jesteś zakrwawiony! Warga przecięta, wszędzie siniaki. Co się stało, Wiesiu?

– Nic takiego, Zosiu. Spadłem z roweru na kocich łbach, i to wszystko.

Nie chciałem opowiadać, że o mało życia nie straciłem pod kołami ciężarówki. Siostra też już o nic więcej nie pytała, zaprowadziła mnie tylko do namiotu i kazała czekać, aż wróci z wodą i jodyną.

– Tylko bez jodyny! Nie jest potrzebna.

Zosia jednak przemilczała mój sprzeciw i wyszła.

Pamiętałem, jak jodyna szczypie na zadrapaniach. Im większa rana, tym bardziej piecze i boli. Zosia wróciła z wiadrem wody, jodyną i watą. Wydając rozkazy jak w wojsku, kazała mi zdjąć koszulę i siedzieć spokojnie. Zanurzając wielokrotnie ręcznik w wiadrze, delikatnie przemywała startą skórę i przeciętą wargę, dopóki nie zmyła zanieczyszczeń i zakrzepłej krwi. Potem umyła mi klatkę piersiową. Próbowałem przypomnieć jej, że rezygnujemy z jodynowania, ale była nieugięta.

– Jeśli będziesz spokojnie siedział, zrobię to szybko i nie będzie bardzo bolało – powiedziała, biorąc butelkę i kłębek waty.

Nie chciałem się zachowywać jak beksa, zacisnąłem więc tylko zęby, żeby nie ugryźć się w język.

– Nie było tak źle, prawda, Wiesiu? – zapytała po wszystkim.

Uchyliłem się od odpowiedzi, wobec czego zmieniła temat.

– Czemu się pojawiłeś tak niespodziewanie?

– Nie wracam do sierocińca. – Moja odpowiedź była krótka.

Nie zdziwiła się. Rozumiała wstrząs, jaki przeszedłem na wieść o zamordowaniu ojca.

– Wiesiulku, nic nie mów – powiedziała wyrozumiale. – Zawiadomimy władze obozowe, że się przeniosłeś.

A co do roweru, obiecała poprosić któregoś kierowcę ciężarówki, żeby go odwiózł. Poczułem nareszcie wielką ulgę i wdzięczność.

Chwila doskonale się nadawała, by wyrazić Zosi serdeczne podziękowanie za jej dobroć i zrozumienie. Miałem wielką tremę, nigdy do tej pory jeszcze nie uczyniłem takiego gestu i nie wiedziałem, jak się zachować, żeby nie wyszło niezręcznie. Uznałem, że najmniej będę skrępowany, używając żartobliwego tonu.

– Kochana siostro, ponieważ jesteś dzisiaj dla mnie taka miła i dobra, należy ci się prezent.

– Nic nie mów, nic nie mów, niech zgadnę! Wiem, co to jest! – zawołała, choć uśmiech miała niepewny.

Nie mogła mówić na serio. Przecież nie wiedziała nic a nic, że przywiozłem paczuszkę ani co w niej jest.

– No dobrze, skoro wiesz, to powiedz.

– To musi być rower!

Wybuchnęliśmy śmiechem. Po chwili, już znacznie mniej spięty, sięgnąłem do kieszeni po zawiniętą w ozdobny papier paczuszkę i wręczyłem jej.

– Dziękuję ci, Zosieńko, że tak wspaniale się mną opiekujesz przez cały czas.

Zaczęła powoli rozwijać papier i naraz z niedowierzaniem wstrzymała oddech z zachwytu. Patrzyła i nie mogła uwierzyć, że zdołałem tyle zaoszczędzić, żeby kupić puderniczkę.

– Dostałem trochę pieniędzy od kuzynki Janki – wyjaśniłem, a potem opowiedziałem jej o wszystkim, co po drodze mi się przytrafiło, oczywiście pomijając wypadek z ciężarówką.

Zosia ujęła puderniczkę delikatnie w obie dłonie i oświadczyła, że odtąd zawsze będzie jej najcenniejszym skarbem.

Przejęta otworzyła ją i zachwycona przejrzała się w lusterku. Patrzyłem na jej promienne oczy i leciutki uśmiech na twarzy. Wyglądała jak nasza mama.

Część VI

LUDZIE BEZ OJCZYZNY

Świątynia Jowisza o dwudziestometrowych kolumnach na terenie ruin rzymskich, Baalbek koło Baabdadu, Liban, 1946 rok. Widok ten przypomniał nam o zniszczeniach naszej ojczyzny, dokonywanych przez współczesnych najeźdźców podczas II wojny światowej.

Rozdział 27

Na rozdrożu

W lutym 1945 roku Roosevelt, Churchill i Stalin ponownie się spotkali, tym razem w Jałcie. Pozostanie Polski w strefie wpływów radzieckich zdawało się przesądzone. Po miesiącu z okładem Roosevelt zmarł.

W maju zakończyła się wojna w Europie. Dla nas to była dobra i zła wiadomość. Cieszył nas koniec wojny, ale smuciło, że w lipcu alianci uznali rząd komunistyczny w Polsce, wytypowany przez samego Stalina. Oznaczało to, że nie ma powrotu do wolnej Polski. Pod koniec sierpnia Truman i Churchill jeszcze raz się spotkali ze Stalinem, tym razem w Poczdamie, i ostatecznie wydali nasz naród na zgubę. Kolejny raz płakaliśmy. Z upływem miesięcy dowiadywaliśmy się nowych szczegółów. Polska armia, która walczyła we Włoszech i w północnej Afryce, nie dostała pozwolenia na powrót do kraju w pełnym uzbrojeniu, ponieważ Sowieci przejęli wpływy w Polsce natychmiast po zakończeniu wojny. W związku z tym Brytyjczycy zaproponowali demobilizację polskich oddziałów w Wielkiej Brytanii.

Jurek pisał do nas z Włoch, że pozostanie tam jeszcze przez jakiś czas, nadzorując niemieckich jeńców. Niedługo potem podążył za polską armią do Londynu, gdzie podjął pracę dla Polskiego Korpusu Przysposobienia i Rozmieszczenia, powołanego przez Brytyjczyków do pomocy polskim zdemobilizowanym żołnierzom w sprawach związanych z osiedlaniem.

Jesienią dowiedzieliśmy się z Zosią, że Polacy nadal przebywający w Persji będą wyjeżdżać do Libanu. Decyzja wywołana była obawami, że Sowieci, mimo iż wojna już się zakończyła, zajmą Persję i polscy uchodźcy znajdą się w pułapce. Libański rząd zgodził się przyjąć nas, a rząd brytyjski zapewnił transport.

Kolejny raz szykowaliśmy się do przeprowadzki z jednego obcego kraju do drugiego. Tym razem już tylko my dwoje przygotowywaliśmy się, by rozpocząć nowy etap rodzinnej odysei – mama i ojciec nie żyli, a Jurek się osiedlił w Anglii. Wyjechaliśmy w listopadzie. Dano nam paszporty i wizy i wsadzono do pociągu. Trasa prowadziła z powrotem przez Ahwaz, a następnie w kierunku Basry w Iraku. Pociąg przedzierał się przez imponujący łańcuch górski Zagros, przejeżdżając przez sto czterdzieści siedem tuneli oraz przecinając co pewien czas raz z jednej, raz z drugiej strony mętne wody wijącej się rzeki Karun. Parowóz, który nas ciągnął, kopcił siarkowymi wyziewami, od których łzawiły nam oczy. Jechaliśmy w towarzystwie sympatycznych amerykańskich żołnierzy. Przez całą drogę pili piwo, śpiewali i byli w radosnym nastroju. Mieli z czego się cieszyć – wracali do domu.

W Ahwazie był postój; potem kontynuowaliśmy podróż pociągiem do Choramszaru, gdzie przesiedliśmy się do autobusów na krótką podróż do Basry, a stamtąd pojechaliśmy wąskotorową koleją do legendarnego miasta Bagdad. Po drodze przekroczyliśmy rzekę Eufrat, która płynie z Turcji przez Syrię i Irak, by w dolnym biegu połączyć się z Tygrysem. Im bliżej byliśmy Bagdadu, tym bardziej ekscytowała mnie myśl o tym, że na własne oczy ujrzę scenerię wielu ulubionych opowieści z dzieciństwa. Marzyłem, żeby zobaczyć wspaniałe arabskie ogiery, dosiadane przez jeźdźców, których miecze i sztylety wysadzane były klejnotami. Nie mogłem się doczekać widoku przepięknych arabskich kobiet i egzotycznych wykonawczyń tańca brzucha, które widziałem na filmach w amerykańskiej bazie.

W Bagdadzie, po krótkim odpoczynku po podróży, zabrano nas

na wycieczkę po mieście. Świat, który nam pokazano, różnił się od przepełniających moją wyobraźnię scen z *Baśni z tysiąca i jednej nocy*. Miasto było stare i brudne, pozbawione roślinności – jedynie wąskie ulice i nędzne, odrapane domy. Na największym, sławnym bazarze Arabowie popijali na zewnątrz kawę, grając w regionalne gry. Przesiadywali głównie przed lokalami przeznaczonymi wyłącznie dla mężczyzn, w których wieczorami oddawali się życiu towarzyskiemu i rozrywce. To właśnie tam muszą tańczyć te piękne tancerki, jak w amerykańskich filmach, pomyślałem. Byłem zaskoczony, że na całym bazarze prawie nie widywaliśmy kobiet. A jeśli już jakąś zauważyliśmy, to miała na sobie czarny czador i podążała kilka kroków za mężczyzną. Byłem rozczarowany. Każda miała zakrytą twarz i ani razu nie zdołałem dojrzeć, czy jest piękna.

Pełen ludzi bazar w Bagdadzie nie różnił się od tych, które znaliśmy z Persji. Stragany i sklepiki, pękające w szwach od różnorodnych towarów, tłoczyły się przy krętych i wąskich uliczkach. W jednych widzieliśmy kosztowne miedziane naczynia i przybory kuchenne. W innych królowały przywożone z daleka, rzeźbione wyroby z kości słoniowej. W jeszcze innych sprzedawano rozmaite miecze i noże, wysadzane kamieniami, które na pewno nie były szlachetne, ale przynajmniej w moich oczach wyglądały na równie drogocenne jak te, o których śniłem, słuchając przygodowych opowieści. Gdzie indziej oglądaliśmy bogaty wybór złotych bransolet i wszelkiej biżuterii, głównie importowanej z Indii. Te wyroby wprost zapierały dech w piersiach kobietom i dziewczętom w naszej grupce. Przechodziliśmy też obok kramów z pięknymi, ręcznie tkanymi dywanami w regionalne wzory, tak drogimi, że niepodobna było wyobrazić sobie posiadanie któregokolwiek z nich. W innych przyciągała wzrok gama egzotycznych przypraw, a obok ciekła do ust ślinka na widok ogromnej różnorodności świeżych owoców i warzyw. Dalej wystawione były na sprzedaż zwisające z haków jagnięce tusze, gotowe, by odciąć z nich potrzebną porcję.

W Bagdadzie spędziliśmy trzy dni, a potem ruszyliśmy koleją

w dalszą podróż, do Bejrutu. Pociąg należał do Towarzystwa Bagdadzkiego i charakteryzował się małymi, niewygodnymi przedziałami. Musieliśmy siedzieć na wąskich drewnianych ławkach, ale codziennie rano przynoszono nam prowiant, składający się z kanapek i owoców.

Między Bagdadem a Syrią rozciąga się zróżnicowana krajobrazowo pustynia, miejscami piaszczysta, miejscami zaś pokryta szczątkową roślinnością. Przejeżdżając tamtędy, kilkakrotnie mijaliśmy oazy zamieszkane przez Arabów. Zieleniły się w nich co prawda palmy daktylowe i inna roślinność, ale poza tym – jak okiem sięgnąć jedynie złoty piasek. Zastanawiałem się, jakim cudem ludzie przeżywają tutaj, skąd biorą wodę i jedzenie. W jaki sposób zarabiają na życie? Dosyć szybko poznałem odpowiedź, a przynajmniej jej część. Pociąg zatrzymywał się przy wielu oazach. Nie wychodziliśmy na zewnątrz, ale na każdej stacji podbiegały do nas młode matki z niemowlętami na ręku, otoczone małymi, nagimi dziećmi, spieczonymi na słońcu, i błagały o cokolwiek. Dzieliliśmy się z nimi żywnością, którą otrzymywaliśmy w pociągu.

Krętą drogą, która się wiła przez Turcję, zahaczając o położone niedaleko granicy syryjskie Aleppo, pociąg dojechał do Bejrutu. Dotarliśmy na miejsce bardzo zmęczeni. Rozlokowano nas oraz innych uchodźców w wyznaczonych miejscowościach na terenie Libanu. Mnie z siostrą zawieziono do miasta Ghazir w górach na północny wschód od Bejrutu. Dostaliśmy tymczasowe kwatery oraz karty identyfikacyjne i żywnościowe, wydane przez Organizację Narodów Zjednoczonych do spraw Pomocy i Odbudowy (UNRRA). Miałem numer identyfikacyjny 2647. Całkowita liczba polskich uchodźców w Libanie wzrosła ostatecznie do pięciu tysięcy trzystu osób. Wszyscy otrzymywali zasiłek pieniężny, wystarczający na wyżywienie, ubranie i mieszkanie. Po zakończeniu formalności administracyjnych zapisaliśmy się z Zosią do szkoły, prowadzonej przez polskich nauczycieli uchodźców.

Niedługo potem wynajęliśmy pokój w domu na zboczu wzgórza, odległym o dwadzieścia minut piechotą od naszej szkoły, znajdującej się w centrum miasta. Ponad domem, poniżej szczytu, stał monumentalny posąg Jezusa, pomalowany złotą i błękitną farbą. Spod jego cokołu roztaczała się przed nami panorama zatoki Dżunija, czyste, szmaragdowe wody Morza Śródziemnego, odbijające złote promienie równikowego słońca i bladoniebieskie niebo, a dalej na południe panorama starożytnego Bejrutu. W ciągu dnia widać było dookoła czerwone dachy białych domów, z których w głównej mierze składało się miasteczko, a także otaczające je daktylowe i pomarańczowe sady oraz winnice, które się wspinały na okoliczne wzgórza. Nocą zaś obserwowaliśmy światła miasta i wiosek rozrzuconych półkoliście dookoła zatoki.

Od samego początku czuliśmy boską obecność, promieniującą od posągu. Rozpościerał szeroko ramiona i zdawał się ogarniać wzrokiem nie tylko nasze miasto, ale cały Liban – a nawet cały świat. Ogromne wrażenie robiła na nas jego obecność. Gdy ktoś pytał, gdzie mieszkamy, mówiliśmy, że „pod Chrystusem", i czerpaliśmy otuchę z tego, że Jezus czuwa nad nami.

Cały czas nadchodziły niepokojące wiadomości, potwierdzające wcześniejsze doniesienia – że Polska nie odzyska suwerenności. Kiedy poznaliśmy szczegóły porozumień z konferencji w Teheranie i Jałcie, a później w Poczdamie, nasze marzenia o powrocie do wolnej ojczyzny całkowicie się rozwiały. Żyliśmy w cieniu świątyń, otaczali nas życzliwi i łagodni mieszkańcy Ghaziru, lecz w mojej duszy panował zamęt, nie tylko co do rodzaju ludzkiego, ale również co do Boga. Każdego dnia, kiedy wychodziłem lub wracałem do domu, spoglądałem na górującą nad nami postać Chrystusa. Moje zwątpienie w Jego dobroć rosło, w miarę jak blakła moja wiara. Ale jednocześnie zdałem sobie sprawę, że odprawiam swoisty rytuał za każdym razem, kiedy się wspinam samotnie na wzgórze. Przysiadałem zawsze pod posągiem i deklamowałem wersety ballady *Powrót taty* Adama Mickiewicza, której nauczyła mnie mama. Matka błaga w niej swe dzieci, by poszły pod słup na wzgórek i przy cudownym obrazie prosiły o bezpieczny powrót ojca do domu, którego ostatecznie ratuje w balladzie siła ich modlitwy. Przychodząc tutaj, chciałem uratować ojca i wrócić go nam za sprawą działających cuda modłów. Chciałem poczuć obecność mamy. Ale także – odzyskać wiarę.

Mieszkaliśmy w Ghazirze blisko dziewięć miesięcy, aż Zosia ukończyła kurs przygotowujący na uczelnię, po którym została przyjęta do dotowanego programu dla studentów uchodźców na Amerykańskim Uniwersytecie w Bejrucie. Fakultet obejmował wykłady z języka polskiego, nauk humanistycznych i historii, prowadzone po polsku, podobnie jak inne kursy, na które sporadycznie uczęszczaliśmy od wyjazdu ze Związku Radzieckiego. Uruchomieniu programu towarzyszyło założenie, że absolwenci wrócą do kraju jako nauczyciele. Dlatego też przed zapisaniem się na wydział Zosia się upewniła, że przystąpienie do programu nie zobowiąże jej do powrotu do komunistycznej Polski.

Znowu, tak samo jak w Persji, stanęliśmy przed pytaniem, co zrobić ze mną. Zosia miała obowiązek się zakwaterować w uniwersyteckim akademiku, gdzie dzieci nie miały wstępu. Pamiętając przykre doświadczenia z Teheranu, w żadnym razie nie chciała umieszczać mnie w sierocińcu. W końcu po długich poszukiwaniach znalazła Polaka, dyrektora szkoły, który mieszkał z żoną w starożytnej miejscowości Baabdad. Małżeństwo zgodziło się mną zaopiekować. Miasteczko znajdowało się w górach, około dwudziestu pięciu kilometrów od Bejrutu, i prowadzona była w nim polska szkoła, do której mógłbym uczęszczać. Koszty mojego utrzymania miałby pokryć fundusz pomocowy Unry. Nie było to idealne rozwiązanie, ale wolałem je od jakiegokolwiek sierocińca albo szkoły kadetów w Palestynie.

Zosia dogadała się z dyrektorem i jego żoną, którzy mieszkali na terenie szkoły, żeby udostępnili mi jeden z wielu pustych pokoi na pierwszym piętrze. Trzy razy dziennie miałem jadać z nimi posiłki, a żona dyrektora miała prać moje ubrania. Ja zobowiązałem się przestrzegać godziny powrotu do domu oraz raportować o własnych poczynaniach. Co do reszty – byłem odpowiedzialny sam za siebie. Małżeństwo okazało się bardzo miłe. Jednakże mieszkanie w wielkim kamiennym budynku, opustoszałym co noc, z wyjątkiem dwojga ludzi na parterze, wywoływało we mnie lęk. Znowu czułem się wyobcowany, co tylko pogłębiało moje poczucie winy i upokorzenia z tego powodu, że jestem sierotą. Zdawałem sobie sprawę, że nie było nic, co mogłem uczynić, żeby uratować mamę, a mimo to nie mogłem przestać obarczać siebie winą za to, że nie było mnie przy niej w jej ostatniej godzinie. Nie byłem też w stanie pozbyć się poczucia, iż skazany jestem na to, by nie przynależeć nigdzie i do nikogo.

W Libanie niepostrzeżenie minęło nam półtora roku. Przez cały czas szukałem wiadomości o ojcu, a także czepiałem się nadziei, że ktoś wyrzuci komunistów z Polski, która odzyska swoje utracone ziemie, co pozwoliłoby nam wrócić do domu w Sarnach.

Pewnej soboty późną wiosną lub wczesnym latem 1947 roku, kiedy siedziałem sam w pokoju na pierwszym piętrze i odrabiałem lekcje, delikatne pukanie przerwało ciszę i zza drzwi dobiegł dobrze mi znany głos. Siostra przyjechała z nieoczekiwaną wizytą. Ucieszyłem się, ponieważ w trakcie roku szkolnego niezbyt często się widywaliśmy.

– Wejdź, Zosieńko – zawołałem z radością.

Gdy tylko przekroczyła próg, rzuciliśmy się sobie w ramiona. Ku memu zdziwieniu siostra jednak dość gwałtownie przerwała powitanie, by jak najszybciej obwieścić cel wizyty. Przyjechała z nieoczekiwanymi nowinami, które wymagały od nas podjęcia decyzji dotyczącej reszty naszego życia. Siostra zamilkła na chwilę, jakby chciała uporządkować myśli, i poprosiła, żebym usiadł. Serce mi łomotało. Co takiego mogło się jeszcze wydarzyć po tym wszystkim, przez co przeszliśmy w ciągu ostatnich siedmiu lat? Uciekliśmy z niewoli w Związku Radzieckim, wojna się skończyła. Rodzice nie żyją, nie mamy własnego domu, wszystko najgorsze musi już być przecież poza nami.

Zosia przysiadła na brzegu łóżka, a ja się usadowiłem naprzeciwko niej na jedynym, jakie miałem, krześle. Okazało się, że dotacje ONZ, które otrzymujemy, wkrótce się skończą. Do wyboru pozostaną nam tylko dwie możliwości. Jedna to powrót do Polski. Zosia powiedziała, że jeździ po świecie delegacja polskich komunistów, próbująca przekonać tych, którzy uciekli z ZSRR, do powrotu do kraju. Jest właśnie w tej chwili w Bejrucie. Poderwałem się z niedowierzania i złości na to, co usłyszałem. Rzeczywisty powód takiej polityki wydawał się jasny. Byliśmy żyjącymi świadkami strasznego życia w „robotniczym raju" i zła komunizmu. Pamiętałem, co powiedział mi pan Pietrowicz, stary Rosjanin: „Komuniści prędzej zabiją człowieka, niż dadzą mu wyjechać. Boją się, że świat mógłby się dowiedzieć, jak my tu żyjemy".

Inną możliwością było, według słów Zosi, wyjechać do Anglii, gdzie Jurek nadal pracował w Polskim Korpusie Przysposobienia. Uchodźcom, którzy mieli krewnych w Armii Polskiej pod dowództwem brytyjskim, przysługuje prawo do wjazdu na teren Wielkiej Brytanii. Ponadto będą mieć zapewniony transport, mieszkanie oraz tymczasową pomoc, dopóki nie będą w stanie sami się utrzymać. A jeśli po jakimś czasie zechcieliby się przenieść do innego państwa, Brytyjczycy też mieli im w tym pomóc.

Z rosnącym niepokojem chodziłem w tę i z powrotem po pokoju. Zosia zamilkła. Po chwili dodała z ubolewaniem, że jeżeli wkrótce się nie wydarzy nic nieoczekiwanego, to są to nasze jedyne dwa wyjścia, i chociaż jej one także się nie podobają, będziemy musieli wkrótce na któreś się zdecydować. Zatrzymałem się i popatrzyłem na siostrę niewidzącym wzrokiem. W mojej głowie kłębiły się myśli. Wiele trzeba było brać pod uwagę, bo stawka była wysoka. A jeśli podejmiemy złą decyzję? Co będzie, jeśli Zosia i ja wybierzemy inaczej? Dodatkowo, trzeba pamiętać o Jurku. Na co on by się zdecydował?

Zosia dotknęła mego ramienia i zaproponowała, że skoro się waham, to trzeba jeszcze się zastanowić przed podjęciem decyzji. Ja jednak chciałem wszystko ustalić od razu, zanim jeszcze wróci do Bejrutu. Pragnąłem również zrzucić z piersi ciężar zalegających tam od dawna myśli. Miałem dosyć bezdomnego życia, dosyć mieszkania w obcych miejscach, choćby tak pięknych jak Liban, jeżeli nie było wiadomo, co ma przynieść następny dzień i kim mamy się stać w życiu.

– Mam czternaście lat, a mieszkam zupełnie jak pustelnik, sam na piętrze, w prawie pustym wielkim domu – powiedziałem z goryczą. – Jestem samotny i tęsknię za mamą. To nie jest życie, nawet dla dorosłej osoby.

Oczy siostry zaszły łzami, więc przestałem mówić. Zosia objęła mnie i długo milczała. Potem wyznała, że się czuje tak samo i że żal jej nas obojga.

– Czy to znaczy, że chcesz wrócić do Polski, nawet jeśli nie możemy wrócić do Saren? – zapytała.

Tego nie chciałem, pragnąłem jedynie, żeby wiedziała, jak się czuję. Decyzja, jaką musimy podjąć, będzie bolesna. Straciliśmy dom i ojczyznę, kiedy komuniści nas deportowali, a potem straciliśmy i dom, i ojczyznę jeszcze raz, kiedy alianci, u których boku Polacy walczyli o wolny świat, sprzedali nas Sowietom. Wojna skończyła się dwa lata temu, a polscy uchodźcy rozproszeni po całym świecie mogą tylko siedzieć i czekać na cud.

Poskramiając wybuch gniewu, powiedziałem, że nie chcę jechać ani do Polski, ani do Anglii.

– Nie możemy zostać dłużej w Libanie, Wiesiu. Trzeba podjąć decyzję – przypomniała Zosia.

Wziąłem głęboki oddech. Nie mógłbym wybrać życia w żadnym komunistycznym kraju, nawet gdyby to miała być Polska. Ojciec zginął za wolność, mama umarła, wydostając nas z sowieckiej niewoli. Powinniśmy zrobić wszystko, abyśmy pozostali wolni. Anglia jest przynajmniej wolnym krajem, no i jest tam Jurek. Jeśli Zosia chce jechać do Anglii, powinniśmy pojechać tam oboje, i dołączyć do brata. Oczy Zosi znowu się zaszkliły. Nie umiałem odgadnąć wszystkiego, co myśli, ale wyrzucenie z siebie prawdy o tym, co czułem, przyniosło mi ulgę. Siostra zgodziła się ze mną i dodała, że z Anglii będzie przynajmniej łatwiej wyjechać do rodziny w Ameryce i zacząć życie od nowa.

Napięcie opadło. Ulżyło nam, że zgodnie postanowiliśmy, co należy zrobić. Teraz pozostało tylko czekać na szczegóły dotyczące wyjazdu z Libanu. Zeszliśmy po schodach prosto na jasne słońce. Z radością wystawiliśmy twarze na ciepłe promienie, ale w głębi duszy dręczyła nas świadomość, że wkrótce znowu będziemy podróżować do jeszcze jednego obcego kraju. Dom, który mieliśmy w Polsce, straciliśmy bezpowrotnie; nowego domu jeszcze nie zyskaliśmy.

Zostaliśmy z Zosią wyznaczeni do zaokrętowania na koniec stycznia 1948 roku. Mieliśmy płynąć brytyjskim statkiem handlowym *Samaria* z Port Saidu w Egipcie do Liverpoolu. Statek miał przewieźć brytyjskich wojskowych stacjonujących na Bliskim Wschodzie oraz polskich uchodźców. Wszyscy podróżni poddani zostali testom na różnorodne choroby. Jeśli ktoś był zakażony, musiał się wyleczyć, by móc wyjechać. Dla ułatwienia procedury armia brytyjska otworzyła w Bejrucie placówkę przeprowadzającą badania.

Po kilku dniach otrzymaliśmy pozytywne świadectwa zdrowia i od tej chwili byliśmy gotowi do drogi. Pierwszy etap podróży przez Palestynę, będącą nadal mandatem brytyjskim, odbywaliśmy autobusami. Sytuacja wymagała czujności od kierowców, ze względu na rozruchy między grupami Arabów i Żydów. Za pierwszym razem okazało się, że mamy jechać przez strefę nasilonych walk, i zostaliśmy w ostatniej chwili cofnięci; dopiero za drugim razem rzeczywiście wyruszyliśmy. Droga wiodła przez Jerozolimę. Teren stawał się piaszczysty, gdzieniegdzie gliniasty, tu i ówdzie skalisty, wszędzie wypalony słońcem, ostro kontrastując z bujnym pięknem roślinności Libanu.

W Egipcie zobaczyliśmy jedynie jeszcze więcej piachu i spalonej ziemi. W końcu dotarliśmy do Kanału Sueskiego, gdzie roiło się od wojsk brytyjskich i egipskich robotników. Przez trzy dni mieszkaliśmy z Zosią w obozie przejściowym w pobliżu miasta Ismailia, oczekując na przybycie statku do Port Saidu nad Morzem Śródziemnym. Kiedy *Samaria* wreszcie zacumowała, przewiezieni zostaliśmy wszyscy do portu i razem z powracającymi do domu brytyjskimi żołnierzami weszliśmy na pokład. Ruszaliśmy w kolejną morską podróż do kolejnego obcego kraju.

Z mieszanymi uczuciami żegnaliśmy Bliski Wschód. Zostawialiśmy za sobą kontynent, na którym Egipcjanie, Persowie, Grecy i Rzymianie wybudowali piękne piramidy, miasta, świątynie, pomniki, akwedukty i mosty, będące przedmiotem podziwu współczesnych i przyszłych pokoleń. Wracaliśmy do dwudziestowiecznej Europy, na kontynent zniszczony przez wojnę i ogarnięty chaosem. Poza gwałtownym sztormem w pobliżu Malty droga do Anglii odbyła się spokojnie i trwała znacznie dłużej niż nasza wcześniejsza podróż przez Morze Kaspijskie. Przepłynęliśmy Morze Śródziemne, mijając wybrzeże Afryki, Gibraltar, Portugalię i Francję. Wpłynęliśmy do kanału La Manche. Podążaliśmy odwiecznym żeglarskim szlakiem tysięcy handlowych i wojennych statków, z niezwyciężoną hiszpańską Armadą pośród nich.

Wiele czasu w podróży spędziłem, myśląc o tym, dokąd się udajemy oraz gdzie byliśmy. Rozmyślałem o tym, co utraciliśmy, i o ciężkich warunkach, na które skazało nas życie. Zastanawiałem się, czy jest gdzieś na ziemi miejsce, w którym żyją dobrzy i życzliwi ludzie, w którym panują sprawiedliwość, pokój i miłość. Swój dom zachowałem w sercu i nauczyłem się w nim właśnie znajdować pocieszenie i mądrość w chwilach zwątpienia; odwagę w chwilach strachu; i miłość w chwilach samotności. Ale zacząłem też tęsknić za pełnym życiem w czasie teraźniejszym, za miejscem, które mógłbym nazywać domem, i za uwolnieniem się od przeszłości.

Rozdział 28

Tam, gdzie słońce nigdy nie zachodzi

Samaria zbliżała się do celu, a ja coraz bardziej się niepokoiłem, co nas tam czeka. Mimo dużych zniszczeń wojennych na Wyspach, Imperium Brytyjskie było nadal światowym mocarstwem, tak wielkim, iż mówiono, że to kraina, nad którą „słońce nigdy nie zachodzi". Wydawało się, że dzięki swej potędze Anglicy szybko przestaną odczuwać skutki wojny, przynajmniej w zakresie podstawowych potrzeb. Byłem przekonany, że z pomocą Brytyjskiej Wspólnoty Narodów Anglia będzie pierwszym państwem w Europie, które odbuduje się z powojennych zniszczeń.

Wreszcie ujrzeliśmy z Zosią migoczące z daleka światełka angielskiego wybrzeża. Wkrótce zejdziemy na ląd, dręczeni niepewnością i targani mieszanymi uczuciami. *Samaria* przycumowała do nabrzeża w Liverpoolu. Był zimny i mglisty wieczór w lutym 1948 roku. Po kilku latach spędzonych w gorącym klimacie Bliskiego Wschodu odzwyczailiśmy się od takiej pogody. Początkowo zawieziono nas do przejściowego obozu dla uchodźców nieopodal Liverpoolu, gdzie mieliśmy czekać na właściwy przydział. Do mieszkania służyły półokrągłe baraki z blachy falistej, które z powodu ich kształtu nazwaliśmy beczkami. Ubranie, jakie miałem na chudym, zziębniętym i dygoczącym ciele, było odpowiednie na upały Bliskiego Wschodu, ale nie na zimę w Anglii. Na zewnątrz był mróz, mimo to nasz barak nie miał prawie wcale ogrzewania. Dostaliśmy każde po wojskowym łóżku polowym i po dwa koce. Później się dowiedziałem, że blaszaki były pierwotnie postawione dla personelu alianckich sił lotniczych podczas wojny.

Przez całą noc trzęśliśmy się z zimna. Trudno było nam uwierzyć, że w obozie nie ma zimowej odzieży i pościeli, choćby używanej wcześniej przez wojsko. Następnego dnia otrzymaliśmy pierwsze racje żywnościowe, które składały się z łyżki ziemniaków, kapusty, fig, białego chleba, margaryny i herbaty. Choć pierwsza noc na brytyjskiej ziemi była dotkliwym i przykrym doświadczeniem, staraliśmy się nie tracić ducha, tłumacząc sobie, że to tylko chwilowa sytuacja.

Po kilku dniach brytyjskie wojsko przewiozło nas do kolejnego obozu przejściowego, w którym warunki były równie złe. Znowu mieszkaliśmy w blaszanych barakach, prawie bez ogrzewania. Nadal nie mieliśmy stosownych ubrań na zimę ani pościeli. Gdzie podziały się magazyny zaopatrzone w koce, zimową odzież i wszelkie inne rzeczy? Na śniadanie jedliśmy dwie kromki białego chleba z margaryną i marmoladą, popijając to herbatą. Na obiad i kolację mieliśmy łyżkę ziemniaków purée, ćwiartkę ugotowanej głowy kapusty, dwie kromki białego chleba, dwie suszone figi i herbatę. Dorastający nastolatek mógł przy takiej diecie czuć jedynie wilczy głód. Nie takiego przywitania oczekiwaliśmy i nasze rozczarowanie szybko zaczęło się przeradzać w złość. Uważaliśmy, że matki, żony, dzieci, bracia i siostry polskich żołnierzy, którzy walczyli i umierali za Anglię, powinni być lepiej traktowani.

Po trzech tygodniach pobytu w Anglii dostaliśmy list od Jurka z wiadomością, że przyjedzie nas odwiedzić. Nie widzieliśmy się od pięciu lat i pełen byłem entuzjazmu, ale zarazem niepokoju. Ostatni raz spotkaliśmy się tuż po śmierci matki, w Persji. Teraz mamy się spotkać w kolejnym obcym kraju – kiedy w końcu musieliśmy przyjąć do wiadomości, iż nasz ojciec został zamordowany.

Nadszedł dzień wizyty. Gdy wreszcie usłyszeliśmy wyczekiwane pukanie, razem pobiegliśmy do drzwi. Zanim brat zdążył postawić walizkę, uściskaliśmy go z radością i długo trzymaliśmy w objęciach.

Potem, ocierając łzy, odstąpiliśmy o krok, by się sobie przyjrzeć. Jurek był w cywilnym ubraniu, czyli inaczej niż większość polskich żołnierzy, którzy przyjeżdżali zobaczyć się z rodzinami. Sprawiał wrażenie poważnego. Na prawym policzku widać było grubą bliznę od szrapnela, którego odłamka nigdy nie usunięto. Był znacznie starszy i bardziej przygaszony, niż kiedy widzieliśmy go w Persji. Od pierwszego spojrzenia wiedziałem, że to nie ten sam człowiek co przed laty.

Jurek postawił walizkę obok stołu, po czym podniósł wzrok i długo nam się przyglądał. Zauważył na głos, jaką piękną Zosia się stała kobietą, i znowu ją przytulił, i ucałował. Potem otoczył mnie ramieniem i przyznał, iż tak wyrosłem, że nie poznałby mnie na ulicy. Zasypaliśmy go pytaniami, ale Jurek ociągał się z mówieniem. Wyjął z walizki dwa angielskie wełniane swetry i położył przed nami na stole. Podziękowaliśmy skrępowani, że my nie mamy nic dla niego.

Pod wieczór Jurek zabrał nas do najbliższego angielskiego pubu na *fish'n'chips*, czyli rybę z frytkami. Wewnątrz panował półmrok i rozchodził się ciężki zapach piwa oraz ryby. Czterech mężczyzn grało w lotki, inni siedzieli przy wielkim drewnianym kontuarze, popijając piwo z kufli, śmiejąc się i rozmawiając. Było głośno. Część ludzi jadła i piła przy stolikach. Z trudnością słyszeliśmy się wzajemnie, więc Jurek zamówił trzy porcje na wynos i wróciliśmy do blaszanego baraku.

Zjedliśmy ze smakiem nieznane nam, typowo angielskie danie i rozsiedliśmy się wygodniej, rozmawiając o drobiazgach. Z każdą minutą coraz bardziej było widać, że staramy się unikać tematów leżących nam ciężarem na sercu. Czułem się nieswojo. Siedział z nami mężczyzna, którego nie widziałem od pięciu lat, czyli przez trzecią część mojego życia. Kochałem go, ale wydawał się jakby obcy i nie miałem odwagi zapytać o to, czego najbardziej chciałem się dowiedzieć: o los polskich oficerów, których się nie doliczono w Związku Radzieckim. Zadałem mu jednak inne pytanie, które także dręczyło mnie od dwóch i pół roku – jak polscy żołnierze się czuli, kiedy po wojnie się okazało, że Churchill i Roosevelt zdradzili sprawę, o którą walczyli. Podczas odwiedzin Jurek był zamknięty w sobie, ale gdy usłyszał moje pytanie, krew napłynęła mu do twarzy i błysnęły oczy. Podniósł się, wyprostował i rzucił mi twarde spojrzenie.

– Pewien jesteś, że chcesz wiedzieć, co ja czuję? – zapytał.

– Tak – odpowiedziałem, choć przeleciało mi przez głowę, że być może nie powinienem był zadawać tego pytania. Pragnąłem jednak usłyszeć odpowiedź.

Jurek zgodził się, „tylko dlatego, że płynąć z tego może pouczenie na przyszłość". Zamilkł na chwilę, jakby dobierając słowa, a potem zaczął opowiadać z pasją.

Zachodni alianci zdradzili, oszukali i znieważyli Armię Polską. Ich generałowie i politycy, kiedy potrzebowali pomocy we Włoszech i w Anglii, wychwalali Polaków za odwagę i wkład w działania wojenne. To samo wojsko przestało być jednak potrzebne, gdy wojna się zakończyła. I co otrzymaliśmy w zamian?

Wszystkie armie sprzymierzone wróciły do domu, ale nie Armia Polska. Jej nie wolno było wrócić do kraju, bo to nie spodobałoby się Sowietom i utrudniło im przejęcie Polski pod swoje panowanie. Czy się kiedykolwiek przydarzyło w historii wojny, by zwycięskiej armii nie pozwolono powrócić do własnej ojczyzny?

– Nigdy – powiedział Jurek, odpowiadając na postawione przez siebie pytanie. – Rząd brytyjski nie miał nawet na tyle przyzwoitości, żeby zaprosić reprezentacyjny oddział Armii Polskiej do udziału w defiladzie zwycięstwa w Londynie... również ze strachu przed reakcją Sowietów. Walczyłeś jako żołnierz, a po wojnie się dowiadujesz, że twoim sprzymierzeńcom bardziej zależy na zadowoleniu Stalina niż na uhonorowaniu tych, którzy własną krwią albo i śmiercią przyczynili się do zwycięstwa. Możesz to sobie wyobrazić? Jak byś się czuł?

Jurek mówił, a my z Zosią milczeliśmy, choć czułem, że siostra jest coraz bardziej zmartwiona, w miarę jak rosło jego wzburzenie. Słuchaliśmy o polskich żołnierzach, pozbawionych teraz praw obywatelskich, którzy cały czas sądzili, że walczą o wolność swojego kraju. To byli ci żołnierze, którzy pierwsi zatknęli polską flagę na klasztorze ponoć niezwyciężonego Monte Cassino. Wszystkich oszukano. W chwili, kiedy zwyciężyli Niemców, ich ojczyzna utraciła wolność.

– Wreszcie – powiedział Jurek – kiedy nikt już nas nie potrzebował i zostaliśmy bez ojczyzny, Brytyjczycy zaprosili nas do Anglii, żeby się jakoś zrehabilitować.

Zosia przerwała mu i poprosiła, żeby spokojnie usiadł, co Jurek, zaskoczony i po krótkim wahaniu, niechętnie uczynił. Siostra zauważyła, że spośród wszystkich państw po wojnie jedna Anglia udzieliła Polakom schronienia i należy im się za to jakieś uznanie pomimo tego, co się stało.

– Tak – zgodził się Jurek – i powinniśmy być im wdzięczni za hojność. Ale z drugiej strony – dodał – czy można ignorować to, w jakim stopniu ta hojność się równoważy na szali sprawiedliwości ze zdradą Polski? Czy to się równoważy, pytam?! Kiedy Armia Polska przybyła do Anglii – podjął po chwili – żołnierze wpadli w paradoksalną sytuację. Zamieszkali wśród rzekomo przyjaznego narodu, co jednak na co dzień oznaczało ludzi, którzy wcale nie byli faktycznymi przyjaciółmi. – Po czym brat po raz kolejny podkreślił, że jest przeświadczony, iż prawdziwym powodem gościnności Brytyjczyków była chęć zmniejszenia własnej winy. Popatrzył na nas przez chwilę i dodał: – Teraz już wiecie, jak się czuję w związku z tym, co się stało.

Zosia otoczyła go ramionami. Mnie serce ściskało się z bólu. To był jedyny raz, kiedy rozmawialiśmy na ten temat. Lepiej by było, gdybym nie zadał mu tamtego pytania.

Z początkiem wiosny 1948 roku przeniesiono nas do stałego obozu o nazwie Five Oaks, na południowy wschód od Liverpoolu.

Warunki były tutaj lepsze, także za sprawą poprawiającej się pogody. Mieszkaliśmy w barakach, w których mieliśmy z Zosią mieszkanie wyłącznie do swojej dyspozycji. Poprawił się również obozowy jadłospis.

Kilka tygodni po naszym przyjeździe siedziałem po południu sam w domu i próbowałem się uczyć – w obozie nie było szkoły – a Zosia poszła odwiedzić koleżankę. Naraz zaskoczyło mnie głośne pukanie do drzwi.

– Otwarte! – zawołałem ciekawy, kto to może być.

Na progu stanął szczupły młody mężczyzna, odziany w galowy mundur oficera Armii Polskiej oraz beret, na którym widniał z przodu polski orzełek, a z boku mała biało-czerwona flaga. Mundur zdobiły na piersi polskie, brytyjskie i włoskie medale. Natychmiast rozpoznałem order Virtuti Militari – najwyższe odznaczenie, jakie polski rząd przyznaje za wybitne zasługi bojowe. Co też mógł on chcieć ode mnie?

Przybysz zapytał, czy się nazywam Wiesiek Adamczyk. Zdziwiłem się, skąd zna moje imię i nazwisko. Gdy potwierdziłem, zapytał, jak się miewam. Odpowiedziałem, że dobrze, myśląc intensywnie, skąd mógłbym go znać, ale miałem pustkę w głowie. Na widok mojego zmieszania oficer zapytał:

– Nie pamiętasz mnie?

– Niestety nie, proszę pana. Przykro mi, przepraszam.

Czyżbym mógł znać kiedyś tego oficera i nie zapamiętać go? Podszedł do mnie i wyciągnął rękę. Powiedział, że ostatni raz się spotkaliśmy około siedmiu lat temu w Semioziersku. Ubrany był wówczas w prosty rosyjski chłopski strój, na pewno obszarpany, i być może dlatego nie mogę go teraz rozpoznać. Wtedy nareszcie rozjaśniło mi się w głowie. Przypomniałem sobie, jak odwiedzał czasami naszą lepiankę, a potem jak wyjechał z Jurkiem w październiku 1941 roku, żeby się zaciągnąć do Armii Polskiej. Wydawało się to jakby przed wiekami.

– Pan Mietek…? – zapytałem.

– Tak, Mietek Kamiński.

Uściskaliśmy się. Właśnie w tej chwili drzwi się otworzyły i do pokoju wkroczyła siostra. Mietek stał tyłem do wejścia, więc pierwszy dałem jej znak, że mamy wyjątkowego gościa. Zaskoczona nie wiedziała, co powiedzieć. Mietek się odwrócił, by ją przywitać, strzelił obcasami dżentelmeńskim zwyczajem, skłonił się i ucałował jej wyciągniętą dłoń. Zosia promiennie się uśmiechnęła. Zawahała się tylko przez krótką chwilę, nim zawołała:

– Mietek! – i uścisnęli się. Zaraz dodała: – Dzięki Bogu, że przeżyłeś!

To zagadka, pomyślałem sobie, moja siostra dziękuje Bogu, że Mietek przeżył, a ja prawie go nie pamiętam. Czyżby Zosia dobrze znała go w Semioziersku? I to całowanie w rękę? Czy to jedynie schlebianie siostrze czy coś więcej? Zosia była zaledwie wychudłą nastolatką, kiedy widzieli się poprzednim razem. Zerknąłem na siostrę i nie po raz pierwszy zdałem sobie sprawę, jaką się stała atrakcyjną kobietą. Wieczór ten, jak się miało później okazać, stanowił nader pamiętny początek rozkwitającego romansu.

Mietek i Zosia coraz częściej się spotykali, co martwiło mnie na początku, ponieważ nie znałem jego zamiarów. Nie umiałem się pozbyć troski o siostrę. Podczas naszej długiej wspólnej podróży cały czas przecież uważaliśmy na siebie. Teraz więc również dokładałem wszelkich starań, by zwolnić naturalny bieg rzeczy. Kiedy Mietek odwiedzał nas, pod jakimkolwiek pretekstem towarzyszyłem im wszędzie, gdzie tylko szli; jeśli natomiast zostawali w domu, wyjątkowo pilnie zajmowałem się nauką. Pomimo utrudnień, jakie mnożyłem, młody oficer wkrótce się oświadczył.

Zosia i Mietek pobrali się 4 września 1948 roku. Jurek przyjechał z Londynu, by tradycyjnie poprowadzić siostrę do ołtarza. Na ceremonię przybyli rodzice Mietka, którzy tak jak my uciekli ze Związku Radzieckiego. Jedynym gościem na ślubie spoza rodziny była najlepsza przyjaciółka Zosi z Persji i Libanu, Iwona Gronkowska. Nie stać nas było na zakup sukni ślubnej, ale Zosia i tak wyglądała ślicznie w prostym kostiumie i białym toczku. Mietek wystąpił u jej boku w pełnym mundurze galowym z kompletem orderów, które otrzymał podczas wojny. Najpierw udaliśmy się wszyscy do kancelarii księdza na krótkie nabożeństwo, a potem całą siódemką poszliśmy na weselny obiad, w czasie którego składaliśmy młodej parze najlepsze życzenia i piliśmy za ich miłość, szczęście i zdrowie.

W związku z tym, że Zosia wyszła za mąż, a Jurek zatrudniony był w Londynie, po raz kolejny pojawił się problem mojego mieszkania i nauki. W naszym dotychczasowym obozie nie było w ogóle szkoły, ale otrzymaliśmy informację, że w Beccles, miasteczku na północny wschód od Londynu, znajduje się szkoła średnia dla polskich chłopców. Nauczano w niej po polsku, choć niestety nie uczono języka angielskiego, niemniej wydawała się ona najlepszym rozwiązaniem, by zapewnić mi kontynuację tak często przerywanej edukacji.

Szkoła w Beccles rozwiązała się jednak kilka miesięcy po moim przyjeździe. Wielu z nas odesłano do obozu w Bottisham, niedaleko Cambridge, w którym mieściła się inna polska szkoła dla chłopców, powołana w grudniu 1948 roku. Na terenie szkoły znajdowała się kaplica, gabinet lekarski, wspólna jadalnia oraz kwatery dla około sześciuset chłopców. Nauczali nas polscy nauczyciele z polskich książek i w języku polskim. Chodziliśmy w mundurkach, na które składały się spodnie i marynarki z flaneli. Cisza nocna zaczynała się o dziesiątej.

Warunki w Bottisham były porównywalne do panujących w Beccles, chociaż chłopcy, z którymi dzieliłem barak, byli lepiej wychowani. Zapowiadała się kolejna zima bez ogrzewania. Jedno wiaderko węgla na dwa lub trzy dni zdecydowanie nie wystarczało, aby utrzymać ciepło w blaszaku. Wieczorem rozpalaliśmy w piecyku, stojącym pośrodku pomieszczenia, i gromadziliśmy się dookoła, aby się rozgrzać. Kiedy dzienna racja węgla się kończyła, rozchodziliśmy się szybko do łóżek i ciasno opatulaliśmy zniszczonymi kocami, które rozdano nam po trzy na głowę. We śnie łatwiej było przetrzymać zimno, wyobrażając sobie, że węgla starcza na całą noc. Byliśmy już ekspertami w tego rodzaju udawaniu, w Związku Radzieckim chodziło się spać, by przetrwać czas największego głodu. Teraz też kładliśmy się wcześnie, owijaliśmy się kocami w nadziei, że uda nam się zachować ciepło wygasłego już piecyka. Nasze posiłki składały się w tym czasie głównie ze śledzi, gotowanych jajek, dżemu, kapusty, suszonych fig i niewielkich ilości białego chleba oraz mleka. Raz na tydzień dostawaliśmy kawałek mięsa, a czasem nawet świeże owoce.

Mimo to wciąż byliśmy głodni. Zdesperowani znaleźliśmy rozwiązanie w postaci młodych gołębi, które się wykluły wiosną w dębowym lesie nieopodal. Wieczorami kilku z nas udawało się na wyprawy łowieckie. Wspinaliśmy się na drzewa i zabijaliśmy młode ptaki, a potem gotowaliśmy je w metalowej puszce, którą znaleźliśmy wśród śmieci wyrzucanych z kuchni. Choć nie był to czyn chwalebny, burczący brzuch skłaniał do nieprzejmowania się losem ptaków bardziej aniżeli własnym.

Któregoś dnia, gdy leżałem w baraku i się uczyłem, administrator obozu przyprowadził nowego chłopca, na oko w moim wieku. Przydzielił mu łóżko obok mojego i wyszedł, a chłopiec przedstawił się jako Christopher Flizak, choć jego polskie imię brzmiało Krzysztof. Od tej pory mówiłem na niego „Chris". On także mieszkał w Beccles, choć wtedy się nie spotkaliśmy, a po zamknięciu obozu spędził trochę czasu z rodzicami, pochodzącymi jak my ze wschodniej Polski. Przed wojną ojciec Chrisa służył jako zawodowy oficer w wojsku, wobec czego ich rodzina, tak jak nasza, znalazła się na liście „wrogów ludu" skazanych na deportację. Jego odyseja przebiegała podobnie do mojej. Szybko zadzierzgnęliśmy przyjaźń na całe życie.

W owym czasie zacząłem odczuwać trudne do zniesienia bóle zatok. Kładłem to schorzenie głównie na karb zmiany klimatu, z upałów Bliskiego Wschodu na wilgotny angielski chłód, a także trudnych warunków życia. Nie mogłem oddychać przez nos, przez co prawie nie spałem w nocy. Kiedy leczenie zalecane przez obozowego doktora nie przyniosło żadnych rezultatów, zostałem wysłany do specjalisty w szpitalu w Cambridge. Ponieważ wciąż nie znałem angielskiego, nie potrafiłem wypełnić formularzy, które tam dostałem. Usiadłem i bezradnie czekałem, czując się coraz gorzej. Po trzech godzinach zbadał mnie lekarz, po czym gestykulując, zaczął tłumaczyć, z kiepskim skutkiem, jak będzie wyglądał zabieg. Pielęgniarka przyniosła miskę pełną gorącej wody oraz przyrządy medyczne, które napawały mnie przerażeniem. Podniosła piętnastocentymetrową strzykawkę, przymocowaną do drewnianej rączki i długiej na sześćdziesiąt centymetrów gumowej rurki z zasysającą gruszką. Nie będąc w stanie przewidzieć, na czym ma polegać zabieg, coraz silniej odczuwałem niepokój i strach. Lekarz wetknął mi igłę strzykawki do nosa, aż dotknęła ściany zatoki. A potem uniósł prawą rękę i nagle z całej siły uderzył w drewnianą rączkę. Poczułem przeszywający ból, gdy igła przebiła się do środka. „Boże, zmiłuj się nade mną", szepnąłem, a pielęgniarka w tym czasie zaczęła płukać wnętrze zatoki ciepłą wodą. Wywołało to dziwne i dosyć nieprzyjemne uczucie. Słyszałem i czułem wodę chlupiącą wewnątrz mojej głowy. Lekarz powtórzył zabieg przez drugą dziurkę od nosa. Przez cały czas kląłem pod nosem po polsku, rosyjsku i, tyle co umiałem, po arabsku.

Kiedy doktor skończył, przez jakieś piętnaście sekund myślałem, że jest lepiej. Zaraz jednak znowu poczułem przelewającą się wokół mózgu wodę, głowę rozsadzało mi, jakby była nadmuchiwanym balonem. Musiałem jednak natychmiast opuścić szpital, żeby złapać autobus do Bottisham. Gdy do niego wsiadałem, na powrót nie mogłem oddychać przez nos. Strasznie bolała mnie głowa i miałem się zdecydowanie gorzej niż przed zabiegiem.

Po upływie tygodnia poczułem się trochę lepiej. Oznajmiłem Chrisowi, że czas wziąć sprawy w swoje ręce i poprawić nasze warunki bytowe. Najbardziej doskwierał nam brak jedzenia, ogrzewania oraz towarzystwa dziewcząt. Chris z zapałem przyznał mi rację. Znalezienie dziewcząt okazało się najprostsze do wykonania. Zaczęliśmy się wymykać ukradkiem, aby spotykać się z pannami w Cambridge. Kiedy zapoznaliśmy jakąś dziewczynę, umawialiśmy się z nią późną porą, po godzinie ciszy nocnej, gdyż obóz łatwiej było opuścić pod osłoną mroku. Ani ja, ani Chris nie mówiliśmy po angielsku, jednak nie okazało się to przeszkodą. Szybko odkryliśmy to, o czym wie każdy żołnierz służący na obcej ziemi – że komunikacja w uniwersalnym języku dotyku, uczuć i pocałunków jest w zupełności wystarczająca. Nie wiedząc, gdzie indziej można by znaleźć odpowiednio odosobnione miejsce na te schadzki, wybraliśmy jedyny znany nam zaciszny zakątek, w pobliżu miejskiego mostu na rzece Cam.

Problem braku ogrzewania okazał się także raczej prosty do rozwiązania, kiedy tylko się nad nim chwilę zastanowiliśmy. Niedaleko od naszego blaszaka znajdował się ogrodzony skład węgla. Trzeba było jedynie się tam dostać. Nie musieliśmy jednak przepiłowywać zamków ani wspinać się na wysoki druciany płot. Wystarczyło, że w niezbyt widocznym miejscu w ogrodzeniu wycięliśmy dziurę obcęgami kupionymi w Bottisham. Od tej pory zaopatrywaliśmy się przynajmniej w jedno dodatkowo wiadro węgla dziennie.

Trzeci problem sprawił nam najwięcej kłopotu. Nie mieliśmy jedzenia. Dwa bunkry, w których podczas wojny znajdowały się schrony przeciwlotnicze, zaopatrywały w prowiant jedyną kuchnię w obozie. Pokrywała je gruba warstwa ziemi, porośnięta trawą, a jedyne wejścia do każdego z nich były zamknięte na cztery spusty. Puszczając porozumiewawczo oko, powiedziałem do Chrisa:

– Chyba nie powinniśmy... chłopcy z dobrych domów, o solidnych zasadach... wyłamywać zamków?

– Masz rację, Wiesiu. To by było zwyczajne włamanie. Żaden z nas nie został wychowany, by robić takie rzeczy.

Wspięliśmy się na dach jednego z bunkrów, poszukując innych sposobów dostania się do środka. Szybko odkryliśmy dwa włazy ewakuacyjne i zaskoczyło nas, że wystarczyło po prostu podnieść klapę, by je otworzyć. W świetle księżyca podziwialiśmy równiutko ułożone prawie pod sam sufit kartony z żywnością.

Wróciłem z Chrisem do baraku, aby obmyślić plan wynoszenia jedzenia z bunkra bez narażania się na wpadkę. Doszliśmy do wniosku, że potrzebujemy wspólnika – kogoś godnego zaufania, na kim moglibyśmy polegać. Wybraliśmy drobnego chłopca z naszego blaszaka. Chłopiec był sierotą, uznaliśmy więc, że może potrzebować pomocy bardziej od innych, co dawało nam pewność, że będzie rzetelny i słowny. Kiedy wtajemniczyliśmy go w nasz plan, zgodził się na współpracę bez żadnych zastrzeżeń i przysiągł dotrzymać tajemnicy. Następnej nocy wyruszyliśmy na pierwszą akcję do bunkra. Nowy wspólnik stał na czatach nieco dalej, gotowy w razie zagrożenia dać nam sygnał ostrzegawczy, który ustaliliśmy wcześniej. Ja zostałem na dachu i spuściłem Chrisa w głąb włazu. Przez siedem minut myszkował wśród pudeł, sprawdzając, jakie produkty są w nich przechowywane. Potem wyciągnąłem go. Wyniósł chleb, ser i suszone figi, co natychmiast zjedliśmy na miejscu.

Po tym sukcesie wracaliśmy do bunkra regularnie, choć nie częściej niż raz na dziesięć dni, aby nie wzbudzać podejrzeń. Zazwyczaj wynosiliśmy podobny prowiant, choć parę razy udało nam się nawet znaleźć jabłka i pomarańcze. Staliśmy się tak biegli w tej sztuce, że potrafiliśmy wejść i wyjść z bunkra w dwie minuty, zawsze jednak biorąc tylko tyle jedzenia, ile byliśmy w stanie zjeść na jeden raz.

Mając dodatkowe ogrzewanie oraz pożywienie, znaleźliśmy się w zdecydowanie lepszej sytuacji, aczkolwiek odbyło się to kosztem naszego sumienia. Pewnego dnia, podczas jednej z częstych codziennych przechadzek z Chrisem, zaczęliśmy po raz kolejny omawiać dylemat moralny, przed którym stawiało nas nasze postępowanie. Zasugerowałem, abyśmy rozważyli trzy rozwiązania. Pierwsze, to kierowanie się sumieniem. Przestaniemy kraść jedzenie i węgiel, skazując się na powrót do głodu i zimna. Drugie, to kontynuowanie naszych poczynań z nadzieją, że gdy znajdziemy pracę, spłacimy dług wobec brytyjskiego skarbu państwa.

Chris nie dał mi wyjaśnić trzeciej drogi, gestykulując żywo.

– Przestań – rozkazał, uśmiechając się nieznacznie. – Gotów jestem założyć się o wszystko, co mam w kieszeniach, że i trzecia droga nie będzie niczym więcej jak kolejnym twoim kpiarskim żartem.

Odpowiedziałem mu, że nie może się zakładać, kiedy nawet razem wzięci nie mamy złamanego szeląga przy duszy. A poza tym moje propozycje były poważne. Trzecia miała być czysto finansową transakcją, nie różniącą się od tych, które banki zawierają między sobą albo z klientami.

– Aby dobrze zrozumieć trzecie rozwiązanie naszego problemu – powiedziałem – wyobraź sobie, że skarb brytyjski udzielił ci kredytu.

– Wiedziałem, że robisz sobie żarty – przerwał mi po raz kolejny Chris. – Najpierw stwierdzasz, że nie mamy nawet złamanego szeląga, a teraz, że mógłbym mieć kredyt od skarbu brytyjskiego? To bez sensu.

– Ależ mógłbyś, a nawet masz. I ja także. Większy, niż przypuszczasz – odparłem.

– Wiesiu, wystarczy na dziś tych dowcipów. Lepiej zmieńmy temat.

Przez chwilę milczałem.

– Czy sądzisz, że okłamałbym kiedykolwiek przyjaciela? – spytałem wreszcie spokojnym głosem.

– Nie – odpowiedział natychmiast.

Wtedy wyłożyłem mu trzecie rozwiązanie.

– Wyobraź sobie, że ktoś okrada cię z całego twojego majątku i pali twój dom. Jednej nocy tracisz wszystko, stajesz się bezdomnym żebrakiem. Po jakimś czasie odkrywasz, że to twój przyjaciel sklepikarz wyrządził ci tę krzywdę. Teraz, udając, że wciąż jest twoim przyjacielem, pozwala ci rozbić namiot na swoim podwórku. Jednakże ty już wiesz, że ta życzliwość jest pozorna i nie może być umotywowana współczuciem, gdyż nie można współczuć ofierze, którą samemu wtrąciło się w taką nędzę. Jest zima, jesteś głodny i marzniesz. Zdesperowany zabierasz z jego sklepu bochenek chleba i wychodzisz. Odłóżmy na bok pytanie, czy to, co zrobiłeś, jest legalne. Zastanówmy się, czy biorąc chleb, ukradłeś, czy po prostu odebrałeś maleńką część tego, co ten człowiek ukradł tobie? Czyż nie mógłbyś powiedzieć sklepikarzowi, że może sam sobie zapłacić za ten chleb pieniędzmi, które przywłaszczył?

Chris rozważał moje słowa w zamyśleniu.

– Ależ w twoim rozumowaniu jest błąd! – wykrzyknął wreszcie ożywiony.

– Jaki? – zapytałem.

– To nie Churchill i Roosevelt okradli cię z dobytku, tylko Stalin – odpowiedział poważnie.

Wytknąłem mu, że choć to Stalin odebrał nam wszystko, to właśnie Churchill i Roosevelt zasiedli z nim do negocjacji w Teheranie i Jałcie oraz podpisali porozumienie sankcjonujące tę kradzież. Jakaż różnica dla Polaków, kto faktycznie dokonał kradzieży? Wina leży po stronie tych, którzy zgodzili się wydać nasz kraj Związkowi Radzieckiemu.

– To, co zostało nam odebrane, jest bez porównania cenniejsze od paru wiader węgla i bochenków chleba, które kradniemy teraz Brytyjczykom – powiedziałem z przekonaniem.

Chris objął mnie ramieniem i uśmiechnął się, zapewniając, że teraz ma już sumienie czyste.

– Ale nie zapominaj, że porozumienie, które Churchill i Roosevelt zawarli ze Stalinem, jest wynikiem ogromnej presji, aby zakończyć wojnę za wszelką cenę. Oni nie są z gruntu źli, po prostu dążyli do pokoju – dowodził Chris. – Sprzedając połowę Polski, zapewnili udział milionów sowieckich żołnierzy w walce przeciwko Niemcom.

– Jak można w ten sposób usprawiedliwić zdradę sojusznika? – spytałem oburzony.

– Każdemu w jego działaniu bądź w braku działania przyświeca jakiś cel i racja.

Pomyślałem, że poznanie tego celu nie łagodzi cierpienia ofiar. Mało obchodziły mnie racje Churchilla i Roosevelta.

– Wszystko, co wiem, to że dwójka wielkich obrońców wolności zdradziła Polaków niesprawiedliwie, a ty i ja jesteśmy ofiarami tej zdrady – zauważyłem.

Przechadzaliśmy się dalej wśród wysokich dębów wokół szkoły, ale już w milczeniu. Po pewnym czasie Chris zatrzymał się i spytał, na ile wyceniłbym kredyt, który posiadamy u skarbu brytyjskiego. Nie byłem pewien, czy żartuje, czy mówi poważnie, jednak nie miało to znaczenia.

– Ile jest wart twój dom, Chris? Ile jest wart twój kraj? – odpowiedziałem bez wahania.

Obaj znaliśmy odpowiedź, bo obaj straciliśmy wszystko. Nikt nie mógł znać jej lepiej od nas.

Wróciliśmy do blaszanego baraku, żeby się pouczyć. O północy wymknęliśmy się, aby przekąsić trochę chleba, sera i suszonych fig.

Część VII

KONIEC PODRÓŻY

Brytyjski liniowiec oceaniczny *Aquitania* wyruszający z Anglii do Ameryki na swój ostatni rejs pasażerski, Southampton, Anglia, 15 listopada 1949 rok

Rozdział 29

Wspaniała *Aquitania*

W październiku 1949 roku nadszedł krótki list od ciotki Marii z Chicago. Otworzyłem go przejęty i przeczytałem z bijącym sercem, że wiza imigracyjna, o którą w moim imieniu ciotka się ubiegała, została mi przyznana. Ciotka pisała, że nic już nie stoi na przeszkodzie mojej podróży do Ameryki – bilety na rejs do Halifaksu w Nowej Szkocji oraz na pociąg do Chicago, wraz z niezbędnymi numerami telefonów i instrukcjami, zostały przesłane Zosi. Miałem wyruszyć z Southampton 15 listopada 1949 roku o godzinie 13.15 na pokładzie liniowca *Aquitania.* Do listu ciotka przezornie dołączyła pięć dolarów na posiłki w pociągu do Chicago. List kończyły życzenia bezpiecznej podróży i informacja, że do Stanów dotrę dokładnie na czas obchodów Święta Dziękczynienia.

Ogarnęła mnie wielka radość – moje marzenia miały się spełnić. Po latach samotnej, pełnej strachu i goryczy tułaczki wreszcie miałem odnaleźć prawdziwy dom, miejsce, w którym ktoś na mnie czeka. Trzy dni przed rozpoczęciem rejsu opuściłem Bottisham i udałem się pociągiem do Brighton, gdzie mieszkali Zosia i Mietek. Przekazałem Chrisowi adres – który niebawem miał się stać moim własnym – i numer telefonu, przyrzekając, że dołożę starań, aby i jemu ciotka Maria pomogła dostać się do Ameryki. Razem poszliśmy na dworzec kolejowy. Uścisnęliśmy się – moment pożegnania był trudny, choć obiecywaliśmy sobie, że się spotkamy, gdy tylko będzie to możliwe. Pociąg ruszył.

– Wiesiu, nie zapomnij oszczędzać, gdy będziesz już pracował, abyśmy mogli spłacić dług skarbowi brytyjskiemu – krzyknął za mną Chris.

W szybko mknącym pociągu skierowałem myśli ku Ameryce i tamtejszej rodzinie, której – z wyjątkiem Władzi i Janki Siepakówien – zupełnie nie znałem. Byłem ciekaw kolejnego początku w moim życiu. Wyglądałem przez okno i patrząc na uciekające szybko wiejskie krajobrazy, cieszyłem się, że już niedługo opuszczę Anglię.

Było jak zwykle ponure angielskie listopadowe popołudnie. W Brighton czekali na mnie Zosia z Mietkiem i trzymiesięcznym synkiem George'em. Ze stacji udaliśmy się prosto do nich. Wieczorem dołączył Jurek, który przyjechał z Londynu, i rozmawialiśmy o przyszłości – o spotkaniu w Chicago i wspólnym życiu w Ameryce. Niemal nie wierzyłem w to, co się działo – po tylu latach rozłąki, która doskwierała nam, gdy błąkaliśmy się po obcych ziemiach, wydawało się prawie niemożliwe, że moglibyśmy żyć wreszcie razem – wieść życie w wybranym przez siebie miejscu.

Następnego dnia Jurek postanowił zabrać mnie pociągiem do Londynu. Chciał pokazać mi miasto, zanim wyjadę. Poszliśmy na wyścigi psów, gdzie pierwszy raz zetknąłem się z torem wyścigowym. Jurek opowiedział o systemie bukmacherskim i o zasadach działania totalizatora. Obserwowałem bukmacherów, którzy zajmowali strategiczne pozycje dokoła toru, żeby odpowiednio zmieniać wypisywane kredą na tablicach notowania poszczególnych psów. Jurkowi dopisywało szczęście, miał wyraźnie dobry dzień. Po wyścigach poszliśmy na obiad, a następnie do mieszkania Jurka, gdzie zamierzaliśmy porządnie się wyspać, lecz... przegadaliśmy całą noc.

Nazajutrz Jurek dalej oprowadzał mnie po Londynie. Zobaczyłem pałac Buckingham, katedrę Westminster i Tower, a także pierwszy raz w życiu jeździłem metrem. W wielu miejscach widać było jeszcze szkody wyrządzone przez Niemców i zaczynałem lepiej rozumieć, jak poważnie Wielka Brytania ucierpiała na skutek wojny.

Złagodziło to nieco moje dotychczasowe podejście do Anglików. Po objechaniu Londynu złapaliśmy powrotny pociąg do Brighton, by zdążyć na pożegnalny obiad z rodziną.

Następnego ranka, 15 listopada, wszyscy razem pojechaliśmy pociągiem do Southampton, skąd miałem odpłynąć na pokładzie wspaniałego oceanicznego liniowca *Aquitania*. Jego pierwsze wodowanie, w 1913 roku w Liverpoolu, ściągnęło sto tysięcy ludzi, ciekawych największego i powszechnie uznanego za najbardziej elegancki okrętu. *Aquitania* służyła najdłużej spośród statków linii Cunard, do której należała, ale odbyła zaledwie dwa regularne rejsy. Potem została zarekwirowana na potrzeby armii i podczas I wojny światowej służyła jako uzbrojony statek transportowy do przewozu żołnierzy, handlowy do przewozu towarów, a wreszcie jako statek szpitalny. Podobnie było w czasie II wojny światowej. Przez ostatnie dwa lata rząd kanadyjski wypożyczał statek do transportu uchodźców z Southampton do Halifaksu.

Z oczyma wezbranymi łzami, po raz ostatni na angielskiej ziemi, uściskałem Jurka, Zosię, Mietka i małego George'a. Zacząłem się wspinać po schodkach prowadzących na pokład, dzierżąc w kurczowo zaciśniętej dłoni walizeczkę, którą podarowała mi Zosia. W środku znajdował się mój skromny dobytek, paszport oraz bilety na ten ostatni już – o co się modliłem – etap tułaczki. Na pokładzie podszedłem natychmiast do barierki, zza której po raz ostatni pomachałem bliskim na pożegnanie.

Samotny na pokładzie *Aquitanii* nagle poczułem się staro. Bardziej niż kiedykolwiek przedtem uzmysłowiłem sobie, jak mocno jestem utrudzony błądzeniem po całym świecie. Chyba i statek się nie czuł zbyt dobrze, mówiono bowiem, że pracuje tylko jedna z jego turbin. Ciekawym zbiegiem okoliczności był to ostatni rejs tego największego i dawniej najbardziej luksusowego liniowca – i ja miałem nadzieję, że zmierzam do celu po raz ostatni.

Przydzielono mi koję na dolnym pokładzie, podobnie jak dwóm tuzinom mężczyzn różnych narodowości, z których tylko kilku mówiło po polsku. Byłem wyraźnie najmłodszy wśród nich – większość współpasażerów skończyła już dwadzieścia pięć lat. Mój stan posiadania, oprócz ubrań, które miałem na sobie, składał się z jednej koszuli, pary spodni, nielicznej bielizny i notesu z adresami, upakowanych w walizce. Zostało mi też trochę brytyjskich funtów do wydania w czasie rejsu i pięć amerykańskich dolarów na ostatni etap podróży. Wszystko razem stanowiło cały mój dobytek. Ale najważniejsze było, że chociaż prawie nie znałem angielskiego, nareszcie byłem w drodze do Ameryki.

Około czterech godzin po odpłynięciu z Southampton wpłynęliśmy w strefę sztormów, typowych dla listopadowego Atlantyku. Statek bujał się i kołysał, co nie wpłynęło dobrze na mój żołądek. Otaczali mnie obcy ludzie, mówiący nieznanymi mi językami, byłem sam – bez mamy, bez Zosi, bez nikogo, kto wspomógłby mnie w moim cierpieniu. Trochę się wstydziłem wymiotować przy tych wszystkich ludziach, lecz nie miałem wyjścia. Postanowiłem leżeć, aż poczuję się lepiej. Ktoś czasem przyniósł mi wodę i krakersy i w ten sposób przetrwałem kolejne cztery dni. Pierwsza próba dowleczenia się do restauracji skończyła się po zaledwie kilku krokach nową falą wymiotów prosto na korytarz. Jedynym wyjściem był więc powrót na koję i odżywianie się wyłącznie tym, co przyniosą współpasażerowie.

Pod koniec rejsu mój organizm zaczął się przyzwyczajać do warunków panujących na statku, byłem już w stanie spacerować po pokładzie, spożywać porządniejsze jedzenie i nieco rozruszać zesztywniałe ciało. W końcu któregoś dnia dotarliśmy w południe do portu w Halifaksie. Powiedziano nam, że musimy poczekać kilka godzin na pokładzie. Tuż przed zejściem na ląd po raz ostatni udałem się do łazienki, z której często korzystałem podczas rejsu – do przestronnej, pięknej łazienki, godnej najbardziej luksusowego hotelu. Gdy otworzyłem drzwi, nie mogłem uwierzyć własnym oczom. Cała podłoga była w nieczystościach. Zdjęty obrzydzeniem wycofałem się, mając nagle przed oczyma stację kolejową z pierwszego etapu ucieczki ze Związku Radzieckiego. Jak rażony piorunem stałem na progu, usiłując wytłumaczyć sobie to, co widzę, i pojąć ową kolejną lekcję na temat ludzkich rozrachunków. Tego nie mógł zrobić jeden człowiek – było to zorganizowane, pełne nienawiści działanie grupy osób, które najwyraźniej czuły wobec Brytyjczyków wielką urazę. Był to wyraz zemsty tych, których poniżano i którymi pomiatano. Oni – dotychczas bezradne pionki – teraz pozostawili po sobie wyraźne i dosadne przesłanie.

Zszedłem na ląd i obróciwszy się, po raz ostatni spojrzałem na *Aquitanię*. Była to jej ostatnia podróż, jej życie dobiegło końca, podczas gdy moje, choć czułem, że już niejedno za mną, dopiero miało się zacząć. *Aquitania* wróciła do portu macierzystego w Anglii, gdzie po rozprzedaniu jej bogatego wyposażenia została wysłana na złomowisko.

Rozdział 30

Święto Dziękczynienia

Po opuszczeniu statku przeszedłem przez odprawę celną. Kanadyjscy urzędnicy działali profesjonalnie, byli uprzejmi i pomocni. W Nowej Szkocji nie czekał na mnie nikt z rodziny, dołączyłem więc do przypadkowo spotkanego podczas rejsu Polaka, który też podróżował do Chicago, i razem z nim dostałem się na stację kolejową. Nasz pociąg wyruszył wieczorem. Na Union Station w Chicago powinniśmy dotrzeć mniej więcej po upływie doby. Okazało się jednak, że podróżujemy pociągiem, który zatrzymuje się co pół godziny, aby załadować i wyładować towary, takie jak nabiał, prasa, poczta i wiele innych. Czułem, że nie ma szans, byśmy dojechali do Chicago w przewidywanym czasie.

Z rana poczułem, że jestem bardzo głodny. Wybrałem się do wagonu restauracyjnego, gdzie poprosiłem innego pasażera z Polski, mówiącego po angielsku, by zamówił dla mnie sute śniadanie. Mimo wczesnej pory kelner ubrany był elegancko w nienaganny smoking z muszką. Przyjął moje zamówienie i zaprowadził do stolika. Śniadanie było wyborne, od dziesięciu długich lat nie widziałem takiego wspaniałego jedzenia: jajka na bekonie, mnóstwo wyśmienitego dżemu, świeżutkie masło, mocna kawa z prawdziwą śmietanką oraz świeże owoce. Gdy skończyłem ucztę, kelner delikatnie ukłonił się, wręczając mi rachunek na ponad dwa dolary. „Chryste Panie!" – wyszeptałem przerażony. W 1949 roku dwa dolary były astronomiczną ceną za śniadanie. Po zapłaceniu pozostały mi niespełna trzy dolary na kolejne kilkanaście godzin podróży. Nie mogłem wydać wszystkiego, co miałem – co by się stało, gdyby moim krewnym coś pokrzyżowało plany i nie mogliby odebrać mnie z dworca, kiedy dojadę? Do końca podróży wyskakiwałem tylko na kolejnych stacjach, by kupić sobie trochę chleba i mleka, po czym jak najszybciej biegłem z powrotem do pociągu.

Granicę ze Stanami Zjednoczonymi przekroczyliśmy w Port Huron w stanie Michigan. W pociągu pojawili się oficerowie służby celnej USA. Gdy patrzyłem, jak sprawdzają dokumenty każdego z pasażerów, zaczęło ogarniać mnie przerażenie. A jeśli coś będzie nie tak? Jeśli nie spodoba im się samotnie podróżujący nastolatek? Jak wtedy odnajdzie mnie moja rodzina? Próbowałem dodać sobie otuchy, wracając pamięcią do dnia, w którym w wieku dwunastu lat jechałem na rowerze przez Teheran i otaczające go góry, szukając siostry i również nie znając miejscowego języka. Potem podobna rzecz przydarzyła mi się w Libanie, także bez żadnych przykrych konsekwencji. Poza tym byłem w Ameryce, a nie w Związku Radzieckim. Dla uspokojenia powtarzałem wyuczony na pamięć adres ciotki Marii w Chicago. Wreszcie podszedł do mnie oficer i poprosił o paszport. Krótki rzut oka na dokument, uśmiech, kilka nieznanych mi słów po angielsku i mężczyzna ruszył w dalszą drogę po wagonie – całe szczęście nie czekając na odpowiedź. I to wszystko? Witaj w Ameryce, pomyślałem. Po przeżyciach związanych z przekraczaniem granic w Związku Radzieckim czy Turcji było to dla mnie coś nowego.

Odkąd opuściliśmy Kanadę, pociąg znacznie przyspieszył i wkrótce dotarliśmy do Chicago. Byłem wyczerpany, mimo że drzemałem przez większą część trzydziestosześciogodzinnej podróży. I wiedziałem, że moje ubranie odrażająco cuchnie – nie przebierałem się od opuszczenia Anglii.

Pociąg powoli wjechał pod dach Union Station i w końcu się zatrzymał. Z bijącym sercem postawiłem stopę na amerykańskiej ziemi. Po krótkim marszu po peronie wśród tłumu pędzących we wszystkie strony ludzi znalazłem się w ogromnym i pięknym pomieszczeniu, które nie przypominało niczego, co widziałem kiedykolwiek w życiu. Gdzie ja się znalazłem? Ale wkoło nadal pełno było ludzi z walizkami i biletami kolejowymi. To jednak musi być dworzec.

Uspokoiłem się nieco, gdy zebrawszy myśli przypomniałem sobie list ciotki, w którym zapewniała mnie, że jeżeli tylko dotrę na Union Station, nie ma się o co martwić. Ciotka nie przewidziała jednak, że mój pociąg przybędzie z tak dużym opóźnieniem. Przez dobre pół godziny krążyłem po dworcu, aż stało się dla mnie jasne, że nikt tutaj na mnie nie czeka. Wyjąłem notes, w którym miałem zapisany numer telefonu ciotki, lecz nie miałem pojęcia, jak się korzysta z telefonu. A co gorsza, nie znałem angielskiego.

Nieśmiało podszedłem do mężczyzny, który samotnie przemierzał dworzec, i pociągnąłem go za rękaw. Wskazałem palcem telefon i spróbowałem poprosić go po polsku, żeby wykręcił potrzebny mi numer. Z początku nie rozumiał, o co chodzi, ale kiedy odgadł, w jakim znajduję się położeniu, poszedł ze mną do budki. Szczęśliwie zostało mi jeszcze trzydzieści centów. Po kilku minutach w słuchawce odezwał się głos ciotki Marii, z którą nigdy wcześniej w życiu nie rozmawiałem. „Witaj w Ameryce" – to były jej pierwsze słowa. Wyjaśniła, że poprzedniego dnia na dworzec wyszła po mnie cała rodzina. Od tamtej pory co godzinę dzwonili na stację, by się dowiedzieć, czy opóźniony pociąg już przyjechał. Z radością w głosie oznajmiła, że przybyłem akurat w Święto Dziękczynienia i żebym wypatrywał tuzina osób, które za godzinę przyjadą mnie powitać.

Niecierpliwie oczekując przybycia krewnych, usiadłem na ławce i obserwowałem mijających mnie ludzi, jakże niepodobnych do tych, z którymi stykałem się przez ostatnie dziesięć lat! Eleganccy, pewni siebie, pełni energii. Zaczęła ogarniać mnie niepewność co do mojego losu na tej nowej ziemi. Czy rodzina zaakceptuje mnie i pokocha jak swojego? Czy będą mogli być ze mnie dumni? Co będę robił w życiu? Czy spełnię oczekiwania rodziców i zachowam w pamięci wszystko, czego mnie nauczyli?

Po niecałej godzinie zacząłem dokładniej obserwować każde wejście i w pewnym momencie zauważyłem swoją rodzinę. Nie miałem wątpliwości, że to oni, odkąd ich tylko dostrzegłem. Z trudem panując nad nerwami, skierowałem się w ich stronę. Instynktownie udało mi się rozpoznać dwie siostry ojca – Marię i Michalinę. Zaczęły się wzajemne uściski i pocałunki. Wszyscy płakaliśmy; wiedziałem, że ciotki płakały nie tylko z radości ze spotkania, lecz także dlatego, że patrząc na mnie, przypominały sobie zamordowanego brata i jego żonę zmarłą w Persji. Być może zobaczyły we mnie całe to cierpienie, przez które musieliśmy przejść.

Nareszcie odnalazłem swoją rodzinę! Czy to może dziać się naprawdę? Wciąż w duchu nie dowierzałem własnemu szczęściu. A jednak to była rzeczywistość. Stojące przede mną ciotki tak bardzo przypominały mi ojca, ich brata! Czułem, że powstaje między nami więź, most łączący przeszłość z teraźniejszością. Poczułem, że wreszcie znalazłem się po jego właściwej stronie. I radość, i żal łzami napełniały mi oczy.

Po wyjściu ze stacji wsiedliśmy z kuzynką Władzią i jej mężem Steve'em do ich wspaniałego, lśniącego nowością sedana marki Mercury. Byłem urzeczony pięknem samochodu i oszołomiony, że normalnie pracujący ludzie mogą sobie pozwolić na taki dobrobyt. Na przednim siedzeniu jechała Władzia, która odwiedziła nas w Polsce w 1938 roku... jakże odległe wydawały mi się teraz tamte czasy. Ciotka Maria usiadła ze mną z tyłu. Po chwili skręciliśmy w Milwaukee Avenue, w jedną z niewielu ulic w Chicago, która biegnie na ukos w stosunku do regularnej sieci przecznic. Steve powiedział, że lada chwila będziemy przejeżdżać przez polską dzielnicę, zwaną Małą Warszawą.

W czasie jazdy moją uwagę przykuwały świecące, kolorowe światła rozmieszczone na szczytach budynków i w ich witrynach. Przypominały jakieś bajkowe dekoracje, chociaż były prawdziwe.

Spytałem Steve'a, co to jest i po co. Lekko zaskoczony moją niewiedzą wytłumaczył, że to neony, za pomocą których reklamuje się produkty lub usługi. To wszystko, tak odmienne od pustych półek i propagandy, których doświadczyłem w Związku Radzieckim, niezmiernie mnie zadziwiło i urzekło. Przypomniały mi się radzieckie sklepy, które nie miały po co zachwalać swoich produktów, bo zazwyczaj nie miały nic do sprzedania.

Kolejnym niezrozumiałym elementem amerykańskiego krajobrazu były metalowe skrzynki na budynkach, umieszczone przy oknach. Steve wyjaśnił mi, że to klimatyzatory.

– Dzięki nim latem w pomieszczeniach może być chłodniej – powiedział.

Natłok nowości tego wspaniałego świata rozsadzał mi głowę i oszałamiał mnie. Zobaczenie niewielkiego skrawka Ameryki w ciągu niecałych dwóch godzin wystarczyło, bym z nadzieją oczekiwał ujrzenia kolejnych. Skręciliśmy w lewo, w Armitage Avenue, i ciotka Maria oznajmiła, że niedługo dotrzemy do domu.

Dom.

Dźwięk tego słowa długo wybrzmiewał we mnie. Potęgował przejęcie i oczekiwanie. Przez większość życia dom znałem jedynie jako wspomnienie. A teraz dojeżdżaliśmy do skrzyżowania Armitage Avenue i Kedzie Boulevard. Steve jeszcze raz skręcił w lewo i po chwili zatrzymał się przed pięknie utrzymanym dwupiętrowym budynkiem. Nad wejściem widniał świeżo wymalowany numer 1906. Cyfry te nosiłem w sercu, odkąd jako dziesięciolatek poszukiwałem skorpionów na perskiej pustyni, pamiętałem je z listów. Od nowego domu dzieliły mnie teraz raptem dwa piętra starannie polakierowanych drewnianych schodów, których środkową część zakrywał dywan. Ochoczo wspiąłem się po nich, a ciotka Maria otworzyła drzwi wejściowe. Po chwili wkroczyłem do przestronnego mieszkania. Rozejrzałem się i przypomniał mi się mój dom w Polsce.

Oglądałem obrazy wiszące na ścianach. Rzucił mi się w oczy portret Kazimierza Pułaskiego, który poległ w bitwie pod Savannah, pomagając Amerykanom w walce z Brytyjczykami. Obok wisiały portrety Piłsudskiego i Kościuszki. Przed oczami stanął mi gabinet mojego ojca. Czułem, że jestem u siebie.

Na innej ścianie wisiał gobelin, tkany w maki i złociste zboże, obok obraz przedstawiający wiejską dziewczynę w jednym z polskich regionalnych strojów, sąsiednią ramę zajmował ułan z wyciągniętą szablą, pędzący na wspaniałym bułanku. Wszystko to przywodziło mi na myśl polską wieś. Oprócz tego w rogu pokoju wisiał filcowy góralski kapelusz, pieczołowicie obszyty kolorowymi nićmi, oraz ciupaga i drewniane talerze, zdobione w góralskie wzory.

Już na pierwszy rzut oka stawało się oczywiste, że jest to prawdziwie polski dom. Ludzie, którzy tu mieszkali, przywieźli do Ameryki swoje tradycje i starali się stworzyć własną małą Polskę – tu, w kraju, do którego przyjechali w poszukiwaniu lepszego życia.

W pokoju, na perskim dywanie, stał potężny dębowy stół przykryty grubym lnianym obrusem; był uroczyście zastawiony z okazji świątecznego obiadu. Przy wszystkich nakryciach leżały piękne lniane serwety, które podobnie jak kryształowe kieliszki i puchary pochodziły z Polski. Rodowa porcelana ciotki Marii wieńczyła dzieło.

Wkrótce po tym, jak weszliśmy do domu, i zanim jeszcze zdążyłem się porządnie rozejrzeć, ciotka taktownie spytała, czy nie zechciałbym może wziąć kąpieli. Czy nie zechciałbym? Cuchnąłem jak cap i czułem, że bardziej potrzebna byłaby porządna szczotka do szorowania niż zwykła kąpiel. Doceniłem grzeczność i wytrzymałość ciotki, która dobre pół godziny jazdy samochodem siedziała obok mnie i nie odezwała się ani słowem na ten temat.

Łazienka znajdowała się między jadalnią a kuchnią. Do wanny już się lała ciepła woda. Na krześle leżała naszykowana dla mnie czysta bielizna, jak również para spodni wujka Tony'ego i jedna z jego koszul. Przygotowano dla mnie również szczotkę do włosów, zestaw do mycia zębów, mydło i dwa ręczniki. Sprawdziwszy temperaturę wody, ciotka wyszła z łazienki, prosząc, żeby ją zawołać, gdybym czegoś potrzebował. Ściągnąłem obrzydliwe, śmierdzące ubrania, zwinąłem je ciasno w kłąb i położyłem na wykafelkowanej podłodze. Następnie, powoli i z namaszczeniem, zanurzyłem się w luksusie kąpieli.

Poczułem, że moje życie naprawdę się zmieniło. Pierwsza kąpiel od opuszczenia Polski! Nowa szczoteczka do zębów, mydło – przez tyle lat pozbawiony byłem tego, co wielu ludzi uważa za codzienne, a nawet niezbędne. Ręczniki, dwa ręczniki! Po co jednemu człowiekowi dwa ręczniki? Przecież to tylko zwykła kąpiel. Ciotka wytłumaczyła mi później, że jeden z nich przeznaczony był do wycierania twarzy, a drugi – całego ciała. W czasie tułaczki nie mieliśmy ręczników, trzeba było zadowalać się starymi szmatami, które znajdowało się, jeśli się miało szczęście. Po latach bezdomności wreszcie wracałem do świata, który byłem zmuszony opuścić jako małe dziecko. Wspomnienie o nim nie zatarło się we mnie, choć czasem zaczynałem już powątpiewać o jego realnym istnieniu.

Po wyjściu z wanny wytarłem się mniejszym z przygotowanych ręczników i włożyłem ubrania wujka Tony'ego. Zarówno spodnie, jak i koszula były sporo za duże, ale po podwinięciu nogawek i rękawów, wciśnięciu koszuli w spodnie i zaciśnięciu paska nie było źle. Następnie stanąłem przed wielkim, oświetlonym lustrem, żeby się uczesać. W lustrze ujrzałem dwie postacie: zmęczonego nastolatka o smutnym wzroku, który miał w sobie coś ze steranego życiem starca, oraz zadowolonego z życia chłopca o uśmiechniętym spojrzeniu spod równo przyciętej grzywki. Ponury nastolatek wydawał się obcy, natomiast radosnego chłopca i jego głos znałem bardzo dobrze.

Długo wpatrywałem się w lustro. Myślałem o tym, że za chwilę mam zjeść wytworny obiad w eleganckim domu pełnym miłych ludzi. Byłem spięty, nie chciałem się w żaden sposób skompromitować, choć wiedziałem, że nie będzie to łatwe – wracałem do tego świata po dziesięciu długich latach. Spytałem chłopca w lustrze, co robić.

Pomóż mi. Jak mam się zachowywać? Co i jak mam mówić? Jak jeść? Powiedz, przecież wiesz.

To nic trudnego. Jeśli chcesz, mogę ci powiedzieć wszystko, czego nauczyła mnie mama.

Wszystko?

Zapamiętaj parę podstawowych rzeczy: bądź bardzo miły, szczególnie wobec pań. Kiedy ktoś coś do ciebie powie, odpowiadaj spokojnym i uprzejmym tonem, nie odzywaj się nieproszony. Pamiętaj o „dziękuję", kiedy ktoś coś ci poda, i o „czy mógłbym?", gdy o coś prosisz. Gdy będziesz jadł, rób to spokojnie i powoli, tak jak gdybyś nie był zbyt głodny. Nie mów, kiedy masz jedzenie w ustach, nie nakładaj sobie na talerz więcej, niźli możesz zjeść, ale nie odmawiaj, gdy gospodyni albo gospodarz zaproponują ci jeszcze odrobinę. Nie odchodź od stołu bez pozwolenia. Na koniec nie zapomnij kilkakrotnie pochwalić gospodyni za wyśmienity obiad i podziękować jej za trud, jaki sobie zadała.

To takie skomplikowane, nie zapamiętam tylu rzeczy!

Musisz zapamiętać! Tego wszystkiego nauczyła mnie mama i chciała, żebym zawsze pamiętał.

W tym momencie usłyszałem pukanie do drzwi. To ciotka Maria przyszła spytać, czy czegoś nie potrzebuję.

– Już skończyłem, ciociu – odpowiedziałem spokojnie i ponownie się odwróciłem w stronę lustra. Wesołego chłopca już tam nie było, został tylko zmęczony i przedwcześnie postarzały szesnastolatek. Ciotka otworzyła drzwi i zobaczywszy mnie, stwierdziła, że wyglądam sto razy lepiej niż przed kąpielą.

Zaprowadziła mnie do jadalni, gdzie czekała już reszta rodziny. Było nas w sumie siedemnaścioro, po chwili wszyscy usiedliśmy do obiadu. Święto Dziękczynienia – najwspanialsza uroczystość na dzień mojego przyjazdu do Ameryki! Oszałamiało mnie bogactwo stołu: były tam ziemniaki purée, pataty, żurawinowe owoce i sos, brukselka, brokuły, mizeria, kalafior z bułką tartą, sałatka pomidorowa, kiełbasa, domowe pieczywo, masło i sosy. Środek stołu zajmował potężny złocistobrązowy nadziewany indyk. Do tego wszystkiego wina i likiery, ciasto z dyni ze śmietaną, przeróżne wypieki, które pamiętałem z Polski, oraz specjalnie parzona kawa.

Szybko nawiązałem znajomość z siedzącym obok mnie wujkiem Tonym. Przybył do Ameryki jako młody chłopak, w poszukiwaniu lepszego życia. Mimo że był wykwalifikowanym stolarskim czeladnikiem, zaczynał od prostego zbijania trumien. Po pewnym czasie znalazł pracę w fabryce mebli, gdzie się rozwijał w dziedzinie stolarstwa. Następnie pracował na słynnej Michigan Avenue, w sklepie Johna M. Smytha, jednym z najlepszych sklepów meblowych w całym Midweście. Teraz się zajmował odnawianiem zniszczonych mebli bogatych klientów. Podczas naszej rozmowy z dumą wskazywał na te sprzęty w domu, które były jego dziełem. Był jowialnym człowiekiem, uwielbiał opowiadać polskie dowcipy i już od pierwszego spotkania się zaprzyjaźniliśmy. Za każdym razem, gdy tylko z mojego talerza znikała jedna porcja jedzenia, niezwłocznie nakładał mi kolejną, a ja jadłem bez końca – nigdy w życiu nie zjadłem tak dużo. Po każdej dokładce musiałem poluzowywać pasek.

Również ciotki Maria i Michalina nieprzerwanie zajmowały się mną, zdawały się emanować dobrocią i miłością. Nikt nie wypytywał mnie o to, co się działo ze mną przez ostatnie lata – chciano zapewne oszczędzić mi bólu opowiadania o cierpieniach tułaczki. Zamiast tego rozmawialiśmy o członkach naszej licznej rodziny – obecnych przy stole, rozproszonych po całej Ameryce, między innymi o kuzynce Jance, która pracowała w szpitalu dla kombatantów w Los Angeles, oraz o tych, którzy pozostali w Polsce.

Opowiadano mi dużo o Ameryce i jej mieszkańcach. Słuchałem o baseballu, futbolu amerykańskim, koszykówce i hokeju. Dowiedziałem się o fajerwerkach puszczanych z okazji Dnia Niepodległości 4 lipca, o hamburgerach i hot dogach. Powiedziano mi, że tradycja obchodzenia Święta Dziękczynienia ma swoje korzenie w dziejach Indian i Pielgrzymów, oraz objaśniono znaczenie indyka, kukurydzy, patatów i ciasta z dyni na stole.

Gdy skończyliśmy jeść, było już dość późno. Po pożegnalnych

uściskach goście wyszli, a wujek Tony udał się na spoczynek. Ciotka Maria jednak nie przestała krzątać się wokół mnie, jakbym był małym dzieckiem, i dopytywała się, czy nie jestem nadal głodny. Najgrzeczniej jak umiałem odpowiadałem że nie, lecz nalegała, bym koniecznie wypił nieco mleka z miodem i zjadł kawałek ciasta. Dałem się namówić na babkę, ciasto, które pamiętałem z dzieciństwa i które po raz ostatni było mi dane jeść jeszcze przed wojną.

Gdy siedziałem z ciotką przy kuchennym stole, przemogłem nieśmiałość i spytałem wreszcie o to, co od dawna zaprzątało moje myśli: kim jest ta osoba, która tak niezmordowanie, przez tyle lat, szukała dzieci swego brata – bratanków i bratanicy, których nawet nie znała osobiście?

Ciotka opowiedziała mi o sobie. Dowiedziałem się, że wyjechała z Polski w 1912 roku, w cztery lata po swojej siostrze Michalinie. Miała wówczas szesnaście lat, a mój ojciec – dziewiętnaście. To on pojechał z nią do Krakowa i pomógł dopełnić formalności przed wyprawieniem jej w dalszą podróż. Ciotka pojechała dalej pociągiem do Rotterdamu, gdzie się zaokrętowała na statek płynący na wyspę Ellis.

W Nowym Jorku przeszła badania lekarskie i pojechała koleją do Chicago, gdzie zamieszkała z Michaliną, znajdując tymczasową pracę przy wydawaniu posiłków w refektarzu w dużej polskiej parafii. Wkrótce udało jej się znaleźć stałe zatrudnienie jako krawcowej. Nie upłynął rok, nim się zakochała i wyszła za mąż za młodego sąsiada. Owocem tego związku są dwie córki, Władzia i Janka, które poznałem wcześniej.

Ciotka Maria opowiadała o swojej działalności w wielu organizacjach dobroczynnych. Organizowała zbiórki krwi, pomagała rozsyłać paczki dla żołnierzy, własnym sumptem wysyłała niezbędne produkty biednym krewnym z zachodniej Polski, z których wielu przeżyło wojnę. Godziła te obowiązki z pracą krawcowej oraz zajmowaniem się domem. Mówiła też o staraniach, jakie podejmowała, począwszy od 1940 roku, aby nas odnaleźć, i pokazała dokumenty, które wysyłała do rozlicznych urzędów i agencji – w tym do polskiego Czerwonego Krzyża w Londynie, a nawet do sowieckiego rządu w Moskwie. Od Sowietów nigdy nie otrzymała żadnej odpowiedzi.

Po pewnym czasie ciotka poruszyła temat szkoły. Dowiedziawszy się, jak niepełne jest moje wykształcenie, które zmuszony byłem przerwać w czasie wojny, wymieniła dwie szkoły: publiczne liceum w Chicago oraz znajdujące się w Sturtevant w stanie Wisconsin prywatne liceum św. Bonawentury, prowadzone przez franciszkanów polskiego pochodzenia, którzy mogliby lepiej pomóc mi nauczyć się angielskiego. Poleciła mi prywatną szkołę, zapewniając, że wszystkie wydatki pokryłaby sama, jednak nie narzucała swojego zdania i dała mi parę dni do namysłu, abym sam rozważył wady i zalety obydwu placówek. Z jednej strony wiedziałem, że wyjazd do Wisconsin byłby korzystniejszy, jeśli chodzi o moje wykształcenie, z drugiej – wolałem zostać w Chicago z rodziną, w domu. Byłem wdzięczny, że ta trudna decyzja może jeszcze trochę poczekać.

Ciotka Maria mówiła, jak bardzo się cieszy, że udało mi się dotrzeć do Ameryki i że nie może się doczekać spotkania z Jurkiem i Zosią. Wyrażała się o nas tak, jak gdybyśmy byli jej dziećmi. Mówiła, że żałuje, iż nigdy nie miała okazji poznać naszej mamy, i ciepło wspominała naszego ojca: „Był bardzo dobrym człowiekiem". Wreszcie spytała, czy nie chciałbym pójść spać. Faktycznie było już późno, wpół do drugiej w nocy. Raz jeszcze podziękowałem jej za wszystko, co dla mnie zrobiła, i obiecałem, że odwdzięczę się za jej dobroć.

– Nie musisz, nie jesteś mi nic winien – powiedziała, a jej oczy zwilgotniały. – Życz mi tylko, bym była zdrowa – szepnęła i dodała, że wielką radość sprawiłoby jej, gdyby Jurek i Zosia mogli przybyć do Ameryki. – Najbardziej uszczęśliwisz mnie, gdy będziesz się pilnie uczył i staniesz się dobrym człowiekiem, takim jak twój tata – oświadczyła na koniec.

Zaprowadziła mnie do mojego pokoju, objęła i pocałowała na

dobranoc. Kazała mi się porządnie wyspać i powiedziała, że gdy wstanę, będzie już czekało śniadanie. Wychodząc, zerknęła na mnie raz jeszcze i cicho zamknęła za sobą drzwi. Mój pierwszy dzień w Ameryce dobiegał końca. Raz jeszcze uderzyło mnie, jak bardzo mój los się odmienił. Oto leżałem we własnym pokoju, w piżamie, w czystej pościeli, we własnym łóżku. Kołdra przypominała mi tę, którą miałem w Sarnach, dywan był miękki, na podłodze stała para kapci. A co najważniejsze, tuż za drzwiami pokoju czekała na mnie kochająca rodzina. Wszystkie siły uszły ze mnie po męczącej podróży i emocjach towarzyszących spotkaniu. Zasnąłem niemal natychmiast po tym, jak zgasiłem światło, pogrążając pokój w ciemności, którą rozjaśniała jedynie cienka smużka księżycowej poświaty, przedostająca się przez szparę w zasłonach.

Rankiem obudziły mnie dochodzące z kuchni ciche rozmowy i odgłosy kroków za drzwiami. Wolałem się upewnić, czy ta bajka nie pryśnie jak zaczarowany sen, więc zamykałem i otwierałem oczy. Nie śniłem. Pora wstawać, nadszedł czas na rozpoczęcie mojego pierwszego pełnego dnia w Ameryce.

Rozdział 31

Pojednanie z Bogiem

Dziesięć dni później wkroczyłem do liceum św. Bonawentury, pełen zapału do nauki. Po raz pierwszy od długiego czasu dostałem możliwość uczenia się bez żadnych przeszkód. Moje serce wypełniały marzenia i pragnienia. Znalazłem miejsce, w którym miałem zyskać jedyne, czego nikt nie będzie mi w stanie odebrać – wiedzę.

Wieczorem, po załatwieniu wszelkich formalności, ciotka Maria i wujek Tony wrócili do Chicago. Była niedziela, miałem czas dla siebie. Kampus był cichy i spokojny, nic nie rozpraszało mojej uwagi. Doskonała pora, żeby się skupić, pomodlić i podziękować Bogu.

Na terenie szkoły znajdowała się kaplica. Była pusta, kiedy do niej wszedłem, mogłem więc spokojnie przyjrzeć się stojącym dookoła posągom. Od ponad trzech lat nie byłem w kościele. Tu, wśród świec, których rozedrgane światło odbijało się w kolorowych mozaikach i wizerunkach świętych, czułem się jak w polskim kościele, do którego chodziłem jako mały chłopiec. Czułem spokój i zagadkową bliskość Boga – nie doznawałem tego w tylu miejscach, przez które musiałem przejść. W Libanie żyliśmy w cieniu opiekuńczej obecności wielkiego posągu Chrystusa, co wtedy wydawało mi się dobrą wróżbą. Pierwszego dnia w nowej szkole stoję otoczony przez figury Chrystusa, Matki Boskiej i wielu świętych. I zastanawiam się, czy to też nie jest symboliczne.

Ukląkłem przed ołtarzem, przeżegnałem się i ogarnięty podniosłą atmosferą pogrążyłem w medytacji. Modliłem się za rodziców, za innych członków rodziny, którzy odeszli, za wszystkich Polaków, którzy pozostali w Związku Radzieckim, za tych, którzy umarli tam z głodu bądź zostali pomordowani. Przed oczami stanęły mi te wszystkie miejsca, do których rzucił mnie los i w których się nie modliłem, czując zbyt wielki gniew. Czyżbym niesłusznie miał żal za naszą dolę? Czy powinienem teraz pogodzić się z Bogiem? Przypomniałem sobie słowa mamy: „Powinniśmy zawsze dziękować Bogu za to, co od Niego dostajemy, bez względu na to, czego nam nie dał. Czynić to możemy gdziekolwiek, po prostu zmawiając modlitwę".

Chciałem zawrzeć zgodę z Bogiem, ponownie obudzić w sobie wiarę. Nie przychodziło mi to łatwo, ilekroć bowiem myślałem o tym, co dobrego spotkało mnie w życiu, od razu stawały mi równocześnie przed oczyma straszne wydarzenia, które dotknęły mnie i całą rodzinę. Ale wracały też do mnie słowa mamy, które rozważałem w sercu. Złożyłem dłonie i zacząłem dziękować Bogu za ucieczkę ze Związku Radzieckiego i za najbliższych, których pomocna dłoń była przy mnie, gdy tego potrzebowałem. Przede wszystkim zaś za dwa najcudowniejsze dary, jakie mogłem otrzymać: życie i wolność. Zdałem sobie sprawę, że przez te wszystkie lata Bóg mnie nie opuścił.

Jednej jeszcze osobie winien byłem wdzięczność. Był to siedmioletni chłopiec, który towarzyszył mi wszędzie, gdzie w ciągu owych dziesięciu samotnych lat rzucił mnie los. Mimo że miał swój dom zupełnie gdzie indziej i w zupełnie innym czasie, zawsze był tuż obok. Nigdy się nie poddawał i to on nie pozwalał zgasnąć resztkom nadziei, wiary i woli życia, które się we mnie tliły. Dziękowałem mu za to, że jest moim przyjacielem, oraz za to, że jest moim sumieniem. Przede wszystkim zaś byłem wdzięczny, że pozwolił mi zachować wspomnienie rodzinnego domu, najcenniejszy skarb mego serca.

Był to mój dzień dziękczynienia. Ale chciałem też Boga poprosić o coś, tylko o jedną rzecz: by pomógł mi znaleźć grób ojca, zanim umrę. Nareszcie odnalazłem spokój wewnętrzny. Wychodziłem z kaplicy w zgodzie z sobą i ufałem, że także z Bogiem.

Część VIII

PO LATACH

Miejsce wiecznego spoczynku 3 739 polskich oficerów zamordowanych strzałem w tył głowy przez NKWD na wiosnę 1940 roku. Cmentarz Piatichatki, Charków, Ukraina, 2002 rok

Rozdział 32

Komu biją dzwony

W niedzielę, 22 kwietnia 1990 roku, przed starym polskim kościołem w Chicago zebrał się tłum. Święty Jacek stał w promieniach słońca, jego strzeliste dzwonnice zdawały się sięgać nieba, a ciężkie drewniane drzwi zostały otwarte na oścież. Wierni ciasno wypełnili świątynię na długo przed rozpoczęciem mszy. Mimo iż zajęty był każdy skrawek wolnego miejsca, panowała przejmująca cisza. Ci, którym nie udało się dostać do środka, stali w podniosłym milczeniu na zewnątrz. Tego dnia ponad trzy i pół tysiąca Polaków i Amerykanów polskiego pochodzenia przybyło do kościoła, by uczcić pamięć ofiar zbrodni katyńskiej, popełnionej równo pięćdziesiąt lat temu. Zaledwie tydzień wcześniej Michaił Gorbaczow, ówczesny prezydent Związku Radzieckiego, ogłosił światu, że to NKWD ponosi odpowiedzialność za ten mord. Tajemnice grobów pomordowanych ludzi ujrzały światło dzienne.

Czciłem ojca w sercu i przez długie lata modliłem się za niego. Zawsze pragnąłem, aby prawda o zbrodni wyszła na jaw i abym dowiedział się, gdzie znajduje się jego grób. Za chwilę mieliśmy o tym wszystkim usłyszeć, lecz najpierw modliliśmy się w pełnej powagi i szacunku ciszy. Wraz z siostrą, bratem i jego żoną przyszliśmy, jak wszyscy pozostali, by uczcić pamięć Polaków straconych w Katyniu.

Z wież rozległo się bicie dzwonów. Rozpoczęła się msza. Ponad trzy tysiące osób zaintonowało *Rotę*. Pieśń powstała w 1910 roku, na odsłonięcie w Krakowie pomnika upamiętniającego zwycięstwo wojsk polsko-litewskich nad Krzyżakami w 1410 roku pod Grunwaldem. Śpiewałem ją w bydlęcym wagonie, wiozącym mnie w głąb Związku Radzieckiego, a potem na odludnych kazachskich stepach, na piekących żarem perskich pustyniach, w zielonych górach Libanu i dygocząc z zimna w angielskich blaszanych barakach. Choć losy ludzi intonujących „Nie rzucim ziemi..." w polskim kościele w Chicago były różne, łączyła ich miłość do ojczyzny oraz umiłowanie wolności.

Homilię wygłaszał ksiądz Zygmunt Waz, którego nie było jeszcze na świecie w czasie, gdy dokonywano zbrodni katyńskiej. Zebrani w ogromnym kościele ludzie w ciszy i skupieniu słuchali jego słów. Po homilii rozbrzmiały słowa kolejnych pieśni, lecz ja pogrążony byłem w modlitwie i zadumie i dałem się unieść myślom tysiące kilometrów stąd, w inne miejsce i inny czas. Granica między przeszłością a teraźniejszością zaczęła się zacierać i znowu, jak wiele razy w ciągu ostatnich pięćdziesięciu lat, widziałem oczyma duszy sceny zabójstwa mojego ojca.

Nagle znalazłem się w Lesie Katyńskim. Wiosenny wiatr lekko szumi wśród sosen i porusza młodymi gałązkami dębów i brzóz. Niespodziewanie ciszę przerywa warkot silnika autobusu więziennego, zwanego przez Rosjan Czarnym Krukiem (*Czornyj Woron*), który hałaśliwie wjeżdża do lasu. Widzę wysiadających jeńców – polskich oficerów w zielonych mundurach i wysokich skórzanych butach. Każdy z kompletem odznaczeń, prezentowanych dumnie na piersi. Na ramiona mają narzucone długie płaszcze, chroniące od chłodu niechętnie ustępującej zimy. Zostali tu przywiezieni z obozu, w którym ich przetrzymywano. W obozie obiecano im wypuszczenie na wolność; sowiecka orkiestra wojskowa odegrała pożegnalne fanfary. Mieli wracać do domów, do rodzin, oraz do polskiej armii, by walczyć z Niemcami. Teraz idą w głąb lasu, po ścieżce zasłanej liśćmi i igliwiem.

W jednej z grup oficerów dostrzegam ojca, który ma czterdzieści siedem lat. Wygląda pogodnie; sprężystym, mocnym krokiem omija resztki śniegu, zalegające od zacienionej strony drzew. Regularne krótkie dźwięki, odgłos jakby stukania, które dobiegają z oddali, stają się coraz głośniejsze. Ojciec zatrzymuje się nagle oniemiały, choć nie całkiem zaskoczony, gdy pojmuje, co to za dźwięk. Omiata powoli wzrokiem wszystko dookoła, przygotowując się na to, co już wie, że ma się stać. Ktoś się szamoce z tyłu, opiera. Strażnicy wiążą jeńcom ręce przygotowanymi zawczasu sznurami i drutami. Oficerskie płaszcze zarzucają na głowy tym, którzy się opierają, zatykają im usta kneblami z trocin albo filcu. Bagnetami popychają brutalnie, zmuszając ludzi do marszu. Na brzegu długiego rowu ojciec i inni oficerowie, pchnięci na kolana, widzą w dole tych, którym już oddano „wolność". Ojciec słyszy kroki zbliżające się z lewej strony i wystrzały przemieszane z tępym dźwiękiem upadającego ciała.

Dwa kroki. Strzał. Dół.

Dwa kroki. Strzał. Dół.

Dwa kroki…

Ojciec myśli o mamie, o nas i o domu w Sarnach, gdy nie było jeszcze wojny. Boi się, ale miłość wlewa w niego siłę, kiedy czuje zimną lufę przyłożoną do szyi tuż nad krawędzią kołnierza munduru.

Stoję obok porażony strachem. Serce pęka mi z bólu i żalu, chcę krzyczeć, lecz nie mogę, usta mam zakneblowane. Chcę iść, lecz widzę, że ręce związano mi tak jak oficerom. Ogarnia mnie obezwładniające uczucie największej bezsilności. W myślach błagam Boga o pomoc. Odpowiada cisza.

Gdy do rowu wpada już ostatnie ciało z tysięcy wyznaczonych na śmierć, zasypują je ziemią i sadzą sadzonki. Drzewa rosną, czerpiąc siłę do życia z soli polskiej ziemi, co leży już na zawsze pośród ich korzeni.

Po ostatnim pocisku las katyński tonie w ciszy, tajemnica, którą skrywa, ma pozostać niezgłębiona przez dziesiątki lat. Dla mnie jednak las krzyczy. Przeminęło pół wieku, a ja ciągle je słyszę, kroki katów i strzały, coraz głośniejsze.

Pod koniec mszy widzenie się rozwiało, a ja wróciłem do rzeczywistości, choć bolesne wspomnienia wciąż krążyły mi po głowie. Dawne rany otwierały się na nowo, jakby nigdy się nie zabliźniły. Ulgę zdawało się przynosić, jak zawsze w takich momentach, jedynie schronienie w kojącej ciszy modlitwy. Modliłem się za babcię pochowaną we Frysztaku, za dziadka spoczywającego w Pradze, który poległ podczas I wojny światowej, wreszcie za rodziców: mamę pochowaną w Teheranie i za ojca, który leżał gdzieś w Związku Radzieckim.

Wraz z rodziną jako jedni z pierwszych opuściliśmy kościół po zakończeniu mszy. Stanęliśmy na kamiennych schodach i obserwowaliśmy ludzi, którzy dopiero wychodzili. Wielu było starych i kalekich. Widzieliśmy kobiety w średnim wieku, trzymające na rękach dzieci. Była też młodzież w harcerskich mundurkach. W ciszy dziękowałem im wszystkim, ludziom, których nie znałem, za to, że przyszli tu, by uczcić pamięć ofiar. To właśnie ich patriotyzm i współczucie dla pomordowanych dały mi siłę, której potrzebowałem, by móc opisać swoje dzieje. By stawić czoło temu, co chowało się na dnie mojej duszy, by wydobyć ból i gorycz oraz smutek, które tak długo w sobie tłumiłem, i przelać je na papier. Do końca swoich dni będę im za to wdzięczny.

Rozdział 33

Koło się zamyka

Był piękny, pogodny dzień, jeden z pierwszych dni czerwca 1998 roku. Tuż za oknem wielokolorowy dywan z kwiatów cieszył oko, a błyszczące listki wierzby odbijały promienie słońca niczym tysiące drobnych lusterek. Ptaszki uganiały się, przefruwając z jednego drzewa na drugie. Na trawie pozostały już tylko resztki porannej rosy. Po stawie dostojnie płynęła para białych łabędzi ze stadkiem młodych, od czasu do czasu nurkując pod gładką taflę wody.

Podziwiałem otaczający mnie świat, duszę przepełniał spokój. Poprzedniego dnia, po ośmiu latach pełnych różnorakich przeszkód, wreszcie udało mi się dokończyć pierwszy szkic tej książki. Nareszcie mogłem odetchnąć, odciąć się na chwilę od przeszłości.

Zadzwonił telefon. Odebrałem i w jednej chwili wszystko uległo zmianie. Serce mocno mi biło. Na tę wiadomość czekałem od pięćdziesięciu lat. Zadziwiające, że nadeszła właśnie teraz! Profesor Edward Kaminski, przewodniczący Fundacji Rodzin Katyńskich w Chicago, poinformował mnie, że prezydent Aleksander Kwaśniewski wystosował zaproszenia dla pięciorga członków naszego stowarzyszenia na uroczystość upamiętnienia zbrodni katyńskiej, mającą się odbyć w Charkowie. Profesor spytał, czy zechciałbym pojechać na Ukrainę i z ramienia fundacji złożyć pamiątkowy wieniec podczas uroczystości. Przyjąłem zaproszenie, poruszony i zaszczycony, tym bardziej że już wiedziałem, iż to właśnie tam spoczywa mój ojciec.

21 czerwca – jak na ironię w Dzień Ojca i niemal dokładnie w pięćdziesiątą ósmą rocznicę wygnania mnie i mojej rodziny z Polski – wyruszyłem wraz z synem George'em z Chicago. Urodzony w Ameryce osiemnaście lat po śmierci mojego ojca nalegał, by towarzyszyć mi w tej długiej, pełnej bólu wyprawie. On także chciał złożyć hołd swojemu dziadkowi i pozostałym zamordowanym oficerom. Na ów wyjątkowy Dzień Ojca nie mógłbym chyba wyobrazić sobie wspanialszego prezentu. Tyle lat czekałem, by oddać cześć własnemu ojcu, by móc znaleźć się w miejscu, gdzie spoczywa, by móc zabrać ze sobą do Ameryki garść ziemi z jego grobu, by dokonać uroczystego symbolicznego pochówku. Koło zaczęło się zamykać.

Najpierw pojechaliśmy do Krakowa, gdzie spędziliśmy kilka dni u kuzynów. 25 czerwca wraz z innymi uczestnikami uroczystości stawiliśmy się w kwaterze głównej Wojska Polskiego w Krakowie, wojsko bowiem pełniło funkcję naszego przewodnika i gospodarza. Następnie wyruszyliśmy w pięciodniową podróż do Charkowa. Udawali się z nami zesłańcy tacy jak ja, oficerowie polskiej armii, uzbrojony oddział wojska z Krakowa, kompania reprezentacyjna oraz Orkiestra Wojska Polskiego. Powitał nas pułkownik Stanisław Rogiński, szef całego przedsięwzięcia. Dobrze rozumiał, że większość z nas przeraża wizja znalezienia się na terytorium byłego Związku Radzieckiego, powtórzył więc wielokrotnie, że będziemy jechać „bezpiecznym pociągiem", co przywitane zostało długimi, głośnymi oklaskami. Po przemówieniach zawieziono nas na dworzec w Olkuszu, gdzie powitani zostaliśmy przez orkiestrę wojskową i gdzie czekał na nas specjalny pociąg.

Podróż do Charkowa upłynęła na zapoznawaniu się ze współpasażerami. Dwieście dwadzieścia osób wymieniało uściski i powitania, wszyscy byli członkami Fundacji Rodzin Katyńskich. Większość stanowiły dzieci pomordowanych w Katyniu oficerów, w wieku od sześćdziesięciu do siedemdziesięciu pięciu lat. Dzieliliśmy się wspomnieniami z czasów wojny i wcześniejszymi. Niektórzy spośród sześćdziesięciolatków nie pamiętali swoich ojców, urodzili się tuż przed albo nawet po tym, gdy ci wyruszyli już na wojnę. Wszystkich nas łączyły podobne przeżycia, szybko więc powstała między nami pewna więź. Do Charkowa jechały również dwie żony zamordowanych żołnierzy, obie miały ponad dziewięćdziesiąt lat, oraz troje oficerskich wnuków: jedno na co dzień mieszkało w Polsce, jedno w Anglii, a mój syn w Ameryce.

Pierwszą osobą, z którą nawiązaliśmy znajomość w pociągu, była doktor Ewa Gruner-Żarnoch, która jako członek polskiej komisji w 1995 i 1996 roku brała udział w ekshumacji ciał pochowanych w Charkowie. Wśród spoczywających tam żołnierzy był również jej ojciec, podczas prac znaleziono należący do niego sygnet i zegarek. Dreszcz mnie przechodził, gdy słuchałem jej opowieści. Mówiła, że NKWD sadziło drzewa na wszystkich zbiorowych mogiłach, by zatrzeć ślady zbrodni. Gdy Charków zaczął się rozrastać, miejsce spoczynku pomordowanych znalazło się na terenie miasta, a władze postanowiły założyć tam park. Po upływie prawie czterdziestu lat, około roku 1980, bawiące się w parku dzieci zaczęły znajdować szczątki ludzkich czaszek, rąk, nóg, które na skutek osiadania gruntu znalazły się płytko pod ziemią. Znajdowano także różne przedmioty należące do ofiar mordu. Władze, zamiast wyznać prawdę o popełnionej wiele lat temu zbrodni, postanowiły zniszczyć dowody. Sprowadzony został sprzęt wiertniczy, który zmiażdżył to, co pozostało po egzekucjach, a następnie wszystko przysypano kolejną warstwą ziemi.

Doktor opisała nam szczegóły zbrodni, które udało się ustalić: jeńców, po kilkuset naraz, wywożono z obozu w Starobielsku, następnie rozdzielano ich na mniejsze grupy i zawożono do siedziby NKWD w Charkowie, gdzie mieli zostać zgładzeni. Proceder przypominał taśmę produkcyjną, żołnierze kolejno sprowadzani byli do podziemi, gdzie potwierdziwszy ich tożsamość, związywano im ręce. Następnie prowadzono ich przez korytarz, w którym sadzano ich na ławkach i kazano czekać. Czekali na śmierć. W dźwiękoszczelnym pomieszczeniu otrzymywali jeden strzał w głowę – w ściśle określony punkt na potylicy, wyznaczony tak, aby zminimalizować upływ krwi. Ta krew, która mimo wszystko się pojawiała, wsiąkała w wierzchnie ubrania, zarzucane jeńcom na głowy. Ciała, za pomocą specjalnego haka, wyciągano tylnymi drzwiami, a następnie ładowano do ciężarówki z napisem „Mleko i śmietana". Wieczorem, gdy było już ciemno, ciała wywożono do Piatichatek, przedmieścia Charkowa, i tam wrzucano do masowych grobów.

Pociąg zmierzał na wschód i wkrótce dotarliśmy do niepodległej obecnie Ukrainy. Przed wojną, gdy tereny te znajdowały się jeszcze na terytorium Polski, żyła tu moja rodzina. W momencie przekraczania granicy ogarnął mnie strach. Po tych samych torach poruszał się pociąg towarowy, którym wywożono nas do Związku Radzieckiego w czasie wojny. Czułem, że cały sztywnieję i że mam spocone dłonie. Zaczęły zalewać mnie przez wiele lat powstrzymywane wspomnienia niewoli, głodu i cierpienia. Nie chciałem znowu odbywać podróży w tamtym kierunku. Pamiętałem jednak złożoną sobie samemu obietnicę, że dotrę na grób ojca, nawet jeśli miałoby to być równoznaczne z powrotem na Nieludzką Ziemię.

Co pewien czas pociąg przystawał na kilka minut, żebyśmy mogli wyjść na świeże powietrze i rozprostować kości. Na jednym z tych postojów korespondentka BBC, Olenka Frenkiel, przeprowadziła wywiad ze mną i George'em do filmu dokumentalnego. Było to dla niej niezwykłe doświadczenie, gdyż przed pięćdziesięciu ośmiu laty jej matkę wieziono po tych samych torach w bydlęcym wagonie wraz z innymi pojmanymi Polakami. Podobnie jak ja, przetrwała ona wojnę i udało jej się uciec z Syberii, miejsca zesłania. W trakcie wywiadu podszedł do nas ksiądz w czarnej sutannie.

– Czy mógłbym coś powiedzieć? – zwrócił się wprost do dziennikarki.

– Oczywiście, proszę – odpowiedziała Olenka, kierując w jego stronę obiektyw kamery.

– Chciałem tylko powiedzieć państwu, że gdy miałem siedem

lat, radzieccy żołnierze na moich oczach zastrzelili mi matkę. Gdy zacząłem uciekać, strzelili również do mnie. Chybili. Strzelili ponownie i raz jeszcze nie trafili. – Powiedziawszy to, odszedł w milczeniu.

Jego słowa poruszyły mnie. Wiedziałem, co czuł, ponieważ sam straciłem rodziców, będąc w podobnym wieku. Rozumiałem, przez co zmuszony był przechodzić. Dlaczego jednak z takim spokojem, tak beznamiętnie wyjawiał tajemnicę swojego cierpienia przed kamerą? Przecież nie oczekiwał współczucia. Chodziło o coś innego. Czułem, że chciał uzmysłowić światu istnienie straszliwego zła oraz konieczność niedopuszczania do niego w przyszłości. Chciał powiedzieć to, czego przez lata życia w komunistycznej Polsce nie wolno mu było wyjawić.

Po trzydziestu sześciu godzinach męczącej podróży dotarliśmy do Charkowa. Z pewnym niepokojem wysiedliśmy z synem z pociągu, w czarnych garniturach, dzierżąc wieńce, które wieźliśmy z Polski. Jeden z nich pochodził od Fundacji Rodzin Katyńskich z Chicago, drugi – od rodziny Adamczyków, rozproszonej po całym świecie

Po udzieleniu polskiej telewizji krótkiego wywiadu wkroczyliśmy do hali dworca. Spotkało nas tu zaskoczenie. Na środku stała galowo umundurowana Orkiestra Reprezentacyjna Wojska Polskiego i grała *Marsz Pierwszej Brygady*, napisany na cześć marszałka Piłsudskiego, pod którego dowództwem mój ojciec służył w wojnie z bolszewikami w 1920 roku. Po obu stronach, oddzielone przez policyjne kordony, stały tłumy Ukraińców. Wielu z nich otwierało usta ze zdumienia, nie mogąc uwierzyć w to, co widzą. W jednym narożniku hali wciąż stał ponadnaturalnej wielkości pomnik Lenina, a w drugim Marksa. Nie byłbym w stanie sam wyobrazić sobie takiej sceny.

Poinformowałem pułkownika Rogińskiego, że wielu z nas chciałoby w drodze powrotnej zobaczyć w Charkowie budynek, w którym mieściła się siedziba NKWD, miejsce kaźni polskich oficerów. Nasza prośba została jednak odrzucona przez miejscowe władze.

Po krótkim odpoczynku czekała nas dwudziestominutowa podróż autokarami na cmentarz w Piatichatkach. W pobliżu celu przy drodze dawało się dostrzec ukrywających się w krzakach i za drzewami funkcjonariuszy tajnej policji. Wkrótce autokary zatrzymały się przed wąską bramą w żelaznym ogrodzeniu, okalającym teren cmentarza. Za chwilę miałem stanąć w miejscu, gdzie spoczywają mój ojciec oraz trzy tysiące siedemset trzydzieści osiem innych ofiar, które podzieliły jego los.

Aż osiem lat zajęło Polakom i Ukraińcom dojście do porozumienia w sprawie utworzenia cmentarza w Piatichatkach i zorganizowania ceremonii ku czci pamięci ofiar tamtej zbrodni. Odkąd w 1990 roku Gorbaczow złożył oświadczenie uznające sowiecką odpowiedzialność za te tragiczne wydarzenia, wciąż trwały spory dotyczące faktu, iż oprócz polskich jeńców w masowych grobach spoczywają także zamordowani przez NKWD Ukraińcy i Rosjanie.

Wreszcie 27 czerwca 1998 roku nadszedł czas uczczenia pamięci mojego ojca i jego kolegów. Drżąc, wkroczyliśmy na teren cmentarza i przeciskając się przez tłum, dotarliśmy wraz z George'em w okolice ołtarza, przy którym miała zostać odprawiona msza. Przed ołtarzem płonął, zamocowany na betonowej platformie, wieczny znicz, będący symbolem hołdu składanego ofiarom zbrodni. Ustawiono tam również kamień z upamiętniającą tragiczne wydarzenia, przywiezioną z Polski tablicą.

Atmosfera była dziwna, wręcz surrealna. Ramię w ramię stali przywódcy Polski i Ukrainy, narodów mocno zwaśnionych przez długie lata. Przecież wśród wykonawców egzekucji polskich jeńców wojennych w Charkowie znajdowali się też Ukraińcy. Tymczasem teraz, przy jednym ołtarzu, modlili się duchowni z obu krajów: katoliccy z Polski i prawosławni z Ukrainy, a tuż przede mną stały w jednym szeregu polsko-ukraińskie oddziały reprezentacyjne. Nie sądziłem, że dożyję momentu, w którym oba narody, pogodzone, razem uczczą pamięć ofiar zamordowanych przez żołnierzy Związku Radzieckiego. Brakowało natomiast w widoczny sposób przedstawicieli Stanów Zjednoczonych, Wielkiej Brytanii oraz Rosji.

Podczas mszy starszy sierżant sztabowy kompanii reprezentacyjnej Wojska Polskiego jako lektor odmówił modlitwę powszechną. Jego głos niósł się po całym lesie. Czytał też słowa proroka Ezechiela. Przez całe popołudnie i wiele następnych dni już po powrocie do domu wciąż słyszałem jego głos: „Synu człowieczy, czy kości te powrócą znowu do życia? I odpowiedziałem: Panie Boże, Ty to wiesz" (Ez 37,3)*. Po mszy przemówienia wygłosili prezydenci Polski i Ukrainy oraz inni dygnitarze, którzy brali udział w uroczystości. Pułkownik Wiesław Grudziński, dowódca kompanii reprezentacyjnej, odczytał akt erekcyjny, a kamień węgielny położyli prezydenci obu państw. Towarzyszyły im dźwięki *Marsza żałobnego* Fryderyka Chopina.

W tym momencie stojąca obok mnie kobieta wskazała prześwit w gąszczu liści i konarów, tworzonym przez korony otaczających nas dębów.

– Widzi pan – powiedziała – to tak, jak gdyby Bóg spoglądał na nas i na te groby ze szczytu kopuły w jakiejś olbrzymiej świątyni.

– Tak, dzisiaj Bóg patrzy na całą ludzkość – odparłem, spojrzawszy w górę.

Następnie pamięć ofiar uczczono salwą honorową. Przedstawiciele piechoty, lotnictwa i marynarki trzykrotnie wystrzelili na cześć zamordowanych Polaków. Złożywszy wieńce w pobliżu kamienia węgielnego, pielgrzymka ruszyła w stronę masowych mogił. Groby zapłonęły setkami zniczy i zajaśniały mnóstwem biało-czerwonych chorągiewek. Największy z nich skrywał tysiąc dwadzieścia pięć ciał.

Czułem, że najtrudniejszy etap tej uroczystości jest wciąż jeszcze przede mną. W którym z grobów spoczywa mój ojciec? Zdawałem sobie sprawę, że inni dookoła też są w stanie rozterki. Zobaczyłem kobietę, która płacząc, obejmowała pień dębu, przekonana, że

* *Pismo Św. Starego i Nowego Testamentu*, Wyd. Pallottinum, Poznań–Warszawa 1990.

znajduje się pod nim ciało jej ojca. Współczucie ścisnęło mi serce. Kobieta była już bardzo stara, lecz płakała jak mała dziewczynka, która tęskni za tatą. Postanowiłem, że nie mogę już dłużej się tak zadręczać. Obszedłem wszystkie zbiorowe mogiły i przy każdej z nich zmówiłem modlitwę. W ten sposób miałem pewność, że nie pominąłem tej, w której pochowany jest ojciec. Przy grobie, w którym spoczywało najwięcej ofiar, zacząłem odmawiać Modlitwę Pańską, lecz z bólu brakowało mi słów, byłem struchlały, oniemiały i zagubiony. Zamiast modlitwy wyszeptałem tylko „Kocham cię, ojcze" i zdjąłem z grobu garść ziemi oraz liści.

Gdy klęczałem przy mogile, podszedł do mnie George i powiedział, że chciałby mi coś dać. Na wyciągniętej ręce zobaczyłem pustą łuskę po kuli.

– Znalazłeś ją w lesie? – spytałem dosyć nieprzytomnie.

– Nie, tato. To z salwy honorowej – odpowiedział.

Wziąłem łuskę i ścisnąłem ją mocno w dłoni, czując, że do oczu cisną mi się łzy.

– Znalazłeś też drugą dla siebie, na pamiątkę po dziadku? – zapytałem po chwili.

– Nie, to twój dzień, tato. Ta łuska jest dla ciebie, na pamiątkę po twoim ojcu.

Asystujący nam w pielgrzymce polscy oficerowie również odwiedzali groby i wtopili się w naszą grupę. Słyszałem, jak niektórzy mówią, że w innym miejscu, w innym czasie, to im rodziny oddawałyby hołd jako poległym bohaterom. Inni szeptali, że czują się tak, jak gdyby stąpali po własnych grobach. Nagle oczyma wyobraźni ujrzałem pielgrzymów i siebie samego jako dzieci, obecnych oficerów utożsamiając z naszymi poległymi ojcami. Po raz ostatni widziałem ojca pięćdziesiąt dziewięć lat temu. Przez chwilę poczułem się sześcioletnim polskim chłopcem, stary brodaty Amerykanin został gdzieś z tyłu. Widziałem, jak ojciec pochyla się nad moim łóżeczkiem i po raz ostatni mocno przytula. Usłyszałem jego ostatnie słowa skierowane do mnie.

Otrząsnąłem się. Spojrzałem dookoła. Wiedziałem, że gdzieś tutaj spoczywają na zawsze szczątki mego ojca, ale on sam nigdy nie zostanie zapomniany. Teraz, gdy zyskałem pewność, że moje wnuki, jak również ich wnuki, będą o nim pamiętać, mogłem spokojnie opuścić cmentarz.

Ruszyliśmy w stronę bramy. Odwróciłem się, by po raz ostatni spojrzeć na migotanie zniczy na grobach, furkoczące na wietrze biało-czerwone chorągiewki oraz powtykane w ziemię karteczki z wypisanymi nazwiskami pomordowanych oficerów. Na jednej z nich, szarpanej wiatrem, wciąż mogłem dostrzec napis „Kapitan Jan Adamczyk". Powiedziałem do George'a, że prawda wreszcie podniosła się z grobów, by mógł poznać ją cały świat.

– Nikomu nie wolno zapomnieć o tej strasznej zbrodni, skoro ani posadzenie drzew, ani miażdżenie kości nie dało rady wymazać jej z ludzkiej pamięci – powiedziałem, a syn objął mnie w milczeniu. Zanim ostatecznie opuściłem teren cmentarza, raz jeszcze pomodliłem się za duszę ojca, wdzięczny za to, że wreszcie dane mi było odwiedzić jego grób i że zdjęte zostało ze mnie brzemię, które przez tak długi czas dźwigałem.

Autokary zawiozły nas z powrotem na dworzec w Charkowie. Zanim odjechaliśmy, byłem świadkiem sceny, która zapadła mi w pamięć. Olenka Frenkiel, przeprowadzając właśnie wywiad z lokalnym dziennikarzem, spytała go, czy wie, kto spoczywa w miejscu, gdzie odbywały się uroczystości. Z widocznym wahaniem odpowiedział łamaną angielszczyzną:

– Oficery, Polska.

– Kto ich zabił?

– Hitler – odpowiedział dziennikarz, kiwając z przekonaniem głową.

– Hitler? – spytała, nie dowierzając, Olenka.

– Tak, tak, Hitler. Myślę, że Hitler – odparł nieco już zakłopotany Ukrainiec.

Gdy wsiadaliśmy do pociągu, dziennikarz stał na peronie i machał nam z uśmiechem na pożegnanie. Długo szedł obok ruszającego pociągu, wciąż machając i uśmiechając się. Zastanawiałem się, czy się cieszy z naszego odjazdu, czy z tego, że nie zadamy mu już więcej żadnych pytań.

Byliśmy niedaleko polskiej granicy, gdy niespodziewanie ogłoszono, że wkrótce nastąpi półgodzinny postój. Okazało się, że na polecenie prezydenta Leonida Kuczmy zostanie zorganizowana uroczystość, podczas której ukraińscy oficerowie, zgodnie ze starą tradycją, podzielą się z nami chlebem i solą na znak przyjaźni i pokoju.

Pociąg się zatrzymał. Ludzie w pośpiechu wyszli na peron i zmierzali tam, gdzie miała się rozpocząć ceremonia. Był wśród nich również mój syn oraz dwie osoby, z którymi dzieliliśmy przedział. Zostałem w wagonie, sam na sam ze swoimi myślami. Po kilku minutach jednak zdecydowałem się dołączyć do pozostałych. Na budynku dworca widniał duży napis, nazwa pisana cyrylicą. Ktoś stojący obok odczytał ją dla mnie. Było to słowo „Łuck".

Znieruchomiałem. Serce biło mi jak szalone. To tutaj mieszkałem przed wojną wraz z rodziną. Mój ojciec setki razy przychodził na ten dworzec. Ostatni raz byłem tu w 1938 roku, kiedy całą rodziną żegnaliśmy Władzię Siepakównę. Mimo upływu sześćdziesięciu lat dobrze pamiętałem tamto wydarzenie. Przypominałem sobie, jak ojciec trzymał mnie za rękę, żebym się nie wychylał, wypatrując nadjeżdżającego pociągu, do którego kuzynka miała wsiąść. Ze wszystkich miejsc, w których mogłaby się odbyć ta ceremonia, wybrano właśnie to. Czy to los pomagał mi osiągnąć wewnętrzny spokój poprzez wybaczenie Sowietom tego, co uczynili? Czy to miało stać się tu i teraz, w mieście, w którym niegdyś stał mój dom?

Spojrzałem w stronę tej części peronu, gdzie odbywała się uroczystość: Ukraińcy i Polacy dzielili się chlebem i solą. Być może przodkami lub krewnymi niektórych ukraińskich oficerów byli enkawudziści, którzy mordowali polskich żołnierzy, a mimo to, zaledwie kilka godzin temu, członkowie obu narodów ramię w ramię stali na cmentarzu w Piatichatkach i wspólnie modlili się przy jednym ołtarzu. Tłum zaczynał się już przerzedzać, gdy podszedłem do jednego z ukraińskich oficerów i odłamałem kawałek chleba, który trzymał w dłoniach. On zrobił to samo. Umaczaliśmy kawałki chleba w soli i zjedliśmy. Akurat w tym momencie zebrani na peronie ludzie zaintonowali *Sto lat* w intencji pokoju między obu narodami.

W drodze do Krakowa żegnaliśmy się w pociągu z oficerami, dziękując im za uprzejmość i pomoc podczas naszej pielgrzymki. Następnego dnia, gdy wysiadaliśmy w Olkuszu na peronie, znów powitała nas muzyką orkiestra wojskowa. Pożegnanie trwało dużo dłużej niż powitanie. Czuliśmy, że przez te kilka dni wytworzyła się między ludźmi więź, która dodawała nam sił i której nikt z nas nie chciał utracić.

Po powrocie do Ameryki, jeszcze przed rozpakowaniem walizek, udałem się natychmiast do prowadzonego przez zakonnice domu opieki, w którym mieszkała ciotka Maria, wówczas już studwuletnia staruszka.

– Wróciłeś. Dzięki Bogu, wróciłeś – powitała mnie.

Gdy wyjeżdżałem do Charkowa, bała się, że sowiecka policja mnie nie wypuści i że ponownie zostanę zesłany na Syberię na ciężkie roboty. Ucałowałem ją czule i pokazałem zdjęcia z uroczystości. Na jednym z nich widniał krzyż poświęcony ofiarom zbrodni katyńskiej. Ciotka Maria, mimo słabego wzroku, bardzo chciała sama odczytać inskrypcję na krzyżu. Podjechała na wózku bliżej okna. „Pomóż przebaczyć 1940", wypowiedziała w końcu szeptem. W zamyśleniu sięgnęła po kolejne zdjęcie, przedstawiające rzeźbę Matki Boskiej, która trzyma blisko piersi przebitą kulą czaszkę.

Po kilku minutach wyjąłem jej zdjęcia z dłoni, zastanawiając się, jak zareaguje na to, co chcę jej teraz powiedzieć.

– Babciu – zwróciłem się do niej – przywiozłem babci coś bardzo specjalnego. To z grobu babcinego brata – powiedziałem, podając jej plastikowy woreczek z ziemią i liśćmi zgarniętymi z jednego z masowych grobów.

Wzięła go ostrożnie w drżące, zniekształcone przez artretyzm dłonie i przycisnęła mocno do piersi. Przez długi czas nic nie mówiła. Potem rozpłakała się.

Patrzyłem na nią ze wzruszeniem i podziwem. Pomyślałem o latach ciężkiej pracy, o tysiącach paczek, które wysyłała polskim żołnierzom we Włoszech i cierpiącym niedostatek krewnym, o tym, jak przyjmowała do domu imigrantów z ojczyzny, o jej działalności w Związku Narodowym Polski – siłę umożliwiającą jej to wszystko czerpała z miłości do brata. Ostatni raz widziała go w 1912 roku, osiemdziesiąt sześć lat temu. Teraz nareszcie, po tak długim czasie, mogła przytulić go do serca.

Pomyślałem, że nadmiar wzruszeń może pozbawić ją sił, wziąłem więc od niej woreczek z ziemią i włożyłem do szuflady. Po pewnym czasie, ze łzami spływającymi po pomarszczonych policzkach, zapytała:

– Wiesiu, czy mogę go jeszcze trochę potrzymać?

Spełniłem jej prośbę. Po kilku latach – zgodnie z jej wolą – owa garstka ziemi miała zostać razem z nią złożona do grobu.

Po chwili ciotka Maria podniosła na mnie wzrok i zaczęła przepraszać, że jest stara i że już tak niewiele pamięta, przez co nie może mi opowiedzieć więcej o moim ojcu. Wpatrując się we mnie wciąż tym samym smutnym wzrokiem, dodała:

– Wiesiu, nie pamiętam już nawet, jak wyglądał twój ojciec, widzę tylko jego twarz.

On miał taką piękną twarz.

Posłowie

Niektóre okoliczności zbrodni katyńskiej

Powstał mit, że tylko faszyści byli zdolni do ludobójstwa. Gdybyśmy bowiem zbrodniom Związku Radzieckiego mieli przypisać taką sama kategorię jak nazistowskim, trzeba by było podważyć moralne uzasadnienie naszego udziału w drugiej wojnie światowej. Dzisiaj wiemy, że Stalin zamordował podczas wojny więcej własnych obywateli niż Hitler w czasie Holokaustu.

Norman Davies

II wojna światowa jest w powszechnej świadomości postrzegana jako walka aliantów z nazistowskimi Niemcami. Niestety, myślenie takie jest błędne. Zbierając materiały do swojej książki, niejednokrotnie miałem okazję się przekonać, że w Ameryce wiele osób, jeśli nie większość, ma bardzo ograniczoną wiedzę na temat tego, kto naprawdę wywołał tę wojnę i co nastąpiło w jej pierwszych miesiącach. Wnikliwe podejście do tematu wymaga, żeby nie zapominać o sojuszu łączącym Sowietów z Hitlerem przez pierwsze dwa lata wojny i o tym, że – sprzymierzeni – natarli oni na Polskę zarówno od zachodu, jak i od wschodu.

Kiedy wojna się zakończyła i nadszedł czas ukarania zbrodniarzy wojennych, zachodni alianci stanęli przed trudnym dylematem. Sprawiedliwość wymagała, by wymierzyć karę również Związkowi Radzieckiemu za działania w Polsce przed jego przyłączeniem się do zachodnich aliantów, którzy zresztą wiedzieli, że Sowieci wkroczyli zbrojnie do Polski we wrześniu 1939 roku, że deportowali setki tysięcy Polaków w głąb swego kraju i zamordowali tysiące polskich „więźniów politycznych". Ostatecznie jednak przywódcy Stanów Zjednoczonych i Wielkiej Brytanii przymknęli oko na zbrodnie sowieckie, pragnąc zatuszować fakt, iż sami sprzymierzyli się ze zbrodniarzami.

Wiele działań Stalina podczas wojny skierowane było przeciw społeczeństwu własnego państwa. Zamordowano, uwięziono lub zagłodzono miliony obywateli ZSRR. Podobne działania podejmowano również wobec obywateli państw, które Sowieci opanowali i próbowali włączyć do bloku komunistycznego. Najbardziej ucierpieli Polacy, a w szczególności polska inteligencja.

W kwietniu i maju 1940 roku dokonano, z rozkazu Stalina, egzekucji około piętnastu tysięcy polskich jeńców wojennych, przetrzymywanych do tej pory na terytorium Związku Radzieckiego; ponad połowę z nich stanowili oficerowie. Wyrok wykonywano jednym strzałem w tył głowy, po czym ciała wrzucano masowo do rowów w Katyniu, Miednoje i Charkowie.

ODKRYCIE MASAKRY W LESIE KATYŃSKIM

Ponad rok po dokonaniu przez Sowietów zbrodni wobec polskich oficerów Związek Radziecki został zaatakowany przez armię niemiecką. Manewr ten zaskoczył Sowietów, którzy nie zdążywszy przygotować należytej obrony, ponieśli sromotną klęskę. Niemcy zajęli znaczącą część Związku Radzieckiego, również obszar, na którym znajduje się Las Katyński. Wiosną 1943 roku odkryli tam masowe mogiły pomordowanych polskich oficerów i ogłosili tę zbrodnię światu. Utworzono wówczas trzy specjalne komisje, których zadaniem było ekshumowanie zwłok, jak również ustalenie ich tożsamości oraz tego, jak i kiedy dokonano mordu. W skład pierwszej z nich wchodzili urzędnicy z Niemiec, drugiej – biegli sądowi oraz patologowie z dwunastu neutralnych państw, w tym ze Szwajcarii, a w skład trzeciej wchodzili eksperci do spraw medycyny z Polskiego Czerwonego Krzyża. Prace komisji obserwowali powołani do tego przez Niemców dwaj amerykańscy i dwaj brytyjscy oficerowie, niemieccy jeńcy wojenni. Amerykanie zeznawali później przed Komisją Kongresu Stanów Zjednoczonych, badającą zbrodnię katyńską.

Badania rozpoczęto 30 kwietnia 1943 roku. Ustalono wtedy, iż Polacy zostali zamordowani wiosną roku 1940. Orzeczenie nie zawierało stwierdzenia, kto dokonał zbrodni, lecz nie było to konieczne – wiadomo było, iż w tym czasie wojska niemieckie nie znajdowały się nawet w pobliżu Lasu Katyńskiego. Poza tym Niemców w owym okresie wciąż łączył sojusz ze Związkiem Radzieckim. Sowieci, choć oficjalnie oburzeni insynuacjami, jakoby to oni odpowiadali za zbrodnię, nigdy bezpośrednio nie zaprzeczyli, że byli w tym czasie sojusznikami Niemiec.

W ciągu dwóch miesięcy, dzięki pomocy Polskiego Czerwonego Krzyża, niemiecka komisja przebadała 4142 ekshumowane ciała, oznakowała je i ponownie pogrzebała. Przy większości zwłok znajdowano dokumenty bądź inne przedmioty, takie jak polskie i rosyjskie pieniądze, listy do bliskich, pamiętniki, rosyjskie gazety – wszystkie z datami wcześniejszymi niż połowa maja 1940 roku. Ciała wydobyte w Lesie Katyńskim należały do oficerów, których wcześniej więziono w obozie w Kozielsku. Pogrzebane zostały w tej samej kolejności, w której oficerowie byli wyprowadzani z obozu przez funkcjonariuszy NKWD, w grupach liczących od pięćdziesięciu do trzystu sześćdziesięciu osób. Wkrótce potem ustalono, że rosnące na mogile drzewa zostały tam posadzone późną wiosną 1940 roku w celu ukrycia śladów zbrodni.

Lokalizacja miejsc, w których pochowano ciała około jedenastu tysięcy oficerów z obozów w Ostaszkowie i Starobielsku, została ujawniona dopiero w 1990 roku.

KŁAMSTWA I PIERWSZE PRÓBY ZATAJANIA PRAWDY O ZBRODNI

Jesienią 1941 roku rząd radziecki ogłosił „amnestię" wobec polskich jeńców wojennych oraz cywili, którzy zostali deportowani w głąb Związku Radzieckiego. Wydano również rozporządzenie zezwalające na utworzenie na terytorium radzieckim polskiej armii. Okazało się jednak, że na ochotników zgłosili się głównie starzy, chorzy lub bardzo młodzi mężczyźni. Najlepsi, najbardziej inteligentni i wykwalifikowani oficerowie, przetrzymywani dotychczas w trzech obozach jenieckich, mimo ogłoszonej „amnestii" się nie pojawili. Rządy Stanów Zjednoczonych, Wielkiej Brytanii i Polski starały się dojść przyczyn tego stanu rzeczy, wysyłając do Związku Radzieckiego żądania wyjaśnienia tej sprawy – Polska wystosowała ponad dwieście takich zapytań. Odpowiedź Sowietów była zawsze taka sama: „Nie wiemy, co się stało". Sam Stalin pytany o sprawę zaginięcia polskich oficerów odpowiadał, że uciekli z obozów. Gdy spytano go dokąd, odpowiedział: „Do Mandżurii".

Po odkryciu masowych grobów ofiar zbrodni w Lesie Katyńskim odpowiedź udzielana Polakom została jednak zmodyfikowana – teraz Sowieci „przypomnieli sobie", że polscy oficerowie zostali wzięci w niewolę przez Niemców, którzy następnie dokonali na nich mordu. Gdy stało się oczywiste, że taka wersja wydarzeń nie może być prawdziwa, Związek Radziecki oskarżył zachodnich aliantów o tworzenie „imperialistycznego spisku" przeciw ich państwu. A gdy polski rząd na uchodźstwie zwrócił się do rządu radzieckiego z prośbą o udzielenie Międzynarodowemu Czerwonemu Krzyżowi zgody na śledztwo w tej sprawie, spotkał się z agresywną odmową.

Przywódcy państw należących do obozu zachodnich aliantów stanęli przed moralnym i wojskowym dylematem. Dotyczyło to szczególnie Roosevelta i Churchilla, którzy do tej pory traktowali Stalina jak towarzysza broni. Mieli dwa wyjścia: albo zaryzykować utratę potężnego sojusznika, dążąc do wyjaśnienia zbrodni katyńskiej, albo pokryć milczeniem to, co stanowiło znaną im prawdę, i zaakceptować wersję wydarzeń przedstawianą przez Sowietów. Stalin okazał się w tej sytuacji zbyt cennym sojusznikiem. Do tego stopnia, iż Winston Churchill obiecał nawet ambasadorowi Związku Radzieckiego w Wielkiej Brytanii, iż nie dopuści, by Międzynarodowy Czerwony Krzyż lub jakakolwiek inna organizacja dostały pozwolenie na prowadzenie dochodzenia w Lesie Katyńskim bądź gdziekolwiek na radzieckim terenie okupowanym przez Niemcy.

Już wkrótce po odkryciu zbrodni zachodni alianci mieli wystarczające dowody na to, że dokonali jej Sowieci. Wystarczyłyby one do postawienia Związkowi Radzieckiemu zarzutu popełnienia zbrodni wojennej. Ambasador Wielkiej Brytanii przy polskim rządzie na uchodźstwie, Owen O'Malley, wystosował tajne pismo dotyczące współpracy Wielkiej Brytanii ze Związkiem Radzieckim w sprawie tuszowania zbrodni katyńskiej. Pismo to trafiło do członków brytyjskiego rządu i Biura Spraw Zagranicznych, jak również do przedstawicieli wyższego szczebla rządu Stanów Zjednoczonych. Kopię pisma otrzymał także prezydent Roosevelt. Historyk Louis Coatney twierdzi, że „treść pisma zwracała uwagę na fakt, iż współpraca z Sowietami przy zacieraniu śladów zbrodni pozbawi aliantów argumentu wyższości moralnej nad nazistami, nie pozostanie ona również bez wpływu na wiarygodność mających się odbyć po zakończeniu wojny procesów przeciwko zbrodniarzom wojennym". Poglądy O'Malleya zostały zignorowane przez władze Wielkiej Brytanii i Stanów Zjednoczonych, a zmowa milczenia była oficjalnie utrzymywana jeszcze przez dziesiątki lat.

Sowieci podejmowali własne działania w celu zatuszowania zbrodni katyńskiej. Jedną z bardziej znaczących tego typu prób było przeprowadzenie badań przez komisję Nikołaja Burdenki, jesienią 1943 roku, a więc już po wycofaniu się Niemców z tych terenów. Członkowie komisji zostali wybrani przez Stalina oraz sowiecką tajną policję, a pełna nazwa tego organu brzmiała: „Specjalna komisja dla ustalenia i zbadania okoliczności rozstrzelania polskich jeńców –

oficerów przez niemieckich faszystowskich najeźdźców w Lesie Katyńskim". Sama nazwa jasno wskazuje, że Sowieci, jeszcze przed rozpoczęciem śledztwa, od razu wiedzieli, kogo oskarżyć o popełnienie zbrodni. Raport z prac komisji opublikowano 24 stycznia 1944 roku, a zawarty w nim wniosek głoszący, że polscy oficerowie zostali zamordowani przez Niemców w okresie późniejszym niż lipiec–sierpień 1941 roku, stał się w Związku Radzieckim oficjalną wersją wydarzeń.

PROCESY NORYMBERSKIE

Podczas gdy Sowieci starali się tuszować swoją zbrodnię, również rządy Stanów Zjednoczonych i Wielkiej Brytanii za wszelką cenę chciały ukryć dowody winy Związku Radzieckiego. Po zakończeniu wojny, a przed rozpoczęciem obrad Międzynarodowego Trybunału Wojskowego w Norymberdze, zachodni alianci mieli dość czasu, by przedstawić Trybunałowi wszystkie dokumenty świadczące o tym, iż to Sowieci popełnili zbrodnię w Lesie Katyńskim. Nie uczynili tego jednak, ponieważ równałoby się to przyznaniu się do błędów w stosunkach ze Stalinem i komunistami, popełnionych w czasie wojny, jak i z ujawnieniem własnej współpracy ze Związkiem Radzieckim przy tuszowaniu zbrodni. Przywódcy wiedzieli, że pociągnęłoby to za sobą konsekwencje w postaci niepokojów zarówno na poziomie państwowym, jak i międzynarodowym.

Zachodni alianci stanęli przed podwójnym dylematem. Pierwszy problem, to w jaki sposób oskarżyć i osądzić największych zbrodniarzy wojennych, nie uznając zarazem winy radzieckiego sojusznika, który dopuścił się zbrodni ludobójstwa. Po drugie, musieli się zastanowić nad sposobem wmówienia światu, że nie wiedzą, kto jest sprawcą katyńskiej zbrodni. Nie chcieli narazić się Stalinowi, byli gotowi nadal, podobnie jak podczas wojny, spełniać wszelkie jego żądania. Być może nigdy się nie dowiemy, co się działo za zamkniętymi drzwiami. Wiemy za to, że cztery najważniejsze państwa obozu aliantów (Stany Zjednoczone, Wielka Brytania, Francja i Związek Radziecki), między 26 czerwca a 8 sierpnia 1945 roku, na spotkaniu w Londynie podjęły decyzję w sprawie przebiegu procesów. Postanowili w następujący sposób podzielić się odpowiedzialnością za ściganie oraz stawianie w stan oskarżenia sprawców zbrodni wojennych: Amerykanie mieli zająć się zagadnieniem rozpętania i prowadzenia wojny, Brytyjczycy – naruszaniem traktatów i zbrodniami popełnianymi na otwartym morzu, a pozostałe dwa kraje – zbrodniami wojennymi. Francuzów uczyniono odpowiedzialnymi za prowadzenie spraw związanych ze zbrodniami popełnianymi na zachodzie Europy, Sowieci zaś mieli się zająć wschodem Europy, w tym Polską i Związkiem Radzieckim. Ustalenia te doprowadziły do sytuacji, w której sprawę zbrodni katyńskiej prowadzili sami Sowieci, chociaż nigdy nie zostali oczyszczeni ze stawianych im zarzutów dotyczących ich odpowiedzialności za ludobójstwo.

Sytuacja ta była nie tylko niewygodna, ale jej polityczne, moralne i prawne skutki stwarzały nowy problem dla zachodnich aliantów. Z jednej strony co prawda, jeśli nawet Sowietom nie udałoby się udowodnić winy Niemcom, to – zgodnie z ustaleniami Wielkiej Czwórki – nikt inny nie miałby uprawnień do prowadzenia tej sprawy i dalszego szukania winnych, alianci zachodni zostaliby więc oswobodzeni z obowiązku oskarżenia o zbrodnię Związku Radzieckiego. Z drugiej strony, jeśli jednak Sowieci oskarżyliby o zbrodnię w Lesie Katyńskim Niemców, pojawiał się kolejny problem: w jaki sposób ukryć dokumenty wyraźnie świadczące o winie Sowietów, tak by nie pociągało to dalszych skutków. Albowiem zgodnie z zachodnimi przepisami prawnymi podmioty zamieszane w tuszowanie zbrodni mogą zostać oskarżone o współudział w ludobójstwie i postawione przed sądem karnym.

Pomimo groźnych konsekwencji zachodni alianci podjęli tę decyzję i postanowili nie oskarżać Związku Radzieckiego o żadne zbrodnie wojenne, nawet o współpracę z nazistami przy okazji napaści na Polskę w 1939 roku. Udawali również, że nie wiedzą, iż Niemcom zostanie postawiony zarzut zorganizowania mordu w Lesie Katyńskim. Gdy Międzynarodowy Trybunał Wojskowy zajął się sprawą w lipcu 1946 roku, Związek Radziecki oskarżył o zbrodnię Niemców, a jego zachodni sprzymierzeńcy milczeli, zatajając dowody winy Sowietów, w tym dokumenty przedstawiane przez stronę polską.

Najmocniejszą bronią Sowietów w czasie procesu mieli być trzej „naoczni świadkowie" wydarzeń katyńskich, jednakże ich zeznania bardzo szybko zostały podważone przez obronę strony niemieckiej. Podobnie rzecz miała się z ustaleniami komisji Burdenki; tezy w nich stawiane zostały łatwo obalone. Nie dopuszczono do zeznań żadnych innych świadków.

Oskarżenia kierowane pod adresem Niemiec zostały szybko oddalone przez amerykańskiego sędziego, który prowadził rozprawę. Pomimo niewyobrażalnego rozmiaru zbrodni w Lesie Katyńskim sprawa ta została bez rozstrzygnięcia zepchnięta na margines. Gdy odczytywano końcowe postanowienia i wyroki procesów norymberskich, 30 września 1946 roku, o sprawie Katynia nawet nie wspomniano. Warto zwrócić uwagę na różnice między sposobem prowadzenia dochodzenia w sprawie omawianej zbrodni a niezwykłą szczegółowością, z jaką zajmowano się na przykład sprawą pięćdziesięciu pilotów RAF-u, zestrzelonych przez oddziały niemieckie.

Cztery lata po zamknięciu procesów norymberskich Winston Churchill w spisywanych wspomnieniach z okresu wojny jeszcze raz stanął wobec problemu, który sam stworzył. Nie mógł całkowicie pominąć tematu Katynia, nie mógł też pozwolić sobie na ujawnienie całej prawdy na ten temat. Uznawany za jednego z najbardziej elokwentnych mówców swoich czasów, gorliwy obrońca praw i wolności człowieka, wybrnął z tej trudnej sytuacji w następujący sposób: „ Rządy zwycięskich państw zadecydowały, iż kwestia ta nie powinna być poruszana. Sprawa zbrodni katyńskiej nigdy nie została więc szczegółowo wyjaśniona".

ŚLEDZTWO KONGRESU USA W SPRAWIE ZBRODNI KATYŃSKIEJ

W 1951 roku w amerykańskim Kongresie powołana została komisja mająca na celu zbadanie zbrodni katyńskiej. Chodziło o wyjaśnienie, które z państw jest za nią odpowiedzialne, oraz ustalenie, czy w kręgu amerykańskich władz lub urzędników znajdowały się osoby, które zatajały znane im fakty dotyczące tej sprawy. Przesłuchania odbywały się w Waszyngtonie, Chicago, Frankfurcie, Berlinie, Neapolu i, choć protestowało przeciwko temu brytyjskie Biuro Spraw Zagranicznych w Londynie. Zaproszenia do obserwowania prac komisji zostały przekazane rządowi Związku Radzieckiego, rządowi Polski w Warszawie, polskiemu rządowi na uchodźstwie z siedzibą w Londynie oraz władzom Republiki Federalnej Niemiec. Dwa pierwsze z wymienionych rządów odrzuciły zaproszenia (rząd Polski uczynił to na polecenie Sowietów). Winston Churchill również otrzymał zaproszenie, ale odmówił.

Komisja bezpośrednio przesłuchała osiemdziesiąt trzy osoby oraz otrzymała zeznania od stu kolejnych, które nie mogły osobiście stawić się na posiedzenie. Zanalizowała sto osiemdziesiąt trzy dowody. Gotowych do składania zeznań było jeszcze dwustu innych świadków, których wyjaśnień jednak nie przyjęto, gdyż służyłyby zapewne jedynie udowodnieniu potwierdzonych już hipotez. Gdy przesłuchania dobiegły końca, komisja opublikowała raport, w którym stwierdzała, iż winę za zbrodnię katyńską ponosi radzieckie NKWD. Zalecono również, by Sowieci zostali postawieni przed Międzynarodowym Trybunałem Sprawiedliwości.

Prace komisji ujawniły, że amerykańskie agencje rządowe, w tym Departament Stanu, Wywiad Wojskowy Armii Stanów Zjednoczonych (G2), Biuro Informacji Wojennej (OWI) i Federalna Komisja Łączności (FCC) dokładały starań, aby prawda o zbrodni katyńskiej nie ujrzała światła dziennego. Wyjawiono też, że Roosevelt i Departament Stanu konsekwentnie ignorowali liczne dokumenty, których treść jednoznacznie wskazywała na winę Sowietów. Pochodziły one między innymi od ambasadora USA przy polskim rządzie na uchodźstwie, Anthony'ego Josepha Drexela Biddle'a Jr., ambasadora USA w Moskwie, admirała Williama H. Standleya oraz amerykańskiego emisariusza działającego w Londynie, Johna G. Winanta.

Wyszło również na jaw, że prezydent Roosevelt był w 1944 roku informowany przez swojego bałkańskiego wysłannika, a przy tym przyjaciela, George'a Earle'a, o tym, że to Sowieci odpowiadają za zbrodnię katyńską. Prezydent nakazał Earle'owi milczenie, ten jednak wciąż proponował, by Roosevelt podał tę informację do wiadomości publicznej. Reakcją prezydenta było wysłanie Earle'a do końca wojny na wyspy Samoa Amerykańskiego.

Komisja ujawniła także, że w tajemniczy sposób zniknęło oświadczenie pułkownika Johna H. Van Vlieta Jr., jednego z dwóch Amerykanów, którzy jako jeńcy wojenni zostali wyznaczeni przez Niemców do obserwacji niemieckich badań w Lesie Katyńskim. W 1945 roku w Waszyngtonie odbyło się spotkanie Van Vlieta z generałem Claytonem Bissellem, odpowiedzialnym za sprawy wywiadu. Podczas tego spotkania Van Vliet jednoznacznie twierdził, że polskich oficerów zamordowali Sowieci. Generał Bissell utajnił następnie zeznania pułkownika i nakazał mu milczenie w tej sprawie. Co ciekawe, nie sporządzono ani jednej kopii oświadczenia Van Vlieta. Po dogłębnym zbadaniu sprawy i przesłuchaniu generała Bissella komisja ustaliła, iż niewygodny dokument został umyślnie albo zniszczony, albo usunięty z archiwów wywiadu.

Trzech wysokich rangą oficerów wywiadu, podwładnych Bissella, zeznało przed komisją, że była grupa „prosowieckich pracowników i wojskowych z wojskowej Agencji Wywiadu", którzy podejmowali działania mające na celu obronę Sowietów i dokonywali „ogromnych wysiłków (...) aby eliminować antyradzieckie raporty". We wnioskach końcowych prac komisji możemy przeczytać: „W brzemiennych w skutki dniach kończącej się II wojny światowej panowała w wysoko postawionych wojskowych i rządowych kołach swoista psychoza, która nakazywała myśleć, że strategicznie konieczne jest poświęcenie naszych lojalnych sprzymierzeńców oraz własnych pryncypiów na rzecz powstrzymania radzieckiej Rosji przed tajnym sojuszem z nazistami. Z mniej jasnych dla komisji powodów stan owej psychozy utrzymywał się również po zakończeniu wojny".

Były przynajmniej dwa powody, dla których „psychoza" nie ustępowała, co skutkowało podtrzymywaniem milczenia w sprawie Katynia. Gdyby Stany Zjednoczone oficjalnie oskarżyły Związek Radziecki o popełnienie tej zbrodni, naraziłoby to osoby uwikłane w sprawę dotychczasowego tuszowania dowodów na poważne konsekwencje na poziomie państwowym i międzynarodowym. Obawiano się ewentualności zbrojnego konfliktu z Sowietami.

MILCZENIE PRZERWANE

Z upływem czasu atmosfera polityczna bloku wschodniego ulegała zmianom. W 1981 roku Solidarność zaczęła naciskać na polski rząd w sprawie ujawnienia tajemnic Katynia. Siedem lat później pięćdziesięciu dziewięciu polskich intelektualistów wystosowało pismo do intelektualistów radzieckich z prośbą o spotkanie, które miałoby przerwać zasłonę milczenia otaczającą sprawę zbrodni. Pewien przełom nastąpił w roku 1989, kiedy polskie władze po raz pierwszy przyznały, że wszelkie dowody związane ze zbrodnią wskazują na winę Sowietów. Gruby mur tajemnic postawiony dawno temu dokoła mordu w Katyniu zaczynał pękać.

Do jego całkowitego runięcia przyczynił się Michaił Gorbaczow, który w rozmowie z prezydentem Jaruzelskim, 13 kwietnia 1990 roku, wyznał, że to NKWD było odpowiedzialne za zamordowanie niemal piętnastu tysięcy polskich oficerów. Wyjawił także położenie trzech masowych grobów, w Lesie Katyńskim, w Miednoje i w Charkowie. Był to ogromny szok dla opinii publicznej. Gorbaczow unikał jednak wypowiadania się na temat roli rządu sowieckiego i partii komunistycznej w sprawie zbrodni, nie wyjaśnił też losu tysięcy polskich jeńców, których ciał nigdy nie odnaleziono. Nie przekazał polskim władzom kopii rozkazu wydanego 5 marca 1940 roku przez Stalina, zlecającego egzekucję 25 700 oficerów, mimo iż, jak się później okazało, był w posiadaniu tego dokumentu. TASS, oficjalna agencja prasowa Związku Radzieckiego, wiadomość o przyznaniu się do zbrodni przez Gorbaczowa opublikowała następnego dnia. 14 października 1992 roku prezydent Borys Jelcyn przekazał kopię wspomnianego już rozkazu Stalina (patrz: fotografie na wkładce) prezydentowi Lechowi Wałęsie.

W 1996 roku, na żądanie imigrantów z Polski, brytyjskie Biuro Spraw Zagranicznych (FCO) wydało ostateczne oświadczenie w sprawie udziału Wielkiej Brytanii w próbach ukrywania dowodów na sowiecką odpowiedzialność za zbrodnię katyńską. Komisja złożona z historyków FCO ogłosiła, iż nie było prób tuszowania winy Związku Radzieckiego przez Wielką Brytanię. Jednak w lipcu 2002 roku, opierając się na świeżo odtajnionych dokumentach, czasopismo „BBC History" zamieściło artykuł zatytułowany *Britain Helped Cover Up Katyn Massacre* („Wielka Brytania pomagała tuszować zbrodnię katyńską"). W kwietniu 2003 historycy FCO opublikowali raport *Katyn: British Reactions to the Katyn Massacre, 1943–2003* („Katyń: reakcje Wielkiej Brytanii wobec zbrodni katyńskiej w latach 1943–2003"). W przedmowie Denis MacShane, minister do spraw europejskich, napisał:

> Kolejne rządy brytyjskie nie miały wątpliwości co do winy Sowietów. Jednakże z braku ostatecznych dowodów nie chciały bezpośrednio oskarżać Związku Radzieckiego o popełnienie zbrodni, podobnie zresztą jak rządy wielu innych zachodnich państw. Pomimo głośno wyrażanego potępienia zbrodni popełnionej w Katyniu wiele osób, zarówno w Wielkiej Brytanii, jak i poza jej granicami odczuwało gniew, iż władze brytyjskie nie chciały publicznie obar-

czyć odpowiedzialnością Sowietów. Pragnęli oni, aby sprawiedliwości stało się zadość. W poszanowaniu ich uczuć publikujemy niniejszy raport.

Raport FCO nie stwierdza jednoznacznie, że dochodziło do świadomego i celowego tuszowania sprawy ani że temat zbrodni był omijany i wyciszany z pobudek pragmatycznych. Wynika z niego jednak, że rząd brytyjski bardzo poważnie podejrzewał, iż mordu dokonali Sowieci, oraz że zdecydował się zataić znane sobie fakty. Nieprawdą jest, że Brytyjczycy nie dysponowali dowodami na winę Związku Radzieckiego. Dowiedziono ponad wszelką wątpliwość, że zarówno Wielka Brytania, jak i Stany Zjednoczone dysponowały dowodami wystarczającymi, aby oskarżyć Sowietów podczas procesów norymberskich – o tym, czy dowody przesądziłyby o winie i wystarczyłyby, aby wydać wyrok skazujący, zadecydowałby już sąd.

UWAGA KOŃCOWA

Jestem synem polskiego oficera, który zginął podczas katyńskiego mordu, wykonanego z rozkazu Stalina i radzieckiego rządu. Musiałem nauczyć się żyć z raną w sercu, która się nie zabliźnia. Ból mój powiększała świadomość, że nasi zachodni alianci, którzy walczyli z niemieckimi nazistami o wolność i niepodległość, przyłączyli się do próby zatuszowania katyńskiej zbrodni przeciwko ludzkości. Czyż wobec tego faktu można się dziwić, że nie ustają wojny na świecie, skoro rządy demokratycznych państw przyznają sobie prawo do przemilczenia aktów ludobójstwa...?

Dodatek

Listy do Ameryki

Przeglądając rodzinne archiwum, zwróciłem uwagę na dwa spośród wielu listów, które kuzynka Janka wysłała z Persji do rodziny w Ameryce. (Janka Siepak zmarła na raka w 1963 roku, w wieku czterdziestu trzech lat). Pierwszy list, opatrzony datą 13 grudnia 1943 roku, został napisany do kuzynów Helen, Barneya i Gene'a Pazerów mieszkających w mieście Gary, w stanie Indiana.

> Kochani Helen, Barney i Gene,
>
> Właśnie wróciłam z powrotem do bazy z delegacji na północ. Wycieczka była fantastyczna, lecieliśmy tam i z powrotem samolotem transportu wojskowego. Persja wygląda przepięknie z powietrza, szczególnie góry są niesamowite. Lecieliśmy na wysokości 17 800 stóp, aż okna pokryły się lodem. Trzeba było owinąć się płaszczem i włożyć ciepłe buty, tak było zimno.
>
> Wyobraźcie sobie, jakie mieliśmy szczęście! Zdążyliśmy jeszcze zobaczyć prezydenta Roosevelta, Winstona Churchilla, Józefa Stalina i inne osobistości z alianckich państw. Helen, to było niesamowite przeżycie, nigdy go nie zapomnę. Tylu prezydentów naraz, w jednym kraju i w tym samym czasie! Najbardziej mnie teraz martwi, że surowe ograniczenia, jakie tu na nas nałożono, nie pozwalają mi częściej widywać dzieci. Ale na szczęście ambasador Dreyfus ma cudowną żonę i umówiłam się z nią, że dopilnuje, by dzieci dostawały pieniądze przychodzące dla nich ze Stanów i aby miały odpowiednie ubrania na święta Bożego Narodzenia. Wszystkimi

łakociami, które dostaję z domu, hojnie się dzielę z tymi biednymi dziećmi-uchodźcami, których jest tutaj sporo.

Helen, proszę, nie miej mi za złe, ale podzieliłam się opłatkiem, który przysłałaś mi na Boże Narodzenie, z kilkoma polskimi matkami w obozie, których synowie walczą w różnych krajach. Z dumą Ci donoszę, że chociaż opłatek był nieduży, połamały go na malutkie kawałki i wysłały synom w Afryce, Anglii, Egipcie, Palestynie i wielu innych krajach.

Helen, gdybyś tylko widziała łzy w tych oczach i radość na ich twarzach, jestem pewna, że serce biłoby Ci z dumy. One tylko wzdychały i mówiły: „Opłatek z Ameryki". Jestem taka szczęśliwa, że go przysłałaś, i mam nadzieję, że rozumiesz, ile dla ludzi tutaj w tych strasznych czasach znaczy mieć wiarę i ufność w naszego Pana.

Ci ludzie mają jedynie prymitywne wielbłądzie stajnie jako dach nad głową, ale kiedy ogłosiliśmy, że mamy dla nich opłatek z Ameryki, nawet zgarbieni staruszkowie znaleźli siłę, żeby przykuśtykać do mnie, i błagali, żeby pozwolić im chociaż dotknąć opłatka ustami.

Helen, chyba nie muszę Ci mówić, ile miałam łez w oczach, kiedy tam stałam między nimi i myślałam tylko: „Boże, zlituj się nad nami". Proszę Cię, jeśli masz jeszcze trochę opłatków, czy mogłabyś przysłać? Bardzo byś uszczęśliwiła wielu bezdomnych, zrozpaczonych i załamanych ludzi, choćby na krótką chwilę.

Bardzo mi źle na sercu, że nie możemy zrobić nic więcej dla Zosi i Wiesia. Mam nadzieję, że Wy tam w domu rozumiecie, jaka to trudna dla mnie sytuacja. Robię wszystko, co tylko mogę, żeby wysłać dzieci do domu.

Kończę ten list obietnicą, że będziemy się starać zapewnić im z powrotem rodzinne szczęście, opiekę i bezpieczeństwo.

Wasza szczerze kochająca
Jean

Drugi list Janka napisała do rodziców i siostry w Chicago. Trudno odczytać datę, ale wydaje się, że chodzi o 12 stycznia 1945 roku.

Najukochańsi Mamo, Tato i Władziu,

Właśnie dostałam od Was list ze zdjęciami Mamy i Taty. Pokazałam je wszystkim w obozie, bardzo byłam dumna. A teraz muszę z zachwytem donieść, że Mamusia i Tatuś zdobyli setki wielbicieli.

Dzieci nie widuję zbyt często, bo chodzą do szkoły. W piątek będą urodziny Wiesia, więc zabiorę oboje do siebie na weekend. Wiesiu będzie wystrojony w nowy garnitur, a Zosia w niebieską wełnianą spódniczkę i błękitny sweterek z okrągłym białym kołnierzykiem. Na Gwiazdkę dałam jej trochę pieniędzy, żeby zrobiła sobie trwałą, więc ułożę jej włosy i wepnę spinkę z niebieską kokardką. Będziemy mieć tort dla Wiesia, wszyscy już nie możemy się doczekać.

Bardzo mnie martwi, że ciągle nie wiadomo, kiedy jest ich wyjazd. Są jakieś utrudnienia i wstrzymano transporty. Nie jest mi tutaj łatwo. Jak tylko mam chwilę czasu, od razu do nich jadę i zawsze im coś zawożę. Pewien mój pacjent, Major, uwielbia Zosię i dał jej śliczną perską bransoletkę. Wiesiu dostał od niego klasery z zagranicznymi znaczkami. Major mnie błaga o pozwolenie na ich adopcję. Muszę wyznać, że nasze dzieci stały się istnymi maskotkami tu u mnie, w armii amerykańskiej w Persji. Wiesiu na szczęście przytył już pięć i pół funta i rośnie z niego duży chłopiec. On ciągle stara się mówić coś po amerykańsku. Czasami takie wygaduje śmieszne rzeczy, że pękamy z Ireną ze śmiechu.

Muszę raz-dwa skończyć z tym mlaskaniem przy żuciu gumy. Ciocia Janka wkroczyła do akcji i zabrała Wiesiowi całą gumę, dopóki nie obieca, że będzie żuł cicho. Zosia dostaje szału od tego jego żucia. Wszystkie matki w obozie męczą się z wycinaniem gumy z włosów dzieciaków. (Straszna mordęga!) Pan Wrigley lepiej by się postarał o jakiś odgumiacz, bo inaczej matki przypuszczą na niego atak.

Władziu, stale piętrzą się tu przed nami trudności, ale robię co w mojej mocy, żeby wysłać dzieci do domu. Tutejsze warunki to prawdziwe piekło! Oni mieszkają w wielbłądziej stajni bez ogrzewania i bez bieżącej wody. Śpią na deskach dziesięć cali nad ziemią.

g. 10	śniadanie	herbata, ser i biały chleb
g. 16	obiad	zupa, ser i biały chleb
g. 19	kolacja	herbata

Tak wygląda ich jedzenie. Władziu, powiedz radnemu Rybie, że najwyższy czas wziąć się do roboty i zająć tą sprawą. Warunki się pogarszają, a nikt nic nie robi. Umieralność jest straszna tutaj. Powiedz ludziom, na litość boską – OBUDŹCIE SIĘ I POMÓŻCIE IM. Niemowlęta płaczą i umierają z głodu i z zimna.

Och, Władziu, żebym to ja umiała opisać, co tutaj widzę i słyszę, i czego doświadczam! I pomyśl tylko, przez to wszystko, o czym piszę, muszą przechodzić nasi mali kuzyni!

Przepraszam Cię, naprawdę, że piszę w takiej złości. Ale Władziu kochana, błagam, uświadom ludziom, że tutaj dzieje się cholerne piekło i coś trzeba z tym zrobić.

Pogoda jest parszywa. Przyszła pora deszczowa i można nogi połamać w tym błocie w drodze z baraków do kantyny. Że też musiałam utknąć w takim miejscu! A do tego jeszcze robi się nawet nie wiesz jak zimno! Za dnia jest ciepło i jeżeli nie pada, to wystarczy cienki sweterek. Za to w nocy – śpimy pod czterema kocami, a chciałybyśmy mieć co najmniej jeszcze sześć!

Z wojną chyba całkiem nieźle. Mamy nadzieję, że będziemy w tym roku w domu. Trzymaj kciuki i sprawuj się dobrze. Może zrobię wam niespodziankę. Chciałabym przywieźć dzieci ze sobą.

Jutro znowu napiszę.

Tony uścisków,

do zobaczenia jak najszybciej,

Jean, Zosia i Wiesio

Przypisy

s. 58 **do trzeciej fali Polaków deportowanych przez NKWD**
Cztery główne deportacje Polaków na teren Związku Radzieckiego miały miejsce w lutym, kwietniu i na przełomie czerwca i lipca 1940 roku oraz w lipcu 1941 roku. Większość wywożonych osób stanowiły kobiety i dzieci.

Istnieją kontrowersje co do liczby deportowanych. Przez niemal pięćdziesiąt lat polscy historycy szacowali, że do Związku Radzieckiego wywieziono od półtora do dwóch milionów Polaków. Były to osoby deportowane w latach 1940–1941, jeńcy wzięci w niewolę we wrześniu 1939 roku, obywatele aresztowani przez Sowietów (zazwyczaj pod nieprawdziwymi zarzutami) i wysłani do radzieckich więzień oraz ludzie zmuszeni do ciężkich robót lub do wstąpienia w szeregi Armii Czerwonej. Liczebność najliczniejszej z tych grup, deportowanych w latach 1940–1941, szacowano na 980 000–1 080 000 osób (należy zwrócić uwagę, że w szacunkach tych nie uwzględnia się osób deportowanych w roku 1939 ani w latach 1944–1947).

Po upadku komunizmu otwarte zostały sowieckie archiwa. Ze znajdujących się w nich dokumentów wynikało, że wywieziono dużo mniej Polaków, niż szacowano w Polsce. Doprowadziło to do wielu sporów w gronie badaczy i historyków. W 2002 roku ogłoszono, że według sowieckich dokumentów wywieziono 320 000 Polaków, a więc około trzech razy mniej, niż początkowo przypuszczali polscy historycy.

W związku z tymi różnicami w 2003 roku postanowiłem wybrać się do Polski i zapoznać z opiniami historyków na miejscu. Najpierw rozmawiałem z profesorem Wojciechem Materskim, zawiadującym badaniami Instytutu Nauk Politycznych Polskiej Akademii Nauk. Powiedział, że według niego liczby podawane przez Sowietów mogą być prawdziwe i że coraz więcej polskich historyków przychyla się do tych szacunków. Twierdził, że jeśliby wziąć pod uwagę czynniki, których nie jesteśmy obecnie w stanie zweryfikować, całkowita liczba deportowanych mogłaby wynosić od 320 000 do 350 000.

Profesor stwierdził, że polskie wyliczenia opierały się na relacjach osób, które widziały wagony przewożące deportowanych. Brano pod uwagę całkowitą liczbę wagonów i mnożono przez średnią liczbę osób mieszczącą się w jednym wagonie, choć niektóre mogły przewozić jedynie 30 osób, a inne nawet do 70 lub 80. Nie można wykluczyć, że przejeżdżające przez kolejne miasta pociągi były zauważane przez wiele osób, co mogło być przyczyną zawyżonych szacunków. Po „amnestii" w 1941 roku osoby wracające z gułagów, więzień i obozów dodawały własne obserwacje do przypuszczeń na temat liczby Polaków w Związku Radzieckim.

Spytałem profesora Materskiego, dlaczego mielibyśmy wierzyć danym z dokumentów NKWD, skoro Sowieci tak często podawali do wiadomości publicznej fałszywe informacje. Odpowiedział, że przekłamania dotyczyły informacji ogłaszanych publicznie, a nie tego, co znajdowało się w wewnętrznych raportach NKWD. Argumentem przemawiającym za prawdziwością owych danych była również nieustanna obawa funkcjonariuszy NKWD o własne życie – każda pomyłka lub niedokładność w raporcie mogłaby stać się pretekstem do wysłania jego autora do więzienia, zesłania go na Sybir lub nawet rozstrzelania.

Następnie zapytałem profesora, czy otwarte po upadku komunizmu radzieckie archiwa są kompletne. Stwierdził, że to skomplikowane pytanie, na które nie ma prostej odpowiedzi; że należałoby „wziąć pod uwagę cały proces dokumentowania".

Gdy bezpieczeństwo archiwów było zagrożone podczas niemieckiej inwazji na Związek Radziecki, rząd sowiecki zlecił przeniesienie najważniejszych dokumentów zachodnich (z wyjątkiem obszarów Smoleńska) do Moskwy. Nie wiadomo, jaka część tych dokumentów wróciła potem na Białoruś i Ukrainę, a jaka pozostała w Moskwie. Te, które znalazły się ponownie na Białorusi, są obecnie niedostępne, w przeciwieństwie do znajdujących się na Ukrainie. Procedury NKWD wymagały, by najważniejsze dokumenty, istniejące jedynie w pojedynczych egzemplarzach, były niezwłocznie przekazywane do Moskwy. W czasie wojny były dwa archiwa, do których dokumenty te mogły być przesyłane: archiwum NKWD i archiwum KGB. Po wojnie oba zostały na pewien czas połączone, lecz później ponownie je rozdzielono, tworząc archiwa KGB i MSW. Archiwa KGB są w chwili obecnej niedostępne. Dokumenty dotyczące deportacji obecnie dostępne znajdują się w Archiwach Prezydenta Federacji Rosyjskiej, Archiwum Państwowym Federacji Rosyjskiej i Państwowym Wojskowym Archiwum Federacji Rosyjskiej.

Rozmawiałem również z profesorem Andrzejem Korzonem, emerytowanym docentem Instytutu Historii Polskiej Akademii Nauk i profesorem Mazowieckiej Szkoły Wyższej Nauk Humanistycznych i Pedagogicznych w Łowiczu. Profesor Korzon z nieco większą rezerwą odnosił się do liczb podawanych w sowieckich dokumentach. Twierdził, że należałoby ustalić, czy Żydzi, Ukraińcy i Białorusini będący obywatelami Polski byli uznawani przez Sowietów za Polaków. Liczbę obywateli Polski deportowanych do Związku Radzieckiego w latach 1940–1941 profesor szacuje na co najmniej 400 000, być może nawet 450 000. W swoich wyliczeniach bierze pod uwagę trzy grupy osób: amnestionowanych zesłańców, którzy powrócili do Polski (263 000), Polaków, którzy opuścili Związek Radziecki wraz z polską armią w 1942 roku (115 000) oraz deportowanych, którzy zmarli w Związku Radzieckim (około 32 000).

Więcej informacji na ten temat można znaleźć w: Ciesielski S., Materski W., Paczkowski A., *Represje sowieckie wobec Polaków i oby-*

wateli polskich, wyd. II, Warszawa 2002; oraz w: Jolluck K., *Exile and Identity: Polish Women in the Soviet Union during World War II*, Pittsburgh 2002.

s. 81 **Prędzej zobaczysz własne uszy**

Dużo później dowiedzieliśmy się, że taką samą odpowiedź, słowo w słowo, dawano Polakom w całym Związku Radzieckim, i doszliśmy do wniosku, że to samo mówiono, i to od dawna, również deportowanym z innym krajów. Bolszewicy nie byli pierwszymi, którzy stosowali deportację jako wymiar kary politycznej. Ich poprzednicy, carowie Rosji, działali w ten sam sposób ponad sto lat, jedyną różnicą był środek transportu. Sowieci przewozili więźniów pociągami, podczas gdy carowie nakazywali zesłańcom piesze pokonywanie tysięcy kilometrów aż na Syberię. Niewielu było w stanie przeżyć taką drogę, jeszcze mniej – powrócić do domu.

s. 132 **na sowieckiej ziemi będzie się też formować wojsko polskie**

Kilka tygodni przed przesłuchaniem Jurka w Związku Radzieckim rząd brytyjski oraz polski rząd na uchodźstwie zawarły porozumienie o utworzeniu na terytorium radzieckim polskiej armii. Mimo to wciąż trwały próby wcielania Polaków do Armii Czerwonej. NKWD często zastraszało rekrutów, informując, że jeśli odmówią wstąpienia do radzieckiej armii, zostaną oskarżeni o zdradę. Wielu Polaków zgadzało się, w trosce o życie. Moskwa wolała mieć sprawnych Polaków rozproszonych w szeregach swojej armii aniżeli grupujących się na jej terytorium w silnych i wrogich oddziałach. Dowództwo formującej się polskiej armii zrozumiało to, gdy z obozów jenieckich, więzień i obozów pracy przybywali jedynie ludzie starzy i chorzy. Wielu z nich, wycieńczonych i chudych jak szkielety, niebawem umierało.

s. 138 **i zimna**

Dlaczego to robili? Nikt, ani Polacy, ani tym bardziej Sowieci nie obiecali im rychłego ocalenia. Dlaczego matka ryzykowała własne życie i życie swojego dziecka, przemierzając tysiące kilometrów tylko po to, by – pozostając wciąż na terytorium Związku Radzieckiego, i do tego bliżej frontu – znaleźć się blisko polskiej armii? Było przecież prawdopodobne, że armia wycofa się i pozostawi ich w jeszcze gorszej sytuacji. Przez dziesiątki lat szukałem odpowiedzi na to pytanie, rozmawiałem z setkami Polaków, którzy zdecydowali się dołączyć do tego exodusu bez przywódcy. Dlaczego nie poczekali, aż skończy się wojna albo przynajmniej do momentu wyparcia Niemców?

Wszystkie odpowiedzi brzmiały tak samo. Pchało ich do tego rozpaczliwe pragnienie wolności. Byli gotowi na wszystko, aby dojść do wolności, wierzyli, że polska armia wyprowadzi ich ze Związku Radzieckiego niczym Mojżesz oswobadzający naród wybrany z egipskiej niewoli.

s. 154 **wybucha płaczem**

Gdy wkrótce po rewolucji październikowej została założona tajna sowiecka policja, jej zadaniem było represjonowanie obywateli, sianie strachu, stosowanie przemocy i zabijanie. Wierny komunistycznym zasadom rząd sowiecki wierzył, że poprzez regularne zmiany nazwy tej instytucji (Czeka, GPU, OGPU, NKWD, MGB, MWD, KGB) uda się ukryć straszną rzeczywistość. Obywatele Związku Radzieckiego żyli jednak w ciągłym strachu przed tajną policją, niezależnie od jej kolejnych nazw. Nieoficjalnie, bo tylko takie szacunki występują, twierdzi się, że utrzymywano 250 000–350 000 funkcjonariuszy straży granicznej, 1,5 miliona agentów NKWD i miliony informatorów, zarówno tych, którym płacono, jak i nieopłacanych.

Aby odwrócić uwagę obywateli od biedy i cierpienia, rząd sowiecki zapewniał im duże ilości wódki. Dla mas była ona środkiem znieczulającym, żołnierzom dodawała odwagi przed bitwą, dla katów stanowiła nagrodę za kolejne ciężkie dni pracy, choć wielu z nich po pewnym czasie i wódka nie była w stanie przynieść wystarczającej ulgi, sięgali więc po pistolety i popełniali samobójstwa. Innym zaoszczędzono takich dramatycznych kroków, wydając na nich wyrok śmierci. Wciągnięci w wir uzależnienia obywatele, gdy brakowało wódki, nierzadko sięgali po wodę kolońską czy spirytus drzewny, czyli metanol.

W 1990 roku, na żądanie rządu sowieckiego, KGB ujawniło, że w latach 1935–1950 aresztowano ponad 9 milionów obywateli Związku Radzieckiego. Kolejne 7 milionów, na terytorium Ukrainy, doprowadzono do śmierci głodowej, ponieważ nie zgadzali się z ideą kolektywizacji. Nikita Chruszczow wyznał w swoich wspomnieniach z tamtych czasów, że w okresie głodu w Związku Radzieckim dochodziło do aktów kanibalizmu.

Nigdy nie poznamy dokładnej liczby osób zamordowanych lub zagłodzonych w Związku Radzieckim. Nieoficjalne szacunki sięgają dwudziestu, a niekiedy nawet osiemdziesięciu milionów obywateli ZSRR. Różnice w szacunkach spowodowane są klasyfikacją zgonów i zliczaniem tych, którzy zmarli w wyniku ciężkiej pracy, z wycieńczenia, głodu lub chorób (osoby te uznawane były przez Sowietów za zmarłe z przyczyn naturalnych).

s. 157 **uwierzą w takie bajki**

Inny przykład tego typu propagandy ukazuje w swojej książce *Czerwony sfinks* generał Zygmunt Bohusz-Szyszko. Czekając na samolot Douglas, na którego pokładzie miał lecieć z Londynu do Związku Radzieckiego, spytał sowieckiego pilota, czy ów samolot jest amerykański czy sowiecki. Pilot bez wahania odpowiedział, że maszynę zaprojektował słynny sowiecki inżynier Douglas i że została ona wyprodukowana w Związku Radzieckim, z miejscowych materiałów.

s. 190 **nagle wstrzymają kontrolowane przez siebie transporty**
Druga fala ewakuacji, w której mieliśmy szczęście brać udział, była ostatnia. Potem wojskowe ciężarówki przewiozły jeszcze przez góry około 2600 osób, które spóźniły się na ostatni statek do Persji pod koniec sierpnia. Około 160 000 cywili i żołnierzy udało się uciec na wiosnę lub latem. Tysiące spośród tych, którzy zostali, zmuszono do przyjęcia obywatelstwa Związku Radzieckiego, innym kazano wstąpić do Armii Czerwonej, jeszcze inni zostali wcieleni do tworzonej pod sowiecką kontrolą armii polskiej.

s. 190 **ceną za szansę na wolność**
Nasza przyjaciółka Krystyna Ziemło powiedziała nam później, że wraz z matką i trzema siostrami przez trzy miesiące przedostawały się z Syberii do Krasnowodzka, w nadziei na ucieczkę. Udało się to tylko jej oraz dwóm siostrom – matka i trzyletnia siostrzyczka zmarły w czasie tej próby.

s. 210 **jechaliśmy, by samodzielnie stawić czoło nowemu światu**
Po upływie wielu miesięcy postanowiliśmy z Zosią, że w miejscu spoczynku mamy powinien stanąć kamień z wyrytym imieniem i nazwiskiem oraz datami urodzenia i śmierci. Ustawieniu go nie towarzyszyła żadna uroczystość. W czasie pobytu w Teheranie co jakiś czas odwiedzaliśmy mamę i kładliśmy na jej grobie kwiaty. Któregoś dnia, nie mówiąc mi o tym, Zosia poprosiła kogoś, aby zrobił nam zdjęcie, gdy klęczeliśmy przy grobie. Zdjęcie to zobaczyłem dopiero po pięćdziesięciu latach. Zosia nigdy nie powiedziała mi, że je ma, jakby chciała mnie przed czymś ochronić.

s. 213 **przywarłem do niej mocno, nie znajdując słów**
Według rodzinnego archiwum nasze spotkanie z porucznik Janką zostało opisane w wydawanej w Chicago polskiej gazecie „Zgoda", w numerach z 7 i 13 września 1943 roku. Janka wysłała do gazety arty-

kuły, które napisała w Persji. Pisała o radości i smutku, jakie wywołało w niej spotkanie osieroconych krewnych w tak ciężkich warunkach. Opisywała również spotkania z innymi polskimi uchodźcami, panujące w naszym obozie warunki, a także samą Persję (patrz też: listy w Dodatku).

s. 235 **w ramach wspólnych działań wojennych**

Po zakończeniu wojny generał brygady Donald P. Booth napisał w liście do wszystkich żołnierzy walczących pod jego dowództwem, że do grudnia 1944 roku Armii Czerwonej dostarczono, przez Zatokę Perską, blisko pięć milionów ton niezbędnego sprzętu.

Nie cały wojskowy ekwipunek przewożono ciężarówkami przez pustynię do Związku Radzieckiego. Wojsko amerykańskie miało wielką bazę lotniczą w Abadanie, niedaleko portu Choramszar, około pięćdziesięciu kilometrów na północny wschód od granicy z Kuwejtem. Baza składała się z lądowiska, wieży kontrolnej, magazynu transportu lotniczego, hangaru dla zmontowanych samolotów oczekujących na lot próbny oraz bazy dla samolotów amerykańskich, które miały być przekazane lotnictwu sowieckiemu.

s. 238 **i po prostu zabija sam siebie**

Po wielu latach natknąłem się na bajkę o skorpionie, który śmiertelnie bał się wody i poprosił żółwia, aby ten pozwolił mu na jego grzbiecie przedostać się przez jezioro.

Żółw odmówił, argumentując:

– Boję się, że wbijesz we mnie swój kolec i utonę.

– Nie bój się – odpowiedział skorpion – jeślibym to zrobił, to i ja bym utonął.

Na taki argument żółw zgodził się przepłynąć na drugą stronę jeziora ze skorpionem na swym grzbiecie. W połowie drogi skorpion wbił kolec jadowy w szyję żółwia. Ten, tonąc, powiedział do skorpiona:

– Przecież obiecałeś, że tego nie zrobisz.

Skorpion, również skazany na śmierć, odparł:
– Taka już moja natura.

s. 262 **niż dadzą mu wyjechać**
Wiele lat później dowiedzieliśmy się, że tysiącom ludzi pozwolono wrócić z sowieckiej niewoli dopiero w 1956 roku.

s. 264 **czekać na szczegóły dotyczące wyjazdu z Libanu**
Okazało się, że spośród 5300 Polaków – przebywających w Libanie w 1947 roku – 3500 zdecydowało się, podobnie jak my, na podróż do Anglii. 600 osób, w podeszłym wieku oraz chorych, wróciło do Polski, a pozostali udali się do innych krajów. Niewielka grupa zdecydowała pozostać w Libanie.

s. 273 **ich miłość, szczęście i zdrowie**
Ponownie widziałem się z Iwoną jedenaście lat później, w Chicago. Wkrótce po ślubie Zosi poznała polskiego oficera, Janusza Rzeczkowskiego, i niedługo potem pobrali się. Janusz, podobnie jak Mietek, walczył we Włoszech, przebył jednak inną drogę, aby tam dotrzeć. Po rozpoczęciu wojny walczył w Polsce przeciwko Niemcom, był członkiem AK. Został aresztowany przez Sowietów. Udało mu się uciec do Czechosłowacji, skąd udał się do Włoch i dołączył do polskich oddziałów.

s. 284 **spłacić dług skarbowi brytyjskiemu**
W 1953 roku, w Chicago, ponownie zobaczyłem Chrisa. Od tego czasu regularnie się ze sobą kontaktujemy. Nasze losy potoczyły się podobnie: Chris zrobił doktorat z psychologii, a ja zdobyłem dyplomy z nauk przyrodniczych i filozofii. Obaj zostaliśmy oficerami armii USA, założyliśmy własne firmy. W książce *Who's Who in Polish America* wyrażono uznanie dla zawodowych osiągnięć Chrisa, podczas gdy moje osiągnięcia w brydżu zostały docenione w książce *Official Encyclopedia of Bridge*.

s. 285 **po raz ostatni pomachałem bliskim na pożegnanie**
Zastanawiałem się wtedy, czy jeszcze się spotkamy. Ostatecznie Zosia, Mietek, mały George i jego roczna siostrzyczka Barbara przybyli do Ameryki w 1951 roku, gdy Stany Zjednoczone otworzyły swoje granice dla polskich uchodźców. Mietek znalazł pracę w dziale finansowym firmy Chicago Housing Authority, a Zosia pracowała jako główna księgowa. Ich trzecie dziecko, Yvonne, urodziło się już w Ameryce. Mój brat dotarł do Ameryki rok później. Ożenił się z Cesią Szkudlarek, która również wydostała się ze Związku Radzieckiego. Oboje odnieśli sukces w branży handlu nieruchomościami.

s. 299 **dobrym człowiekiem, takim jak twój tata**
Obiecałem, że dołożę wszelkich starań, by tak się stało, a przestrzeganie tej obietnicy uznałem za punkt honoru. Życzyłem jej zdrowia za każdym razem, gdy się widzieliśmy, czyli aż do kwietnia 2002 roku, kiedy to zmarła, miesiąc przed swoimi 106. urodzinami. Nasze rozmowy zawsze koncentrowały się na krewnych oraz warunkach panujących w Polsce. Rozmawialiśmy o tym, jak pomóc potrzebującym, i o tradycjach, które – przeniesione z ojczyzny – wciąż kultywowaliśmy w Ameryce.

s. 325 **mających się odbyć po zakończeniu wojny procesów**
Patrz: Coatney L.R., *The Katyn Massacre: An Assessment of Its Significance as a Public and Historical Issue in the Un ited States and Great Britain, 1940–1993*, Western Illinois University, 1993, str. 16.

s. 325 **wystarczające dowody na to, że dokonali jej Sowieci**
Kopie i niektóre oryginały były w posiadaniu CIA i brytyjskiego wywiadu do lat siedemdziesiątych. Amerykanie i Brytyjczycy postanowili wówczas przekazać część z nich do National Archives w Stanach Zjednoczonych, dalej do Public Record Office, Joint Reconnaissance Intelligence Centre oraz Uniwersytetowi w Keele w Anglii.

W 1981 roku jeden z najbardziej doświadczonych interpretatorów zdjęć w CIA, Robert G. Poirier, napisał notatkę: „Tajemnica Katynia: Nowe dowody w czterdziestoletniej zagadce". Została ona natychmiast utajniona przez jego zwierzchników. W 1990 roku omyłkowo, mimo jej tajności, udostępniono ją Wacławowi Godziembie-Maliszewskiemu, znawcy współczesnych technik interpretowania zdjęć, który poświęcił wiele lat życia na badanie zdjęć okolic Katynia. Zbierając informacje o tuszowaniu zbrodni, opierałem się na: Godziemba-Maliszewski W., *Katyn: An Interpretation of Aerial Photographs Considered with Facts and Documents, w: Fotointerpretacja w geografii: problemy telegeoinformacji*, Warszawa 1996, oraz: Fox F., *God's Eye: Aerial Photography and the Katyn Forest Massacre*, Westchester 1999.

s. 326 **przez niemieckich faszystowskich najeźdźców w Lesie Katyńskim**

Patrz: Zawodny J.K., *Death in the Forest: The Story of the Katyn Forest Massacre*, Notre Dame 1962, str. 49.

s. 326 **dokumenty świadczące o tym, iż to Sowieci popełnili zbrodnię**

Niemieckie samoloty zwiadowcze Luftwaffe utrwaliły działania Sowietów na zdjęciach, wykonanych w okresie od 9 lipca 1941 do 10 czerwca 1944, a więc zarówno w czasie poprzedzającym opanowanie przez Niemców terenów będących areną zbrodni, jak i w okresie po ich wycofaniu się z tego terytorium oraz po badaniach prowadzonych przez komisję Burdenki.

Pod koniec wojny Amerykanie przejęli tysiące niemieckich fotografii, w tym zdjęcia wykonane znad Lasu Katyńskiego. Materiały te zostały skatalogowane i oznakowane w angielskim mieście Medmenham w ramach projektu o kryptonimie Dick Tracy przez ekspertów zarówno brytyjskich, jak i amerykańskich. Po opublikowaniu pierwszych katalogów tych fotografii, przed rozpoczęciem procesów norymberskich, alianci zachodni mieli już niezaprzeczalne dowody na to, iż Sowieci popełnili zbrodnię katyńską, jak i na podejmowane przez nich próby tuszowania jej poprzez wykopywanie zwłok z masowych grobów, zasypywanie rowów ziemią i wyrównywanie terenu.

s. 327 **w tym Polską i Związkiem Radzieckim**
Patrz Zawodny J.K., *op.cit.*, str. 64; House Report nr 2505, *The Katyn Forest Massacre: Final Report of the Select Committee to Conduct an Investigation and Study of the Fact, Evidence, and Circumstances of the Katyn Forest Massacre*, Waszyngton 1952, str. 10-11.

s. 328 **nigdy nie została więc szczegółowo wyjaśniona**
Churchill W.S., *The Hinge of Fate: The Second World War*, Boston 1950, str. 761.

s. 329 **osoby, które zatajały znane im fakty dotyczące tej sprawy**
Patrz House Report nr 2505, *op.cit.*

s. 329 **przed Międzynarodowym Trybunałem Sprawiedliwości**
Ibidem, str. 2.

s. 329 **aby prawda o zbrodni katyńskiej nie ujrzała światła dziennego**
Ibidem, str. 4.

s. 330 **wskazywała na winę Sowietów**
Ibidem, str. 6.

s. 330 **do końca wojny**
Patrz: Zawodny J.K., *op. cit.*, str. 182–183; House Report, *op.cit*, str. 6–7.

s. 330 **umyślnie albo zniszczony, albo usunięty**
Ibidem, str. 8–9.

s. 330 **by zataić raporty antysowieckie**
Ibidem.

s. 331 **po zakończeniu wojny**
Ibidem, str. 11.

s. 333 **publikujemy niniejszy raport**
Patrz: MacShane D., Wstęp do: *Katyn: British Reactions to the Katyn Massacre, 1943–2003*, Londyn 2003.

Spis treści